EL OLOR
DE LOS DÍAS
FELICES

MARTA GRACIA PONS

EL OLOR
DE LOS DÍAS
FELICES

MAEVA

© MAEVA EDICIONES, 2019
  Benito Castro, 6
  28028 MADRID
  www.maeva.es

ISBN: 978-84-17708-16-0
Depósito legal: M-5.818-2019

Diseño de cubierta: Opalworks sobre imagen de Trevillion/© Ildiko Neer
Preimpresión: MT Color & Diseño, S.L.
Impresión y encuadernación: CPi BLACK PRINT
Impreso en España / Printed in Spain

«La calle más alegre del mundo, la calle donde
viven juntas a la vez las cuatro estaciones del año,
la única calle de la tierra que yo desearía que no
se acabara nunca, rica en sonidos, abundante de
brisas, hermosa de encuentros, antigua de sangre:
Rambla de Barcelona.»

–FEDERICO GARCÍA LORCA

*Para las víctimas de los atentados terroristas de
Barcelona del 17 de agosto de 2017.*

PRIMERA PARTE
Barcelona

1

Hacía un día espléndido, sin nubes, con un ligero viento matutino que traía el auténtico olor a verano y jardín. Anna entornó los ojos y miró el sol brillante y caliente que asomaba bajo un coro de aves madrugadoras. Aquel verano de 1928 iba a ser realmente caluroso, pensó sin mucho ánimo. Suspirando, metió la sábana blanca en el agua turbia del lavadero mientras le llegaba de la cocina el familiar aroma de la leche hervida y el pan recién horneado. Eso la reconfortó.

Restregó con fuerza la tela en la piedra con ceniza. No había nada mejor para las manchas, pero tenía el inconveniente de que ennegrecía las manos y eso la fastidiaba. Aunque era una simple lavandera, quería que su piel se viera tersa y blanca como cualquier muchacha de su edad. Miró a sor Julia: no había dejado de frotar en ningún momento y apenas se había tomado un descanso. Tantos años trabajando bajo las inclemencias del tiempo habían hecho mella en su rostro, ajado y oscurecido por el sol. Anna la admiraba. Había aprendido de ella, de la serenidad con la que sobrellevaba las dificultades y de su forma de salir adelante gracias a las oraciones. Así conseguía ser feliz.

Trabajaban en silencio, con el sonido incesante de la cigarra y el martilleo de la ropa golpeando sobre la piedra, hasta que sor Julia dijo:

–Es un trabajo duro, niña, pero peor era antes, cuando teníamos que ir al Rec Comtal a lavar. Entonces nos comían los mosquitos y el agua era horrible. Eso sí, hablábamos mucho y nos reíamos. Comentábamos la vida del pueblo y a veces cantábamos.

Se detuvo unos segundos, como si el recuerdo la hubiera trasladado a sus años de juventud y su vida nada tuviera que ver con la Orden de las Hijas de la Caridad; cuando vivía en su casita de fachada

9

de adobe, pobre pero libre y joven para correr alocadamente por el corral, o para curiosear en las madrigueras de los conejos, recoger los melocotones caídos de los huertos vecinos y contar historias despreocupadamente a la luz de la lumbre. Una infancia sencilla y dichosa, que su madre había truncado cuando decidió por ella una vida de hábito y austeridad.

Anna trató de imaginar a sor Julia con su misma edad. Sin duda habría sido bella, pensó, y una jovencita de armas tomar. La debilidad que aparentaba su cuerpo se esfumaba al oírla hablar: tenía carácter y le gustaba mandar. Sin ella, probablemente, el caos se apoderaría de la Casa de la Misericordia.

—No quiero trabajar más de lavandera, sor Julia. —Dejó escapar con un suspiro—. Quiero dedicarme a otra cosa. No sé, oficinista, dependienta, actriz como Louise Brooks... Hay una vida fascinante tras estos muros y quiero vivirla.

—¿Actriz? —Rio—. ¿Qué sabrás tú de eso?

—Veo los carteles en las Ramblas: son mujeres de éxito, guapas, ricas...

—No digas tonterías, Anna —la interrumpió—. Tienes que tener los pies en la tierra. Debes ser realista. Que no te guste ser lavandera lo entiendo, pero de ahí a pensar en ser actriz de... ¿cómo se llama?

—Hollywood —contestó ilusionada, y enseguida torció el gesto—. Claro que no aspiro a algo así, pero... Quiero hacer mi vida, sor Julia. Creo que estoy preparada.

La monja desvió la mirada y se pasó la mano mojada por la frente.

—Ya tienes diecisiete años y no puedes quedarte aquí por más tiempo si no tomas el hábito —dijo con la voz apenada—. Sabes que hemos hecho una excepción contigo. O decides formar parte de la Orden o tendremos que buscarte un trabajo como sirvienta fuera del orfanato.

Justo en aquel instante pasó otra monja caminando hacia el huerto de verduras que había en el patio, al lado del pozo, con una cesta en el brazo y unas tenazas de hierro. Como todas, llevaba su hábito negro y una toca alada blanca que le ocultaba el pelo. Se imaginó a sí misma vestida de aquella guisa, llevando una vida de oración, trabajo y dedicación a los demás, sin ningún otro aliciente que ser ejemplo para todas aquellas huérfanas que creían que la vida solo conllevaba sacrificio y abnegación. Negó con la cabeza. Sabía bien que ella no servía para eso, aunque agradecía la educación y el cariño que había recibido de aquellas devotas mujeres. Cerró los ojos y tomó una decisión: pese a encontrar en la oración una forma de alivio, no se veía muchos años más allí. Quería ser como aquellas chicas alegres y descocadas que pasaban por la Rambla de camino al teatro o a algún café para divertirse: mujeres seguras de sí mismas, capaces de disfrutar de los placeres de una ciudad como Barcelona.

—No quieres ser una de nosotras —concluyó la monja—. Siempre he pensado que este no es un sitio para ti. En realidad, hace ya semanas que estoy intentando encontrarte un trabajo decente.

Anna tragó saliva. La mayoría de las chicas del orfanato terminaban de criadas en alguna casa del Eixample, pero sabía que era un trabajo esclavo y que apenas tendría tiempo libre para salir, hacer amigos y encontrar el amor en algún café moderno. Como mucho, podría optar a un soldado. Solían pasear por la Rambla cuando estaban de permiso, piropeando y cortejando a las criadas que salían en su único día de fiesta. Pero Anna no quería un soldado rudo y desaliñado, sino uno de esos hombres que aparecían en los carteles de cine de la ciudad y que protagonizaban las películas de Hollywood: chicos altos, con el pelo peinado hacia atrás con brillantina, trajeados y con olor a perfume caro.

—No quiero trabajar de criada... —le suplicó—. Ni tampoco de lavandera.

No estaba en condiciones de exigir nada: aunque era el ojito derecho de sor Julia, no podía hacer distinciones. La habían educado, igual que al resto, para ser poco más que una sirvienta. No sabía redactar correspondencia, archivar documentos ni hacer uso del teléfono. Solo sabía lavar, planchar y coser. ¿A qué podría aspirar entonces?

—A veces no se puede elegir. —Puso la mano en su regazo—. Eres una chica lista y podrías hacer cualquier cosa que te propusieras, pero la vida fuera es dura. Si quieres sobrevivir, necesitas trabajar de lo que sea siempre que sea digno a ojos de Dios. Y si no... siempre puedes quedarte aquí.

—No quiero ser monja, sor Julia —respondió sin sutilezas—. No me llama la vida de oración.

Sor Julia agachó la cabeza y se sinceró en un vano intento por convencerla.

–Tampoco a mí. Fue mi madre quien me metió en la Orden. No me quedaba otra si no quería morir de hambre y vivir bajo un puente.

Jamás había confesado algo así. Anna la consideraba como el ejemplo personificado de la cristiandad. Era muy beata y se había ganado el respeto de toda la congregación.

–Oh, no pienses que no quiero a Dios. –Se santiguó y sonrió–. Ahora no cambiaría mi vida por nada del mundo. He ayudado a niños que de otro modo hubieran muerto bajo el frío... Tú, mi querida Anna, eres como una hija para mí.

Sus ojos se humedecieron, y Anna la abrazó con las manos mojadas. La monja, intentando sobreponerse, se limitó a darle una reconfortante palmada en la espalda.

–Intentaré encontrarte un buen trabajo –añadió, emocionada.

Anna reprimió el llanto y volvió a su trabajo. Confiaba en sor Julia: le había demostrado su amor a lo largo de todos esos años y gracias a ella se había convertido en una mujer fuerte, perseverante y trabajadora. Era lo más parecido a una madre para ella.

Cogió el cepillo y restregó bien la tela, luego la aclaró varias veces hasta dejarla sin restos de jabón. Hizo una mueca de angustia: sus manos acalambradas apenas podían seguir con la tarea y su espalda se retorcía de dolor. Afortunadamente, solo le quedaba tender la ropa al sol. Tras terminar el trabajo, miró a sor Julia, que había enmudecido y tenía la mirada gacha y pensativa. No le dijo nada. La dejó descansando bajo el sol, apoyada sobre el lavadero, y trató de no pensar en la despedida.

Se dirigió a la cocina, donde se encontraba sor María sentada en una banqueta pelando patatas mientras murmuraba por lo bajo. En un plato abandonado sobre la mesa de madera, había varios restos de limón que había usado la monja para hacer las cocas de San Juan y que Anna utilizaba para aclarar sus manos y suavizarlas. En el fuego, una olla enorme y humeante con un espeso caldo de verduras del huerto y un hueso de jamón.

–Anna, hija, te necesito –le dijo sor María, mostrándole unas manos negras y ásperas–. Tienes que hacer un recado.

–¿Por qué no se echa limón en las manos? –espetó, ignorando su comentario–. Eso la haría parecer más fina.

–Qué manía con el limón –contestó con hartazgo–. No se te van a emblanquecer las manos por mucho que lo hayas leído en no sé dónde.

–No lo he leído en ningún lado, me lo dijo una de las lavanderas de Horta –respondió cansada–. Y creo que desde entonces tengo las manos más bonitas.

–Nunca tendrás las manos bonitas –le replicó–. Y tampoco te hace falta. Suerte tienes si sales de aquí y encuentras novio rápido, si no tendrás que tomar el hábito.

Ni siquiera le contestó. Sor María tenía muy mal humor y no valía la pena replicarle. Asintió sin hacerle mucho caso y esperó a que le encomendara el recado.

–Tendrás que ir al mercado a comprar más patatas –continuó de mala gana–. Venga, no te entretengas.

Sabía de sobra que tardaría en regresar. Solía embobarse con los escaparates de las tiendecitas de la Rambla que anunciaban cremas milagrosas contra el paso de la edad o pastillas de ingredientes exóticos que quitaban todos los males. También los cafés concurridos por los burgueses bien vestidos de la zona alta, que se sentaban a la sombra de los toldos a tomar granizados de limón o soda americana. Con el calor que hacía, le vendría bien uno de esos refrescos llenos de burbujas que parecían saciar la sed al instante. Aunque solo costaban veinte céntimos, ni siquiera el cambio que le quedaría de comprar las patatas le llegaría para uno. Podía conformarse, como mucho, con un *suau*, un café con gaseosa, pero no le gustaba el sabor amargo del café.

–Llegaré pronto, se lo prometo –dijo, esperando a que le diera el dinero–. Le traeré las mejores patatas de la Boqueria.

Salió a la calle dando pequeños saltos de alegría. Mientras caminaba Rambla arriba, Anna no podía dejar de observar el trajín de una ciudad que poco o nada tenía que ver con su día a día en el interior del hospicio. La vida cotidiana de los barceloneses era muy diferente a la suya, que se limitaba a obedecer y cumplir con las obligaciones que le imponían las monjas. Sin embargo, a Anna le encantaba pasear tranquilamente por allí y contemplar a las mujeres que salían de la iglesia de Betlem con sus mantillas perfectamente acomodadas en un recogido regio y elegante; a los vendedores ambulantes que ofrecían todo tipo de juguetes y marionetas a los niños que revoloteaban en la puerta de la iglesia, a las jóvenes que vendían flores a la salida de los teatros y que se insinuaban a los señores de postín para lograr convertirse en sus queridas... Los contrastes sociales eran una estampa habitual en aquel paseo: los hombres que conducían su rebaño de cabras por los preciosos y señoriales jardines del Palau Moja se mezclaban con las muchachas de clase media y alta que acudían en masa a los grandes almacenes El Siglo para comprar vestidos a la última moda; los lecheros, panaderos y aguadores con los enormes carteles comerciales que anunciaban las más exquisitas cafeterías y restaurantes; los obreros sucios del Paralelo con los especuladores de la Bolsa de Barcelona...

Llegó a la Rambla de Canaletes empapada en sudor, así que paró a beber en la fuente. En ella había unos niños sedientos, encargados de la poda de los árboles del paseo, y el conductor de un tranvía, que había dejado a los pasajeros esperando bajo el sol infernal del mediodía. Justo al lado, en la confitería Esteve, varias criadas y cocineras de las mejores casas hacían cola en la puerta con el fin de llenar sus cestas de cocas de frutas confitadas para la cena. Se había pasado el mercado con toda la intención: su objetivo era, siempre que podía, visitar el Hotel Colón desde fuera; le encantaba observar la terraza de su café, donde se juntaban los vanguardistas como Sebastià Gasch, crítico de arte y periodista que animaba las charlas durante el vermut, y los vendedores de ostras frescas recién llegadas de Marsella. Envidiaba a aquellos jóvenes que podían permitirse sentarse a la fresca cuando los demás debían seguir con su rutina de trabajo. Se sentía viva: quería experimentar, tomar las riendas de su vida, evolucionar y mirar hacia delante. Y lo haría pronto.

De repente, se topó con las únicas amigas que tenía fuera del orfanato: las lavanderas de Horta. Al pie de la sierra de Collserola, Horta gozaba de abundante agua procedente de los arroyos y los torrentes que bajaban de la montaña. En comparación con otros lavaderos públicos, el agua de Horta era limpia y cristalina, así que las familias con dinero preferían pagar un poco más y así evitar los pozos negros del Eixample.

—Buenos días, Anna. —Un corrillo de mujeres la saludó al unísono.

Aquellas mujeres, reconocidas por su pulcritud y honradez, debían cargar con más de veinte kilos de ropa hasta paseo de Gracia. Todas vestían igual, con su habitual blusa blanca, delantal y fajín negro. Sus rostros parecían cansados y sus espaldas estaban curvadas de trabajar de rodillas durante horas.

—¿Has probado lo del limón? —preguntó Isabel, la más abierta de todas.

Anna le enseñó las manos, orgullosa.

—Si es que no te va nada la vida de monja, Anna, a ver cuando sales de allí y te vienes con nosotras.

Anna apretó los dientes. Trabajar de lavandera le parecía una tarea insufrible y apenas tenía tiempo para divertirse, salir y explorar el mundo moderno que llegaba del otro lado del océano: las *flappers,* el charlestón, el cine... Podía verlo en los carteles publicitarios que aparecían en los escaparates y los periódicos: mujeres maquilladas, con la falda corta, las estrellas y vedetes de las revistas como la argentina Celia Gámez... Quería vivirlo antes de condenarse a una vida de sacrificio y trabajo.

—Tengo otros planes para mí, querida —le lanzó un beso al aire—. No quiero entreteneros más. ¡Que paséis una buena verbena!

Despidiéndose con la mano, el grupo de mujeres siguió su camino a toda prisa, con las cestas de mimbre apoyadas en la cadera para repartir el peso.

Ya era hora de dar media vuelta y comprar las patatas, si no quería que sor María le echara una buena bronca. Corrió a meterse a la sombra de la cubierta de hierro del mercat de Sant Josep, también conocido como la Boqueria. En la entrada había un arco modernista decorado con paneles de vidrio de colores, además del escudo de la ciudad.

—*Butifarres de sang per aquesta nit!*

—*Llonganissa bona i barata, nenes!*

—*Llardons per les coques!*

Los gritos de los carniceros se mezclaban con los de las mujeres que pedían turno y chismorreaban sobre una de las obras teatrales que más furor estaba causando en el Paralelo, sobre la vida de una joven adicta a la cocaína. *La vida de Cocot* había sido todo un éxito y la gente acudía en masa a ver el espectáculo, pese a que los moralistas burgueses lo consideraban un ataque en toda regla a la ética y al buen gusto.

Anna estaba tan seducida por los colores y el bullicio que se respiraba bajo aquella cúpula de olor a sangre y pescado que apenas se dio cuenta de que se había pasado el puesto de verduras. Las moscas revoloteaban junto a los chorizos, las longanizas y la *cansalada* que colgaba de las cuerdas de las carnicerías. Pensó en lo afortunado de quienes podían saborear aquellas delicias que las monjas racionaban para los días de fiesta, como aquella noche. Por fin iba a poder comer los embutidos elaborados durante la matanza del cerdo que se había hecho en marzo: solo de pensarlo salivaba. Tuvo que hacer cola en el puesto de frutas y verduras, donde varias amas de casa seguían con la charla. Anna carraspeó para que se dieran prisa. Se estaba haciendo tarde y tenía que comprar las patatas. Por suerte se dieron por aludidas y pudo regresar al hospicio antes de que sor María pusiera el grito en el cielo por su tardanza.

La Casa de la Misericordia estaba delimitada por las calles de Ramelleres, Elisabets, Montalegre, Valldonzella y Tallers. Era un edificio muy amplio; en su interior había un refectorio, varias salas de labor, la enfermería y muchos dormitorios bien ventilados y limpios. Por la puerta de acceso en la calle Elisabets, rodeado de naranjos, se encontraba el torno. Anna no pudo evitar lanzarle un vistazo. Alguien la había depositado allí cuando tan solo tenía unos días de vida y había girado la rueda. Un llanto desgarrador, de desamparo, había alertado a sor Julia, quien la había recogido y se había convertido desde entonces en su protectora. Anna se preguntaba a menudo si quien la había abandonado se habría arrepentido alguna vez de lo que había hecho, aunque temía que no lo iba a saber nunca.

Abrió el pesado portón de madera y accedió al pasillo interminable que olía a incienso y que cuando era niña era incapaz de recorrer a solas. Al pasar por la capilla, decidió entrar y rezar un poco. Reinaba un silencio sepulcral, como siempre. Se arrodilló frente al Jesucristo colgado de la cruz, que la observaba piadoso pese a su agonía, y le pidió que las cosas le fueran bien fuera de la Casa de Misericordia. Una y otra vez.

El fuego de la hoguera crepitaba con fuerza. En la mesa de piedra se habían servido las butifarras, el fuet y las morcillas junto a varias cabezas de ajo y aceite. A su alrededor, más de quince niñas se afanaban por llenarse el estómago antes de que se acabara el festín, acercando sus rebanadas de pan de payés al fuego. Se respiraba un ambiente de alegría infinita: aquella noche podrían jugar hasta las tantas, corretear por el patio y observar los fuegos artificiales que se lanzaban desde la zona alta del Eixample y que pintaba de colores y luces el cielo. Era una noche mágica, e incluso las monjas disfrutaban de las canciones, alejadas de la eucaristía, para cantar a pleno pulmón con las huérfanas.

A la nit de Sant Joan,
que es una nit molt alegra,
els companys m'estan dient:
–Joan: per què no t'alegres?
–Com me puc alegrar jo
si m'han casat l'amor meva:
l'han casada lluny d'aquí
per mai més poder–la veure.

Cuando sacaron las cocas, las niñas se volvieron locas de entusiasmo. Mientras Anna les contaba un cuento bajo el ruido ensordecedor de los petardos, ellas se llenaban la boca de azúcar y daban pequeños sorbos de vino dulce del porrón. Había refrescado un poco, así que subió a su habitación a por una chaqueta de punto que le había hecho sor Julia hacía unos años. El calor sofocante de la estancia estuvo a punto de hacerle cambiar de idea, pero decidió abrir la ventana, que daba al patio, para que se ventilara antes de irse a dormir. La pirotecnia llenaba el cielo de Barcelona y pensó en la cantidad de familias unidas que estarían junto a la hoguera, recordando anécdotas y situaciones divertidas del pasado. Lamentaba no tener ningún recuerdo de su madre; tenía que contentarse con el único objeto que guardaba como oro en paño en el último cajón de la cómoda y que la ataba a una familia de la que no sabía nada. Se dirigió allí con intención de sacarlo, pero antes dedicó unos segundos a mirarse en el espejo picado de la habitación: el sol había oscurecido su piel después

17

de tantas horas en el lavadero y contrastaba con el color de su pelo, castaño claro, y sus ojos azul celeste. Era menuda y delgada, con los labios gruesos y la nariz prominente. Al reír, se le formaban unos bonitos hoyuelos en las mejillas redondeadas y unas pequeñas bolsas bajo los ojos. Las niñas más pequeñas decían que era guapa, pero no acababa de creérselo del todo; ¿guardaría algún parecido con su madre?

Sacó el trozo de tela con la que venía envuelta la noche que había sido abandonada en el torno. Era de un tejido vaporoso y delicado, de un blanco que se había convertido en amarillo por el paso del tiempo. En una de las esquinas, unas iniciales bordadas en hilo rojo: T. P.

2

No nos hemos atrevido a salir de casa. La huelga convocada para hoy nos mantiene en alerta y la policía no deja de pasar una y otra vez, a caballo, por la Rambla. ¡Menudo fastidio! Quería salir a dar una vuelta y comprar un periquito en una de las paradas del paseo. *Quiqui* ha muerto, quizá por el calor sofocante que hace en el balcón. Madre no quería que lo metiera dentro de casa, dice que no es propio y ensucia mucho, pero a mí me encantaba oírlo cantar. Me relajaba cuando hacía labores o cuando tomaba el café mirando por la ventana.

Ahora me esperan unos días interminables aquí, encerrada, aguantando las quejas de padre, que no deja de maldecir a los que han convocado la huelga. Nadie se atreve a salir de casa por miedo, así que no podemos socializar con nadie, ni visitar a nuestros amigos. Aunque parezca que no estoy pendiente de la conversación entre mi padre y mi hermano, entiendo perfectamente el problema. Ha empezado una guerra con Marruecos y han movilizado a los reservistas catalanes, muchos de ellos casados y con hijos, para embarcar hacia el conflicto. Mi hermano Joan también fue llamado a filas, pero mi padre pagó más de mil quinientas pesetas para que no fuera. Justo acaba de licenciarse en Medicina y solo falta que lo mate un moro de esos. ¿Qué nos importa a nosotros el Norte de África? Las malas lenguas dicen que es para proteger las minas de plomo de los grandes propietarios como el conde de Romanones. No me parece bien que unos tengan que morir por la fortuna de los demás. Desgraciadamente, no todos pueden pagar lo que pagó mi padre para librarse de la guerra y eso es un tanto injusto, pero yo estoy aliviada y contenta de que Joan se encuentre a salvo.

Echo de menos a Enric. Dice mi madre que cuando acabe la huelga iremos a ver a los Girona a Sant Pol, que nos han invitado a pasar unos días. ¡Es tan apuesto! No sé si se da cuenta de que me ruborizo cada vez que me mira... ¡Qué vergüenza! Espero que no piense que soy solo una niña: ya tengo veinte años y, aunque él me lleve siete u ocho, podríamos hacer una buena pareja. Madre dice que también le gusto a él, que se nota por cómo me habla y que se pone nervioso si estoy a su lado. Creo que es una exagerada porque a ella le encantaría que nos comprometiéramos.

Mi hermano ha elegido ser médico, aunque a mi padre le hubiera gustado que siguiera sus pasos y se convirtiera en el heredero de la empresa; pero él no quiere saber nada: solo piensa en pasarlo bien, salir y olvidarse de las responsabilidades. Aún no sé cómo ha podido sacarse la carrera de Medicina, con lo difícil que es; a veces pienso que padre hizo algo para que le dieran el título, porque muy pocas veces he visto a Joan estudiando, sino más bien todo lo contrario. La cuestión es que padre quiere que me case lo antes posible para que mi marido lleve las riendas de la constructora cuando él falte, que espero que sea tarde. Así que Enric sería perfecto: los Girona, los dueños del Banco de Barcelona, son una buena familia y nos ayudan a financiar la fábrica. Sería un buen compromiso para todos y yo la mujer más feliz del mundo.

Carmina me llama para tomar el helado de canela y limón que ha hecho con la nueva heladera que hemos comprado. Si no bajo rápido, se deshará, y estoy deseando refrescarme un poco.

Teresa

3

Los domingos solía quedar con sus amigas las lavanderas en el marinero barrio de la Barceloneta. Después de caminar por las callejuelas de Santa Caterina, salió al paseo Nacional y recorrió el puerto, rodeando la famosa Maquinista Terrestre y los talleres Nuevo Vulcano, ambas dedicadas a la producción de máquinas de textiles y material ferroviario y de construcción. De hecho, el puerto se encontraba muy próximo al ferrocarril, por la Estación de Francia, así que la Barceloneta, aparte de su marcado carácter marinero, también era intensamente obrero. Toda la fachada marítima se encontraba salpicada de almacenes portuarios, multitud de fábricas y vías ferroviarias, además de las barracas y casas bajas del Somorrostro, Pequín y el Camp de la Bota. El mar y el suave oleaje que rompía en la playa era como un oasis entre tanta fábrica y metal. Un grupo de jovencitas paseaban bulevar arriba y abajo, saboreando unas grandes tajadas de sandía y melón que exponían los tenderetes de la plaza de la Barceloneta. Justo al lado de la iglesia de Sant Miquel del Port estaban sus amigas las lavanderas, esperándola bajo la sombra de los estrechos balcones con ropa tendida. Esta vez solo habían venido María y Luisa; quizá las demás habían tenido que terminar alguna faena o entregar algún paquete en el paseo de Gracia. Las dos eran altas y bastante bellas pese a llevar siempre el infame gorro de algodón con que se cubrían el pelo. Sin embargo, Luisa lo era mucho más que María: tenía el rostro ovalado y la tez olivácea, además de una densa melena y unas largas y negras pestañas. María, en cambio, tenía la cara picada y las facciones descompensadas. Ambas, como Anna, tenían las manos enrojecidas y callosas por el duro trabajo en la lavandería.

–¿Has visto lo que tengo? –María señaló el lazo que se había anudado en el cuello.

Anna arrugó la frente: la tela era de seda y de buena calidad. ¿De dónde la había sacado?

—Te la estás jugando, María —la reprendió la otra—. No puedes quedártelo. Te van a pillar.

—¡Venga ya! —exclamó airada—. Pero si ni siquiera lo notará... La señora Vila tiene muchísima ropa...

—¿Lo has robado? —Anna se llevó la mano a la boca—. ¿Cómo te atreves?

—Me paso el día lavando y no tengo nada —soltó con la cabeza gacha—. Me deslomo por llevarle su ropa limpia hasta su casa. Llego acalorada y no son capaces de ofrecerme un vaso de agua. No merecen menos.

—Pero si te pillan te lo harán pagar caro y no encontrarás trabajo nunca más.

—Entonces tendré que contar yo algo... —Alzó las cejas—. Las lavanderas nos enteramos de todo y dicen que la señora Vila...

—Shhh —chistó Luisa—. No lo sabes a ciencia cierta.

—¡Claro que sí! —Rio por lo bajo—. Que se ve a escondidas con el señor Roure.

—¿Y tú cómo sabes todo eso? —le preguntó Anna—. Y no está bien ser chismosa.

—Ay, Anna... —Le dio un codazo—. Dile a sor Julia que rece por el alma y la virtud de la señora Vila...

Las dos comenzaron a reír. Anna se mantuvo en silencio y se sintió mal por los comentarios de sus amigas. Ellas no habían sido educadas por las monjas y a veces pensaba que desconocían lo que estaba bien y lo que estaba mal. Robar era un pecado capital.

Siguieron caminando hacia la playa. En el mar en calma navegaba un barco de Las Golondrinas y varias regatas de patín a vela del Club Natació Barcelona. El antiguo faro del puerto, que ahora se encontraba en Montjuic, se había convertido en la torre del reloj. Eran las once, la hora en la que muchas familias se dirigían al Casino dels Banys de Sant Sebastià, que se había inaugurado hacía pocos días, para tomar un baño y disfrutar de los lujos de su restaurante y mirador.

—¿Sabes que vino Josephine Baker a inaugurarlo? —comentó Luisa.

Anna adoraba a la afroamericana. Era la bailarina más famosa del mundo: danzaba de forma salvaje y con una sensualidad provocadora con su falda hecha de jirones.

—Ojalá tuviéramos dinero para entrar. —Hizo una mueca de pena—. Tienen hasta una piscina, creo.

—Sí. —María cabeceó entusiasmada—. Y se bañan juntos hombres y mujeres.

—¿Qué me dices? —exclamó Luisa—. ¿Te imaginas? La de cosas que se podrían hacer debajo del agua...

Rieron. Anna se imaginó nadando junto a un hombre fornido, un galán del cine americano de anchas espaldas y pelo en pecho.

—Qué lástima que no sé nadar. —Se sonrojó—. Nunca podré comprarme un bañador.

—Los hombres se deben de poner las botas en esas piscinas —añadió María—. Los bañadores mojados dejan ver todo lo que esconde una mujer. Más de una ha tenido un descuido y se le han salido los pechos.

—Bañarse es de ricos —dijo Luisa cabizbaja—. Solo nos queda observar bajo el sol a quienes disfrutan del agua. Algún día me haré yo misma un bañador con lana buena.

—Y ¿de qué nos serviría si no sabemos nadar? —Anna se encogió de hombros—. Es como tener un coche y no saber conducir.

—Seguro que habría muchos hombres dispuestos a enseñarnos. —Le guiñó un ojo.

Se sentaron en la arena a observar a la gente zambullirse en el agua. Anna se dejó caer de espaldas mientras sentía la brisa marina y el aroma salado del aire, que se mezclaba con el olor a sardinas asadas y mejillones a la marinera de los merenderos de los pescadores, que ofrecían pescado fresco a los trabajadores del puerto. Había mujeres ataviadas con traje de baño al completo y hombres enseñando muslo y parte de pectoral disfrutando de las caricias del suave oleaje.

—He traído la *Blanco y Negro* —comentó Luisa—. Ya la hemos leído todas, ahora te toca a ti.

Les encantaba esa revista. Hacían reportajes de moda con ilustraciones. Además, Anna adoraba leer los anuncios de las primeras páginas, que hablaban de toda clase de productos que no había tenido la oportunidad de probar. La cogió y comenzó a hojearla con entusiasmo. «Phoscao: el más exquisito de los desayunos, ideal para los anémicos, ancianos y aquellos que digieren con dificultad.» En el orfanato no tenían cacao, así que la leche la tomaban tal cual, sin nada, pero con una cucharada de azúcar. Si las niñas se encontraban un poco débiles o anémicas, sor Julia lo tenía claro: una cucharada de aceite de hígado de bacalao podía salvar a cualquiera incluso del raquitismo. «Píldoras circasianas: endurecimiento de los pechos en dos meses.» Anna se tocó los suyos y comprobó que los tuviera turgentes. No tenía gran cosa, sin embargo. Inevitablemente, pensó en aquellas matronas de pecho abultado que amamantaban a tantas criaturas a lo largo de su vida. Seguro que las necesitarían, concluyó. «La Flor de Oro: una fricción diaria de esta maravillosa agua basta para hacer desaparecer las canas y devolver al cabello su color primitivo.» Pensó en sor Julia y en su cabello ya canoso. Había leído que el agua de hervir las patatas ayudaba a oscurecerlo, pero la monja ni siquiera le había prestado atención, pues decía que una monja no debía atender ese tipo de coqueterías ni perder el tiempo en frivolidades. «Peluquería de señora Ramos: casa especializada en postizos, ondulación Marcel y permanente. Tinturas, manicura, masajista y perfumería.» Se mordió el labio con frustración y se tocó la melena recogida en un moño. No se había atrevido a cortárselo, pero sí había intentado hacerse un Marcel ella misma con las tenacillas de atizar el fuego de la estufa. Desgraciadamente, solo había conseguido estropeárselo todavía más y llevarse una buena bronca de las monjas. No le quedaba más remedio que lidiar con una melena que atentaba contra la moda del pelo corto de la época y que le impedía parecerse a su admirada Bette Davis. «Nieve Hazeline: conserva hasta el final la frescura del cutis y evita el encendimiento del rostro.» Anna tenía su propio polvo de arroz casero. Molía unos gramos de arroz con el mortero y guardaba el polvo en un frasco de cristal. Solía ponérselo en los días de fiesta y, aunque no tenía el aroma de los que vendían en droguería, la ayudaban a sentirse un poco más bella y cuidada. «Buick: las figuras preeminentes de la sociedad son propietarios de Buick, por ser el coche que su vida necesariamente activa les obliga a poseer.» ¿Cómo sería conducir un coche?, se preguntó. Nunca había subido a uno y cuando los veía pasar por la Rambla se quedaba embobada mirando al conductor, imaginándose la clase de vida que podría tener. Ojalá su futuro marido, se dijo a sí misma sin mucha esperanza, fuera uno de esos hombres que podían permitirse un automóvil y la llevara a cualquier parte del mundo.

—¡Qué envidia me da leer todos estos anuncios! —exclamó Anna—. ¿Cómo debe ser disfrutar de productos así?

—Pues si consigues un trabajo podrías comprártelos —respondió Luisa—. Aunque míranos a nosotras: lo que nos pagan no nos da ni para unos polvos de arroz. Tenemos que dar el dinero a nuestras familias para pagar el alquiler.

—Oye, pero si trabajaras en una droguería... —María alzó las cejas—. Antes hemos pasado por la droguería Anyí y había un cartel en la tienda para solicitar dependienta.

—¿En serio? —exclamó Anna—. Sor Julia me está buscando trabajo, puedo decirle que me ayude a trabajar con los Anyí. Creo que les compran a ellos el matarratas y la lejía.

Adoraba ver el escaparate de la droguería Anyí de la Rambla: latas y cajas de cosméticos, detergentes y productos de limpieza... Su estilo señorial, sus columnas clásicas y los azulejos estampados de las paredes acogían a lo más selecto de la burguesía catalana: mujeres que acudían en busca del mejor perfume de la casa Myrurgia, hombres que compraban tintes para teñir sus zapatos viejos, jóvenes que se llevaban litros de brillantina para el pelo...

—No sé yo si te veo en una droguería. Para vender tienes que mentir y ser persuasiva. Te veo poca cosa.

—¿Poca cosa? —Frunció el ceño—. No creo que tenga que mentir para vender. Hay que ser honesto siempre.

—¡Ja! ¡Y una leche! —Le hizo una mueca—. Si vas con esa mentalidad no vas a durar ni dos días. La mentira no tiene por qué ser algo malo. Puede ayudarte a conseguir lo que te propones y ganarte la vida.

—No me gustaría engañar a nadie. —Negó con la cabeza, agarrando fuertemente la revista—. Puedo convencer a los clientes de otra manera.

—¿Y por qué crees que quieres comprar todos los productos que has leído en la *Blanco y Negro*? —Hizo una pausa—. Te manipulan y te convencen de que lo suyo es lo mejor. Estás deseando comprarlos todos. Hasta el coche, y eso que no lo necesitas.

Tenía razón. Aunque no se daba cuenta, los anuncios publicitarios estaban destinados precisamente a eso, a lograr que la gente los comprara, y para ello recurrían a la fuerza expresiva de la palabra y a imágenes atractivas y complacientes.

—Bueno, no creo que consiga el trabajo... —prosiguió decaída—. Mirad qué ropa llevo... las dependientas siempre van impecables y modernas.

—¿Por qué no te haces un *jumper* de lana? —dijo Luisa—. Está muy de moda. Y una falda de cintura baja, a lo Coco Chanel.

—Ay, calla, ojalá fuera como ella. —Soltó un suspiro—. Tan elegante...

—Oye, que nunca se sabe. Además, leí en la revista que tuvo una infancia difícil, igual que tú. Estuvo en un orfanato porque su madre murió de tuberculosis y su padre no se responsabilizó ni de ella ni de sus cuatro hermanos. Luego fue cantante en un café de París. Y mira dónde ha llegado: abrió una tienda de sombreros y ahora es la diseñadora más famosa del mundo.

—Pero yo no sé hacer nada, Luisa. —Agachó la cabeza—. Bueno, sí, lavar. Jamás seré una mujer exitosa.

—Tienes que ser valiente y atrevida como ella: dejó de lado el corsé, puso de moda el pelo a lo *garçon*, el color negro... Y lo más importante: ¡se atrevió a llevar pantalones!

—¡Qué locura! —Rio—. Si apareciera vistiendo pantalones en la droguería me echarían seguro.

—Pues la verdad es que sí: no he visto a casi ninguna mujer por la calle con pantalones —comentó María—. Creo que solo las más grandes, como Coco, pueden llevar algo así. Las demás seríamos criticadas. Si alguna vez quieres llamar la atención, Anna, ya sabes qué es lo que tienes que ponerte.

—Desde luego —asintió—. Pero tenéis razón: si Coco fue capaz de conseguir todo lo que ha conseguido, yo también puedo hacerlo. ¡Quiero ser dependienta!

—Pues ya sabes: empieza a coser tu *jumper* y créetelo. Seguro que sabemos mucho más de cosmética que otras que van pintadas hasta las cejas. No hay nada como leer la *Blanco y Negro*.

—Y si me marcho del orfanato, necesitaré un lugar para vivir —resopló, agobiada.

—Oh, conozco a unas chicas que están buscando compañera de piso —añadió rápidamente—. Viven en el Raval. Es barato y son muy simpáticas.

—¿En el Raval? —Arrugó la frente—. ¡Sor Julia me mata si me marcho allí!

—Y ¿dónde te piensas que puedes vivir con el sueldo de una dependienta? —Rio, incrédula—. Por favor, pon los pies en la tierra, Anna.

Anna llegó al orfanato con energías renovadas. Las chicas le habían subido el ánimo y quería luchar por ese puesto de dependienta, así que se fue a ver a sor Julia. Esta estaba en la cocina, preparando la comida. Aquella mañana habían desollado varios pollos del corral y el ambiente olía inevitablemente a sangre animal. También a leña. Era el aroma de una mañana de verano, el cálido abrazo de un hogar. El ir y venir en la cocina era cotidiano para ella y las monjas ya estaban acostumbradas a su presencia. Anna se sentía allí reconfortada, también afortunada de poder disfrutar de aquellos momentos tan familiares. Un par de monjas, sentadas en sillas bajas, sujetaban enormes recipientes de barro y batían los huevos con el azúcar y la harina para hacer bollos y magdalenas. El horno estaba encendido y desprendía un calor insoportable. Sor Julia tenía las manos metidas en un cuenco lleno de sangre de cerdo y lo había mezclado con varias especias para hacer morcillas. La intensa pasta de color violeta le cubría los brazos hasta los codos.

—¿Ya has visto a tus amigas? —le preguntó la monja—. ¿Mucha gente en la playa?

—Sí. —Se quedó parada a su lado—. ¡Hace un día estupendo!

Sor Julia se la quedó mirando.

—Ay, Anna, ¿qué es lo que quieres?

Anna se sonrojó y se rascó el pelo.

—¿Tanto se me nota? —Carraspeó—. No sé si es que soy muy expresiva o es que usted me conoce demasiado.

—Las dos cosas, creo —Sonrió—. Venga, ¿qué te han dicho las lavanderas? ¿Necesitas algún ingrediente para hacer una crema de esas que salen en las revistas?

—No es eso, sor Julia. —Se sonrojó—. Es que me han dicho que la droguería Anyí necesita dependienta. Sé que conoce al dueño y...

–¿Quieres trabajar allí?

Asintió y se quedó callada.

–Puedo intentarlo –continuó, removiendo la sangre–. Les gustará tener a una chica de confianza y bien educada. Además, conoces todos esos chismes para la belleza. Pero no te hagas ilusiones, por si acaso.

Anna comenzó a morderse las uñas, impaciente.

–¿Cree que podría valer?

–Eso nunca se sabe hasta que se prueba –recapacitó–. Pero debes saber que la vida fuera no es fácil y que en un trabajo de ese tipo puedes toparte con gente muy variopinta. Tienes que ser comedida y no hablar más de la cuenta.

–¿Cuándo hablo yo más de la cuenta? –sonrió–. Ya sé que a veces puedo ser demasiado insistente...

–No todo el mundo es como tú, ni como esas esas lavanderas deslenguadas amigas tuyas. Afortunadamente.

–Una dependienta tiene que ayudar al cliente a encontrar el producto más eficiente.

–Pero con precaución, hija. –La miró seriamente–. Tienes que escuchar más y hablar menos; descubrir los anhelos y necesidades de una persona sin preguntar demasiado.

–Eso solo lo puede hacer Dios, sor Julia. –Le guiñó un ojo–. Pero tiene razón. Es usted una mujer sabia y no sabe lo mucho que la voy a echar de menos cuando tenga que dejarla.

Sor Julia agachó la cabeza y desvió la mirada.

–Vamos, niña, vete de la cocina, que estorbas –dijo con la voz engolada, reprimiendo el nudo en la garganta–. Que siempre eres la salsa de todos los guisos, mi querida Anna...

Aquella misma tarde comenzó a coser su *jumper*.

4

Se lavó la cara, se peinó con un cepillo de púas gruesas y se anudó el cabello con un pañuelo para evitar los rayos de sol. Después de desayunar un vaso de leche con miel, una tostada con ajo y aceite y unos higos maduros, se dirigió al patio para empezar a lavar. Corría un aire agradable y en el horizonte se observaba el incipiente sol que llenaba el cielo de una cúpula de tonos amarillos y rojos. La luna, mientras tanto, iba difuminándose hasta convertirse en un reflejo imperceptible. Anna respiró hondo y disfrutó de la tranquilidad que se respiraba en el orfanato a aquella hora temprana. Sentía una paz inmensa, un silencio apenas roto por el canto mañanero de un gallo y el ruiseñor que había anidado entre los setos descuidados del patio. Llenó el lavadero de agua y sumergió los vestidos blancos que las niñas se habían manchado de fruta confitada y gotas de vino. Le costaría sacar las manchas, pero nada que no pudiera solucionarse con talco y un cepillo de cerdas.

Sus manos, a medida que pasaban las horas, se enrojecían y agrietaban por la lejía y el agua helada. Se había mojado la blusa a causa del sudor y se transparentaba el corsé de algodón blanco que escondía unos pechos pequeños y redondeados. Si fuera más pequeña, metería la cabeza entera en el interior del agua para refrescarse; sin embargo, ya tenía una edad y las monjas lo reprobarían.

Aunque solo eran las nueve, todavía le quedaba por limpiar la mantelería. Estaba agotada y le dolía mucho la espalda. El silencio en que se había sumido el edificio hasta entonces daba paso al ruido de los porticones y a las risas de las niñas, que habían bajado al comedor para desayunar después de misa. Precisamente una de ellas, Caterina, apareció inesperadamente en el patio con los ojos anegados en lágrimas. Se aferró al delantal, tapándose la cara como avergonzada, y gimoteó quedamente.

–¿Qué te pasa?

Dejó lo que estaba haciendo y la abrazó para consolarla. Caterina tenía once años, así que le quedaba poco tiempo en el hospicio antes de que la mandaran a servir a una buena casa. Con suerte, sus señores se portarían bien y le darían cama y comida, además de un salario. Sin embargo, la mayoría solían aprovecharse de la vulnerabilidad de unas huérfanas acostumbradas a la obediencia y educadas para no cuestionar lo que les deparaba el destino y la voluntad divina. Muchas ni siquiera veían una sola peseta.

–Necesito que me ayudes –susurró, pálida–. Creo me estoy muriendo.

–¿Pero qué dices? –soltó sorprendida–. ¿De dónde sacas eso?

–Ven, Anna, por favor. –La cogió de la mano y tiró de ella–. He de enseñarte algo.

Anna arrugó la frente, confundida. Sentía un inmenso cariño por aquellas niñas que se encontraban en su misma situación: todas habían perdido su identidad y su origen, y eso las mantenía fuertemente unidas. Los expósitos eran, en el fondo, una enorme familia que compartía las mismas penas, el dolor del abandono y el desarraigo. Y Anna era, para ellas, la hermana mayor que no habían tenido jamás, con la que podían revelar sus más íntimos secretos y confidencias.

Subieron las escaleras hacia el dormitorio de las niñas; estas ya habían hecho sus camas y habían bajado al aula para recibir sus clases de labores. Todo estaba perfectamente ordenado; las camisas de dormir formaban una hilera blanca sobre las camas, perfectamente dobladas. El camisón de Caterina, sin embargo, no estaba sobre la suya.

–¿Dónde has dejado tu camisón? –le preguntó.

La niña se dirigió lentamente hacia su cama, con los ojos huidizos, y retiró la sábana que cubría el colchón y el camisón hecho un manojo. Estaban manchados de sangre.

–¡Voy a morir! –gritó, rompiendo en llanto.

Anna soltó una carcajada, aunque la reprimió enseguida al comprender el sufrimiento de la niña. A su edad, había pensado exactamente por lo mismo.

–No te vas a morir, cariño. –Le acarició la cara y le retiró las lágrimas–. Todas pasamos por ello.

–¿Todas? –Aturdida, dejó de llorar al ver que no le daba importancia–. No te entiendo, Anna.

–Te ha venido la regla, ya puedes considerarte toda una mujer. –Le palmeó el hombro–. No tienes de qué preocuparte, yo te explicaré lo que debes hacer.

–¿La regla? –Negó con la cabeza–. ¿Qué es eso?

–La tenemos todas las mujeres y se repite cada mes. Sangramos durante unos días y luego se va. Puede que te duela, pero yo tengo remedios para eso.

–¿Voy a manchar el colchón todos los meses? –preguntó, incrédula–. ¡Las monjas me van a matar!

–No, mujer, no... –Sonrió ante la ocurrencia–. Te daré unos paños de gamuza para que los pongas en tus braguitas. Cuando estén llenos de sangre, te los cambiarás por otros. Luego, tendrás que limpiarlos tú misma.

–¿Y tocar la sangre? –Hizo una mueca de asco–. ¡Es horrible!

–Te acostumbrarás rápido –Le guiñó un ojo–. Si alguna vez te duele, dímelo, que te prepararé una infusión de jengibre y hierbabuena.

–Pero ¿por qué tenemos esto? –Alzó la ceja–. ¿Los hombres no la tienen?

–Solo las mujeres. Dios nos hizo así para poder traer hijos al mundo.

–Ah, ¡entonces las monjas se libran! –rezongó con rabia–. ¡Qué suerte!

Anna rio ante la inocencia de la niña, que desconocía la función de su naturaleza. Nadie le había explicado para qué servían sus órganos, pues las monjas omitían todo lo que tuviera que ver con las intimidades femeninas.

–Las monjas son iguales que nosotras. Aunque no tengan hijos, también sangran. –Aquella respuesta pareció contentarla–. Te traeré los paños, ¿de acuerdo?

–¿Y qué pasa con el colchón?

–No te preocupes por el colchón: almidón, amoníaco y sal. –Se dirigió hacia la puerta–. Con eso quedará impecable. Las monjas ni se enterarán.

Sonrió con la boca bien abierta, mucho más tranquila. Probablemente se lo contaría a sus compañeras y las prevendría de su futura menstruación. Iba a echar de menos a esas niñas, pensó con un nudo en la garganta.

–¿Puedo preguntarte una cosa? –dijo sonrojándose–. ¿Es verdad que los niños los trae una cigüeña? Lo leí en un cuento. Y en lo alto del campanario de la iglesia suelen anidar algunas y siempre temo que se caiga una criatura... Aunque las monjas dicen que las dejan en el torno para que no pasen frío.

Volvió a reír. Anna también se había creído lo de las cigüeñas a su edad. Las monjas tenían un cuento de Hans Christian Andersen donde se explicaba la leyenda y así evitaban contar la verdad, que les resultaba terriblemente vergonzosa. Sin embargo, pudo informarse bien en la Biblioteca de Mujeres que había en la calle Sant Pere més Baix. Francesca Bonnemaison había sido la creadora de la primera biblioteca pública femenina de toda Europa y hacía hincapié en la formación de la mujer trabajadora. Les ofrecía acceso a la cultura y daban clases de feminismo, confección, aritmética, gramática y un sinfín de asignaturas más que ayudaban al cultivo de la inteligencia y a la obtención de un trabajo digno para la mujer. Anna la había encontrado por casualidad, en uno de sus paseos habituales, y había entrado por pura curiosidad al ver que cualquiera podía acceder de forma gratuita. En una de sus visitas, una mujer estaba dando una charla sobre evitar quedarse embarazada tras el acto sexual. Fue allí, asombrada por lo que oía y observando un despliegue de preservativos, bombas de agua y botes de espermicidas, cuando descubrió la verdadera creación de la vida. Había salido de aquella charla sintiéndose culpable: las monjas, de haberlo sabido, la habrían castigado por presenciar semejantes barbaridades. Pero aquellas mujeres no parecían ser de mala vida, sino que vestían bien y eran muy cultivadas. ¿Por qué debía ser malo conocer aquellos métodos de prevención? ¿No tenían todas las mujeres derecho a saberlo?, se preguntaba a menudo.

–No es cierto, Caterina. Es un acto físico entre el hombre y la mujer. –Se sonrojó y prefirió no ahondar en detalles–. Olvídate de cigüeñas.

–Pues vaya, ¡qué decepción! –exclamó la pequeña–. Y ¿cómo cabe un bebé en la barriga de una mujer?

–No lo sé, pero no me hagas más preguntas –la reprendió, nerviosa–. Si se enteran las monjas de que te he contado todo esto...

–Pero ¿por qué no nos lo explican? –Frunció el ceño–. ¿Qué hay de malo con saber la verdad?

En ese preciso momento, sor Julia apareció en la habitación.

–¿Dónde estabas? –le preguntó a Anna–. ¡Está la colada a medio hacer!

Anna miró duramente a Caterina para que no dijera nada de la última conversación.

–La niña, que necesita paños, sor Julia.

La monja sonrió y dejó escapar un suspiro, pero no dijo más. Se marchó durante unos instantes y regresó con los paños, se los dio a Caterina y le acarició fugazmente la cabeza como si con ese gesto fuera suficiente para demostrarle su afecto y complicidad.

–Anna, hemos de hablar –le soltó de repente–. Acompáñame.

Anna se puso en alerta y la siguió. Sor Julia la llevó hacia una de las aulas vacías y cerró la puerta tras ella. Había pasado muchas mañanas en aquella estancia oscura de paredes grises desconchadas y húmedas, aguantando los sermones de sor Susana, una de las monjas que más temor le inspiraba. Era autoritaria y mandona, y les enseñaba fundamentalmente a coser, bordar e hilar medias. Quería hacer de aquellas niñas futuras esposas provechosas, que supieran cuidar de la casa, economizar y coser. Así que, aunque les había enseñado a leer y escribir, su recuerdo estaba en los ojales, cordones y redecillas que llenaban su caja de costura.

Anna se sentó en uno de los pupitres; la monja, sin embargo, prefirió quedarse de pie mientras se abanicaba con vehemencia y se retiraba el sudor con un pañuelo. En la pizarra, escrito a tiza, los nombres de los diferentes utensilios, cubiertos y vajillas que las niñas encontrarían en sus futuros hogares del Eixample. Habían vivido en un entorno austero y humilde, así que desconocían para qué servían la mitad de cubiertos que utilizaban los ricos: cuchillos para el pescado, cucharillas para el helado o sorbete, cuchara salsera... y cómo colocarlos en la mesa de manera sofisticada.

–He de contarte algo, Anna –dijo sor Julia, visiblemente emocionada.

Supo enseguida lo que le iba a decir. El asiento rígido hacía que su cuerpo se mantuviera recto y la cabeza erguida. Estaba tensa ante la noticia de la monja, porque de ella dependía su futuro.

–Hemos encontrado un trabajo para ti –continuó–. Creo que te va a gustar.

Cerró los ojos y tomó aire. Cruzó los dedos por detrás de la espalda, rezando para que no fuera de lavandera en Horta. Frente a ella, la pintura del fundador de las Hijas de la Caridad: san Vicente de Paul, de rostro pacífico, tierno. Parecía una buena persona.

–En la droguería Anyí, de dependienta –soltó de golpe–. Cobrarás diecisiete pesetas a la semana.

Anna dejó escapar el aire que tenía retenido, se levantó y dio un salto de alegría.

–¡Eso es genial! –exclamó entusiasmada–. ¿Cómo lo ha conseguido?

–Sé que lo estabas deseando. Les hablé muy bien de ti y van a darte una oportunidad. No pagan mucho, pero creo que estarás bien.

Se había liberado. Era muy afortunada por trabajar en lo que realmente quería. Iba a estar rodeada de perfumes y belleza, de todos esos productos que había visto una y mil veces en la *Blanco y Negro* y que ahora podría oler y tocar. Aquello era un sueño hecho realidad.

–Muchísimas gracias, sor Julia. –Se emocionó y la abrazó agradecida–. ¿Cuándo empiezo?

–La semana que viene. –Hizo una pausa–. Tendré que buscarte un lugar para vivir. Algo barato, claro, que no cueste más de seis pesetas a la semana. Si te administras bien y compras, sobre todo, bacalao y tocino, podrás salir adelante.

Eso la alegraba y la apenaba a la vez: empezar de cero, sola, en una casa ajena... Aquel orfanato era su hogar y había compartido todas y cada una de sus experiencias con las personas que vivían en él. Además, estaba sor Julia. No le quedaba otra que dejar atrás el pasado para continuar hacia delante.

–No hace falta que me busque nada, sor Julia. Una amiga lavandera conoce a unas chicas decentes que buscan compañera de piso. Hablaré con ella para que lo organice todo.

–¿En qué barrio se encuentra?

–En el Raval. –Tragó saliva–. Pero dice que son unas chicas muy simpáticas y que es un piso barato.

–¡Dios santo! –exclamó, santiguándose–. Allí pasan muchas cosas, Anna... No voy a estar tranquila sabiendo que vives por allí...

–Estaré bien, se lo prometo –insistió–. Además, vendré a verla cada semana para que vea que todo va bien. Le prometo que, si veo algo extraño en ese piso, me marcharé a otro lugar.

La monja, tras pensárselo varios segundos, asintió y la cogió de la mano.

–Está bien. –Suspiró, melancólica–. Confío en ti. Si necesitas cualquier cosa, no dudes en pedírmelo, hija.

–He de agradecerle todo lo que ha hecho por mí –dijo Anna, aguantándose las lágrimas–. Desde que llegué aquí, me ha hecho una persona feliz.

Sor Julia se sonrojó, orgullosa de que le reconociera su trabajo después de una vida dedicada a los demás.

–Recuerdo perfectamente aquel día. –Su rostro reflejaba la nostalgia de un tiempo pasado–. Tu piel rosada, envuelta en aquella tela blanca... Parecías un ángel caído del cielo. He aprendido a no juzgar a nadie por sus actos, pues así lo quiere Dios, pero me cuesta comprender cómo se puede abandonar a una criatura tan perfecta, tan pequeñita... Esas mujeres deben de estar desesperadas para hacer algo así.

–Puede que no tuviera recursos para mantenerme –dijo con la cabeza gacha–. Quizá no hubiera sido feliz con ella.

–Es mejor no pensar en eso. Lo importante es que te hemos educado para valerte por ti sola y ahora tendrás la oportunidad de demostrarlo.

–¿Sabe una cosa, sor Julia? –obvió el comentario anterior–. No sé qué clase de madre se atreve a bordar las iniciales de su hijo si luego lo va a abandonar. ¿No le parece cruel?

–Ya te dije que no le dieras importancia. No sabemos si son tuyas, de tu madre o vete tú a saber de quién. –Hizo un gesto de indiferencia con la mano–. Preferimos llamarte Anna, patrona de los trabajadores y de las mujeres embarazadas.

–No sé si alguna vez tendré una hija, pero le aseguro que trabajaré duro y podrá sentirse orgullosa. No la decepcionaré.

–No lo dudo. –Se quedó mirándola detenidamente–. Eres una chica lista, mi preciosa Anna, y puedes comerte el mundo si te lo propones.

–La recordaré siempre, sor Julia.

Se abrazaron entre lágrimas.

–Mucha suerte, pequeña.

Puso sus escasas pertenencias en la pequeña maleta de tela: un camisón, un sujetador, dos braguitas, sus paños para la menstruación, dos blusas y dos faldas, las medias tupidas de invierno y la chaqueta de lana que le venía corta de los brazos. Y su cepillo de dientes. No iba a poder llevarse el peine, ni el jabón, ni las toallas, ni las sábanas. ¿Cómo iba a vivir en su nueva casa sin todo eso? Tendría que ahorrar desde el principio para poder reponerlo, pero también tendría que asumir muchos gastos. Esperaba que sus compañeras fueran generosas y le dejaran cierto margen para aposentarse. Su amiga María así se lo había asegurado.

Dejó su habitación y recorrió por última vez los pasillos de aquel orfanato en los que tantas veces había jugado, reído y llorado. El miedo a la oscuridad de la noche, la misa interminable de la mañana, la ración escasa de carne de los domingos, el vino aguado de la eucaristía, el fuerte olor de las velas y el carbón de la estufa, el picor de la manta apolillada y el lloro desgarrador de la compañera de la cama de al lado. Pronto todo eso iba a quedar atrás. Prefería recordar las tardes veraniegas en el patio jugando a la rayuela o a la comba, los turrones y buñuelos de Pascua que hacían las monjas, las *nadales* que cantaban bajo el muérdago, los cuentos mágicos a la luz de las velas, el consuelo y cariño de sor Julia...

Comenzaba una nueva etapa llena de ilusiones, con una nueva misión en la vida, que era la de convertirse en una mujer autosuficiente, libre y feliz de verdad.

Cruzó el portón y cerró la puerta. Empezaba a recorrer su propio camino.

5

Llevaba la dirección de su casa escrita en un papel: calle de Santa Madrona, nº 8. Cargada con la maleta y sofocada por el calor, cogió el tranvía en la parada de la Boqueria, en dirección a *Drassanes*. En el interior, las mujeres, con los cestos de mimbre llenos de verduras y comestibles, se atusaban el pelo revuelto por el aire de la ventana mientras observaban las paradas de pájaros coloridos y cantarines que esperaban ser vendidos en la Rambla. Los hombres, sin embargo, fumaban y leían el periódico sin prestar atención a las calles por las que habían transitado poetas, arquitectos, sabios y políticos, y que ahora llevaban sus nombres. Aunque había pasado por aquellas calles decenas de veces, Anna seguía emocionándose por los sucesos, recuerdos e historias singulares que guardaban esos lugares, y que contribuían a crear el espíritu y el alma de los habitantes de aquella ciudad.

Estaba nerviosa por cómo sería su nueva casa, aunque no esperaba gran cosa. Durante el viaje, dejó volar su imaginación: recorrió con la mente cada una de las estancias de su futuro hogar, añadiéndole papel pintado a las paredes, muebles de caoba y porcelana china en la vitrina del comedor. También uno de esos baños modernos y sofisticados que tenían los ricos, como el que había visto una vez en el Café de la Rambla. Había entrado por curiosidad una mañana en hora punta: el salón estaba repleto de oficinistas y dependientes que tomaban su primer café del día antes de entrar a trabajar. Había leído en el periódico que eran pioneros en un nuevo sistema de ventilación con generador de aire frío que hacía que el calor desapareciera de la sala. Los clientes, pues, acudían en tropel en pleno verano para refrescarse, aunque muchos otros preferían disfrutar de la ligera brisa en la terraza frente a la Rambla. Anna había querido comprobarlo por sí misma y, ya de paso, visitar un baño en condiciones. Sin gastarse ni una sola peseta, se había sentido como una más de esos hombres y mujeres afortunados.

La parte baja del Raval, o barrio chino, como se lo conocía popularmente, era uno de los distritos más marginales y modestos de la ciudad. Desde que los burgueses se habían marchado de allí para instalarse en el Eixample, el Raval se había convertido en el destino predilecto de la inmigración para trabajar en el textil y en la construcción de la Exposición Universal de 1888. Se convirtió, entonces, en el área más industrializada de todo el municipio y con uno de los movimientos obreros y sindicales más reivindicativos y luchadores.

Antes de llegar a su destino, pasó por las *Drassanes* reales, que habían sido un lugar clave durante la época medieval. Pensó en la cantidad de naves y galeras de la marina catalana que habrían pasado por allí para ser reparadas durante el dominio territorial y comercial de la Corona de Aragón por todo el Mediterráneo. Nunca había subido a un barco y desconocía qué podría sentir surcando mares y océanos en busca de un nuevo destino. Algún día, se dijo a sí misma, lo haría. Pero en ese momento estaba muy lejos de todo eso: el tranvía comenzó a recorrer vías de lo más estrechas y tortuosas hasta llegar a Santa Madrona. Nunca había llegado hasta allí en sus habituales paseos matutinos, pues las monjas siempre le habían advertido de la peligrosidad de las calles de aquel barrio lleno de burdeles y vagabundos. Sin embargo, no se podía permitir vivir en otro lugar y su amiga María había insistido en que allí estaría bien cuidada por sus nuevas compañeras de piso. Debía dejar de lado el miedo y los prejuicios y aceptar que ahora iba a formar parte del día a día de aquel barrio. Al fin y al cabo, aquella era la vida real. Y si las cosas se torcían, siempre podría volver al orfanato. Cargando con la maleta, se topó con un marinero que hacía escala en Barcelona. Estaba muy cerca del puerto y muchos pasaban por allí para disfrutar de los bares, salas de espectáculos o de las prostitutas que se ofrecían en las esquinas y hacían sus servicios en alguna habitación sórdida de alguna fonda.

—¿Quieres que te lleve la maleta? —le preguntó, cogiéndola sin esperar su respuesta—. Seguro que pesa mucho.

El tipo, que olía a alcohol y parecía no haber dormido nada aquella noche, llevaba el uniforme blanco manchado de vino y barba de varios días. Anna se quedó aterrorizada: temía que le robara o, peor, que pudiera agredirla.

—No, gracias. Puedo yo sola.

El hombre no hizo caso, y comenzó a caminar hacia delante con la maleta en la mano.

—¿Adónde vas? —continuó, como si no la escuchara.

El corazón le iba a mil. No sabía qué hacer, si debía seguir tras él o marcharse corriendo de allí, pero en esa maleta estaban todas sus pertenencias y no se lo podía permitir. Tomó aire: era de día y había gente en la calle, así que no se atrevería a hacerle nada.

—No te importa —alzó la voz—. Haz el favor de devolverme la maleta y dejarme en paz. Si no, gritaré.

El joven paró y la soltó con fuerza, tirándola al suelo. Torció la boca y negó con la cabeza.

—Eres una estúpida —exclamó de mala gana—. Solo trataba de ser amable.

No se lo había parecido. No lo conocía de nada y sor Julia le había advertido que tuviera cuidado y no confiara en nadie. Había vivido toda su vida arropada y protegida en el orfanato, así que no sabía lo que le podía deparar la calle.

—Puedo yo sola —respondió recogiendo la maleta—. Buenos días.

Siguió su camino sintiendo los ojos de aquel hombre en su espalda. Tuvo miedo de que la siguiera y descubriera su portal, así que se metió en un callejón al azar para despistarlo. No fue una buena elección: a plena luz del sol, mujeres y hombres de aspecto rufián comerciaban en mercados improvisados con todo tipo de objetos mayoritariamente robados. Relojes con inscripciones grabadas, abrigos de visón, bolsos de piel...

—¿Quieres algo, niña?

Una mujer oronda se acercó a ella sin intención de hacerle daño, pero con tono agresivo. Su olor a sudor se mezclaba con el de pescado podrido que provenía del puerto. Dio un paso atrás, asustada, y volvió a Santa Madrona a toda prisa. ¿Dónde la había metido su amiga? No estaba tan lejos del hospicio, pero parecía que les separaba un mundo entero. Si quería aventuras, allí las iba a tener seguro.

Por suerte, el marinero ya no estaba, así que pudo llegar hasta el portal número ocho con tranquilidad. Evidentemente, todo lo que se había imaginado había caído en saco roto al comprobar que el edificio, si seguía en pie, era porque Dios se apiadaba de sus inquilinos. El portal y las escaleras estaban limpias, aunque viejas, y eso provocó en Anna un ápice de esperanza. Quizá, pensó, no iba a estar tan mal. Había cuatro plantas, pero su casa se encontraba en la tercera. Sacó la llave y abrió la puerta, pero no cedió. Estaba atrancada. Llamó con los nudillos a la espera de que alguien abriera; sin embargo, parecía que no había nadie a esas horas de la mañana, o las chicas de las que había hablado María estaban trabajando. Se quedó en el descansillo sin saber qué hacer, y se sentó en un peldaño a la espera de que acudiera pronto alguna de ellas. A los pocos minutos salió un joven de una de las puertas del rellano. Era moreno, de piel cetrina, y llevaba una camisa de algodón blanca y unos pantalones sencillos sujetos con unos tirantes. En la mano llevaba un trozo de pan con queso y comía a toda prisa.

—Buenos días, señorita —saludó, sacándose la gorra y cerrando de un portazo.

Era del sur. Su acento lo delataba.

—Disculpa, ¿sabes si se ha roto la puerta? —le preguntó ella, ansiosa—. Soy la nueva inquilina y no hay manera de abrirla.

El chico le cogió la llave de la mano, la introdujo y giró a la par que le daba un golpe seco con el brazo.

—Hay mucha humedad y la madera se hincha como un gorrino.

—Muchas gracias —le sonrió, agradecida.

—*De ná.* —Hizo una reverencia—. Llego tarde a trabajar. Esta vez me va a costar la pelleja, niña.

Corrió escaleras abajo, saltando los peldaños de dos en dos. Le hubiera gustado hablar un poco más con aquel muchacho tan amable, pero ya tendrían tiempo para hacerlo con más tranquilidad en otra ocasión. Entró pues en la que sería su nueva casa. En el pequeño recibidor había varias perchas vacías y una repisa con una bandeja de metal en la que descansaban dos cartas sin abrir; el comedor, con una mesa redonda y un par de sillones floreados, tenía las paredes decoradas con un papel pintado antiguo y oscuro que delataba alguna que otra mancha de humedad. Había señales de vida femenina en aquella sala: en la mesa, unas revistas de moda y unas pinzas para el pelo, además de una crema facial de la marca Bella Aurora. Se adentró en la cocina, compuesta por una estufa de hierro esmaltado para cocinar, un fregadero y una alacena de madera, y abrió aquellos armarios para saber qué tipo de comida cocinarían aquellas jóvenes. Para su sorpresa, no había ningún alimento fresco, sino latas y más latas de conserva (escabeches, vegetales y mermeladas), pastillas de caldo Maggi y dos frascos de jarabe Somatose para la anemia y la falta de apetito. Por lo que se podía intuir de la despensa, ninguna de ellas había salido cocinillas.

Siguió con el recorrido: quedaban tres habitaciones. No sabía cuál podría ser la suya, aunque no tardó mucho en averiguarlo: los dormitorios de sus compañeras tenían montones de ropa tirada por la cama, que estaba sin hacer, y sobre la cómoda, que hacía también de tocador improvisado, un sinfín de enseres femeninos: maquillaje, carmín, tenacillas para el pelo, aceites y cremas, jabón Lagarto... Anna no soportaba el desorden, pues las monjas le habían enseñado a ser pulcra y llevar una rutina de limpieza escrupulosa. Sin embargo, lo que pasara en el interior de aquellas habitaciones no era asunto suyo.

Entró por fin en el que sería su dormitorio: había una cama de hierro que contrastaba con las cortinas y las paredes de color rosa pastel. Era parecido a los otros, pero en ese no había una cómoda, sino un armario viejo y destartalado comido por la carcoma. En una de las paredes, la fotografía de una pareja bien vestida de principios del siglo XX, probablemente los que habitaron aquella casa por primera vez. Deshizo la maleta y se tumbó en la cama para comprobar si era cómoda. Aquella era su casa, pensó con una sonrisa. Pero todavía le faltaba el baño. Cuando entró en aquella sala de azulejos blancos y suelo de baldosas grises, contuvo la respiración. Era mucho mejor de lo que había imaginado; incluso el simple hecho de tener un aseo propio era para saltar de alegría. Estaba claro que aquel hogar había sido, a mediados del siglo XIX, de una familia de burgueses bien acomodados. Aunque el lavabo con pedestal estaba picado y la bañera de hierro un poco oxidada, por fin podría bañarse de cuerpo entero y no por partes como había hecho toda su vida.

Ya lo había visto todo, así que se puso en marcha enseguida. Tenía que matar el tiempo como fuera, por lo que buscó trapos y cepillos y comenzó a limpiar la casa de arriba abajo. Después, bajó a la tienda de ultramarinos que había visto cerca de Santa Madrona cuando iba en el tranvía: acostumbrada a la Boqueria, aquella pequeña tiendecita le pareció de lo más coqueta y cercana. En su mostrador, había un tostador de café, vinagreras y cubetas de salmuera, además de varios sacos de legumbres. Allí compró garbanzos y, en una verdulería de la misma calle, pimientos, cebolla y tomate. Iba a prepararles una buena comida con la que se iban a chupar los dedos. Aunque no solía cocinar en el orfanato, Anna había visto a las monjas cocinar muchísimas veces y sacarle partido a lo poco que tenían para comer. Eso iba a hacer ella.

Nadie fue a comer. Anna tenía la cazuela de garbanzos esperando en la cocina, enfriándose. ¿Es que comían en el trabajo?, pensó. De repente, escuchó a alguien subir los peldaños del edificio. Impaciente, se asomó a la mirilla de la puerta para ver si se trataba de alguna de ellas, pero no. Era el chico de la mañana, el andaluz. Estaba tan sola y aburrida que decidió abrir y saludarlo.

–¿Has llegado bien al trabajo? –preguntó.

El muchacho parecía triste y llevaba las manos en los bolsillos del pantalón. Su camisa estaba empapada en sudor.

–Ah, hola, niña. –Negó con la cabeza, deprimido–. Me voy a *quedá pa* trabajar en el alambre, chiquilla.

–¿Qué quieres decir?

–Que me han *echao* –resopló, agobiado–. He *llegao* tarde y dicen que no quieren a un gandul como yo, que me vaya a mi tierra a holgazanear... En Barcelona los hay que se las cagan muy alto, hija.

–Vaya... –Se quedó sin saber qué decir y pensó en la olla de garbanzos–. ¿Has comido? Ven, entra.

–Pues no te voy a decir que no, niña, que tengo mucha hambre.

Entró en la casa y se sentó en una de las sillas. Mientras Anna preparaba la mesa, pensó en lo que acababa de hacer: ¿y si aquel chico no era de fiar? ¿Y si sus compañeras no querían que invitara a nadie allí?

–¿Conoces a las que viven aquí? –preguntó Anna llenándole el plato de garbanzos–. Porque quizá no ha sido buena idea meterte en casa. Ni siquiera sé cómo te llamas.

–Me llamo Manuel. –Se llevó una buena cucharada a la boca–. Claro que conozco a las niñas, hija, la Pili y la Rosa. A ver si las engordas un poco porque están *mu* flacas, oye. ¿Y tú cómo te llamas?

–Anna. –Se puso un plato, aunque no tenía hambre–. ¿Son buenas chicas?

Asintió con la boca llena. Parecía que no había comido en días.

–Esto está de rechupete, niña, eres más *apañá* que un jarrillo lata.

–Gracias. –Sonrió orgullosa–. ¿De dónde eres?

–De Almería. Pero solo hace unos meses que estoy aquí. Y ya ve, he *perdío* el trabajo en eso de la Exposición y no sé cómo voy a llenarme la tripa ahora. Si es que al final tendré que darle la razón a mi padre, que me decía que estaba hecho un morral de habas y que no valía *pa* na.

Lo miró detenidamente. No era demasiado guapo, pero era simpático y parecía buena persona.

–¿En la construcción? –Volvió a llenarle el plato.

–Sí, niña, en la plaza España. –Se tocó la frente mojada–. Hay que *ve* qué calor hace en esta ciudad. Ni trabajando a pleno sol en el campo suda uno así allí abajo.

–¿Y qué harás ahora? ¿Volverás a tu tierra?

–¡Qué dice, niña! –exclamó–. ¿Tú estás loca? Ni *jarto* vino volvería yo allí.

–No creo que sea peor trabajar en el campo que en la construcción.

–Si no es por el trabajo, es por otra cosa... –Rebañó el plato sin dejar una gota–. Que yo creía que aquí eran más sosos que un huevo sin sal y resulta que sois *to* lo contrario.

Anna se levantó para prepararle un café. Él la siguió hasta la cocina con una familiaridad asombrosa, como si ya hubiera estado allí con anterioridad, y siguió hablando.

–Es que resulta, niña, que yo quiero ser *cantaor*. Canto *toas* las noches en El Villa Rosa, aquí al *lao*, ¿sabes? En un cuadro flamenco.

–¿De verdad? –Estaba sorprendida. No imaginaba que Manuel tuviera ese don–. ¿Por eso has llegado tarde a trabajar?

–Claro, hija, si es que me voy a las tantas a dormir. –Chasqueó la lengua–. ¿No has ido nunca al Villa Rosa?

–No. –Miró otra vez por los armarios–. ¿Dónde está el café en esta casa?

–En ese tarro. –Señaló con el dedo una de las latas litografiadas que había sobre la cubierta de madera–. Y la cafetera está en uno de esos cajones.

–Veo que conoces esta casa.

–Yo y medio barrio chino, niña. –Rio mientras ella ponía la cafetera al fuego–. Son las reinas de la fiesta. Mi compañero de piso está loquito por la Pili, que va muy *arreglá* siempre.

Así que les gustaba la fiesta, pensó Anna, animada. Estaba deseando conocerlas y empezar a pasarlo bien.

–¿Y tú? –La miró de arriba abajo–. ¿De dónde sales tú? Cuando te vean las chicas de esta guisa te van a llevar al Siglo de cabeza.

Agachó la cabeza, avergonzada. Era cierto que no iba a la última moda, pues en el orfanato debían vestir de manera humilde y recatada.

–Acabo de salir de la Casa de Misericordia de la calle Elisabets. Mañana empiezo a trabajar en una droguería de la Rambla.

–Vaya, ¿así que *ere* una expósita? –Torció el gesto–. ¿Y vas a vivir aquí, en el barrio chino?

Rio entre dientes.

–¿Qué pasa? –lo reprendió con la mirada–. Soy capaz de vivir aquí y donde haga falta. ¿No has visto el plato de garbanzos que te has comido? Puedo valerme por mí misma.

–Eso es verdad, hija, que estoy *hinchao*. –Se tocó la barriga.

Le sirvió la taza de café y un poco de azúcar.

–Pero ten *cuidao*, Anna. –Se tomó el café de un sorbo–. No salgas sola por la noche. Al menos que te acompañen la Pili y la Rosa, que esas ya están pasadas de vuelta.

–¿Y tú de qué vas a vivir a partir de ahora?

–En El Villa Rosa me pagan las copas y la cena. –Se encogió de hombros–. Ya me buscaré la vida. Como tú a partir de ahora en el barrio de la muerte.

Le guiñó un ojo y se marchó silbando hasta su casa.

¿El barrio de la muerte?, pensó Anna con una risa ahogada, sin creérselo del todo. Aunque tenía mala fama, estaba convencida de que Manuel había tratado de asustarla y había exagerado un poco.

Se quedó sola en casa, aburrida y a la espera de sus compañeras. Estaba feliz de haber hecho un nuevo amigo, o así lo consideraba ya ella, que enseguida se encariñaba con cualquiera que le dedicara un halago. Era la primera vez que socializaba con un hombre a excepción de los dependientes del mercado y las tiendas donde compraba; Manuel se había convertido en su primer amigo de su nueva vida. Y estaba encantada.

6

28 de julio de 1909

Ayer fue un día terrible y no pude escribir. Los primeros brotes de violencia surgieron durante la noche en el Poblenou. Han destrozado varios tranvías del Marqués de Foronda y han quemado la escuela marista donde vive tío Carlos. Resulta que la han tomado con los curas; no han atacado las fábricas, ni los bancos, ni los centros oficiales... Van a por los bienes eclesiásticos: conventos, escuelas, iglesias y parroquias... ¡Dios mío, están locos! Tío Carlos llegó a casa muy disgustado después de lo que vio: dice que unos anarquistas abrieron las sepulturas de algunas monjas y que se mofaban de las imágenes y símbolos de los conventos. Aunque no se atrevieron a tocarlo, temió por su vida. Esa gente no tiene educación, ni consciencia. Son capaces de todo y padre sigue sin atreverse a salir de casa. Tío Carlos se quedará unos días aquí hasta que todo pase, si es que mejora. Dicen que lo hacen por la gente de Melilla, pero no es cierto. Quieren gobernar ellos mismos, ser los poderosos y tomar represalia contra quienes les dan trabajo y según ellos los explotan. Por suerte, el ministro de Gobernación ha declarado el estado de guerra en toda la provincia de Barcelona, así que espero que lleguen pronto las tropas de refuerzo y que las autoridades impongan el control militar sobre la ciudad.

Padre está nervioso porque las obras se han paralizado y eso le supone una pérdida de dinero. Quiere construir un paseo que recorra la costa entre la Barceloneta y el Besós, así como también entre Montjuic y el Llobregat. Dice que quiere hacer del litoral barcelonés no solo un lugar industrial y portuario, sino un lugar en el que se pueda pasear en familia, comprar en tiendecitas y disfrutar de las bonitas vistas del mar. Creo que es una buena idea y madre le apoya, pero necesitamos dinero. Sin los Girona no podrá iniciar el proyecto, así que vuelven a insinuar lo de que me case con Enric. ¡Pues claro que me quiero casar con él! Pero no todo depende de mí. ¿Y si se ha enamorado de alguna chica durante su verano en Sant Pol? Seguro que las hay más guapas y ricas.

Se me está haciendo eterno el verano... Que no hayamos podido ir a Blanes por culpa de padre me parece una injusticia. Madre le ha dicho que deje de invertir en la bolsa, que nos va a llevar a la ruina, pero no hace caso. Tenemos que ahorrar y eso supone pasar largas horas de aburrimiento en casa, sin disfrutar de la tranquilidad del Maresme y de los paseos junto al mar. ¡Cómo lo echo de menos! En fin, solo puedo hacer una cosa para entretenerme: pensar en Enric una y otra vez.

Teresa

7

No aparecieron hasta las ocho de la tarde. Entraron por la puerta riendo como dos niñas pequeñas mientras dejaban sus sombreros *cloché* en los percheros. De las dos, la que más llamaba la atención era Pili, que parecía la mismísima Raquel Meller, la cupletista más famosa de España, con ese pelo a lo *bob*, liso y negro como el carbón. El colorete rosa en los pómulos, las cejas depiladas y perfiladas en forma semicircular, sus enormes ojos almendrados y profundos pintados de negro... Parecía una verdadera artista de cine. Una auténtica *flapper* americana, de esas mujeres liberadas que pedían el voto femenino, bailaban jazz y bebían licores o fumaban con boquilla. Rosa, sin embargo, iba mucho más sencilla y pasaba desapercibida: sin maquillar, llevaba un corte de media melena rizada y un vestido a la moda pero sin grandes pretensiones. Era guapa, pero al lado de Pili no parecía gran cosa. Ella era la estrella.

—¡Anna! —exclamó Pili mientras la abrazaba como si la conociera de toda la vida—. Creía que vendrías mañana.

Llevaba un vestido corto, de cintura baja, que realzaba la delgadez de la que había hablado Manuel.

—No —dijo Anna azorada—. Llevo todo el día esperándoos. Incluso os había preparado un plato de garbanzos, pero al final ha venido Manuel y...

—¡Garbanzos, dice! —Miró a Rosa como si hubiera dicho una estupidez—. ¿Quieres que nos engordemos? Acabamos de pasar por la tienda de Madame X a por unas fajas.

—¿Fajas? —Las miró detenidamente—. Pero si estáis estupendas, no creo que las necesitéis.

—Muchas gracias, cariño, pero no es verdad. —Se tocó la tripa—.

48

Tenemos que estar planas como unas tablas. Quiero estar como Louise Brooks. ¿Sabes quién es?

—La actriz de cine, la americana —respondió contenta de saberlo—. Lo sé por las revistas, pero nunca he ido al cine.

Las dos soltaron un gritito de asombro.

—¿En serio? —Pili le tocó el brazo en un gesto de compasión—. Ah, claro, que eres una expósita... No me acordaba. Bueno, pero eso tiene solución.

—Pili trabaja de taquillera en el cine Barcelona, que está aquí al lado —habló por fin Rosa—. Nos puede colar.

—Ya vendrás a ver *El mejor caballero* —añadió Pili—. Sale la estupenda Norma Talmadge.

Asintió abrumada. Pili tenía un carácter arrollador y extrovertido: jamás había conocido a una chica como ella, tan rebosante de energía y vitalidad. Le caía bien, pese a que había criticado su guiso de garbanzos. Rosa, sin embargo, era más comedida y sutil; prefería mantenerse en un segundo plano.

—Así que eres taquillera... ¿Y tú, Rosa?

—Soy enfermera. —De ahí su apariencia sencilla, pensó Anna—. Trabajo en el hospital del Mar. Fue allí donde conocí a María, la lavandera, cuando su madre enfermó. Nos hicimos buenas amigas y me ha hablado muy bien de ti.

—Sí, la pobre tiene que estar todo el día rodeada de enfermos —puntualizó Pili, con una mueca de asco—. Pero es la mejor de todas las enfermeras, estoy segura.

Miró a Anna de arriba abajo y tocó la tela de su blusa.

—¿Qué llevas debajo, Anna?

—¿Qué llevo? —titubeó—. Pues el corsé. ¿Qué voy a llevar?

Pili volvió a reír, aunque se apiadó enseguida.

—¡Qué atrasadas están las monjas, santo Dios! —resopló—. Que eso ya no se lleva, hija.

De repente, se levantó el vestido y enseñó su ropa interior. Llevaba un sujetador con tirantes ajustables, bordado y elástico, que se cerraba por detrás con unos corchetes. Anna nunca había visto nada así.

—¿Ves? —Giró sobre sí misma—. Está hecho de rayón y me ayuda a aplanar el pecho. Es ligero, barato y fácil de lavar.

Anna desvió la vista para no delatar su incomodidad al ver un cuerpo tan delgado, que le recordaba al de las niñas del orfanato que todavía no se habían desarrollado. Se le marcaban las costillas en los laterales del tronco y las venas azules sobresalían sobre su piel pálida.

–Por suerte, Anna no tiene mucha teta –comentó Rosa, mirándoselas–. Con una camisola ya le valdrá.

–Tenemos faena contigo, muchacha. –Pili dejó escapar un suspiro–. Por cierto, ¿ya tienes trabajo?

–Sí, en la droguería Anyí de la Rambla, de dependienta. –Se puso nerviosa al pensarlo–. Mañana empiezo.

–¿Y qué horario haces?

–Hasta las seis. Tengo un rato al mediodía para comer.

–Estupendo. –Chasqueó los dedos–. Entonces, el sábado que viene, que tenemos la tarde libre, te pasamos a buscar Rosa y yo y nos vamos de compras.

Tragó saliva y comenzó a sudar. En la droguería Anyí no se cobraba los sábados, sino los lunes. Además, en cuanto tuviera dinero lo invertiría en toallas y sábanas.

–Ya nos lo darás cuando puedas –se adelantó, como si le hubiera leído el pensamiento–. Puedes confiar en nosotras, siempre nos ayudamos.

Anna estaba emocionada de que sus compañeras fueran tan comprensivas. No la conocían todavía, pero iban a invertir parte de su salario en ella, en convertirla en una mujer moderna tal como lo eran ellas. Estaba claro que deseaban que formara parte de su grupo.

–Vamos a cenar. –Pili miró el reloj y se dirigió a la cocina–. Una sopa rápida.

Siguió sus pasos, Rosa también. Aunque descolocada por la intensidad de Pili, Anna estaba entusiasmada y feliz.

–Oye, lo veo todo más limpio –dijo Rosa–. ¿Has limpiado?

Asintió, sonriente.

–¡Vaya! Y encima limpia –continuó–. ¡Qué suerte hemos tenido!

–No me importa limpiar, lo llevo haciendo toda mi vida en el orfanato.

–¿Cómo es la vida allí? –Sacó una olla, la llenó de agua y la puso al fuego–. Dura, me imagino.

–Bueno, yo he sido muy feliz. –Recordó a sor Julia y se le hizo un nudo en la garganta–. Nunca me ha faltado de nada, ni siquiera cariño. Las monjas nos tratan muy bien.

–Pues yo creía que era todo lo contrario. –Pili volvió a tomar el mando de la conversación–. Que os trataban como esclavas y os pegaban.

–¡Qué barbaridad, Pili! –exclamó Rosa–. Dices unas cosas...

–Pues no es así –replicó Anna–. Son muy bondadosas y tratan de cuidarnos lo mejor posible.

–Pero deben de ser muy aburridas y seguro que no os dejan pasarlo bien fuera del hospicio. ¿Has ido alguna vez al Lion d'Or?

–¡Qué preguntas le haces! –Rosa la reprendió de nuevo–. ¿Crees que las monjas la dejarían ir a ese *American bar*?

–Pues no sé, esta chica no tiene pinta de obediente y recatada. La imaginaba escapando por una de las ventanas de su habitación para divertirse. –Se encogió de hombros–. Qué sé yo. La cuestión es que tenemos que llevarla un día de estos. ¡Le va a encantar!

Sacó un par de pastillas Maggi y las echó al agua hirviendo. Anna no había probado nunca una sopa así, pues estaba acostumbrada a los ricos caldos de verdura y pollo que preparaban las monjas. Pero debía reconocer que se ahorraba muchísimo tiempo.

–Yo iré donde digáis –soltó Anna, encantada–. Tengo diecisiete años y siento que me he perdido muchas cosas. Quiero verlo todo, incluido el Villa Rosa, donde canta Manuel.

–Así que has conocido a Manuel... –Pili sonrió con picardía–. Es buen chico, pero un poco cateto. Prefiero a Julio, su compañero.

–A mí no me ha parecido cateto. Además, parece ser que es un artista.

–Bah. –Hizo un gesto de desprecio–. Odio el flamenco. Prefiero mil veces el sonido de una *jazz band*. Es más frenético y bailable.

–Son diferentes –añadió Rosa–. Y yo tampoco creo que Manuel sea un cateto. Tiene un acento gracioso, pero es un encanto de chico.

Pili se la quedó mirando y comenzó a reír.

–Ya, ya... un encanto, dice... –Le dio un codazo–. Sé que te gusta, Rosa. No me lo negarás.

–¿De dónde te sacas eso? –Frunció el gesto–. A mí no me gusta, solo digo que es un buen muchacho.

51

—No pasa nada por decirlo, hija. Yo siempre te cuento mis cosas.

—Pero yo no soy como tú, Pili. —Se cruzó de brazos—. Además, Manuel seguro que tiene alguna novia por ahí. ¿No ves que canta cada noche y se relaciona todos los días con un montón de chicas?

—No es un buen partido.

Rosa le dio un pellizco a Pili en el brazo y esta gritó por el dolor.

—¡Yo no aspiro a un magnate como tú! —espetó enfadada—. No sé quién te crees que eres, pero eres una simple taquillera y vives en un barrio de mala muerte. ¿Cómo pretendes conquistar a un ricachón?

Pili no se ofendió, sino que comenzó a reír y se retocó el pelo mientras apagaba el fuego.

—Tienes muy poca confianza en ti misma, cariño. Algún día lo conseguiré, me casaré con un hombre adinerado y viviré en una buena casa del Eixample. Os invitaré a tomar café, ¿de acuerdo?

Rieron todas y a Rosa se le pasó el enfado. Pili era una soñadora, pero estaba dispuesta a todo y, aunque bromeara, su objetivo lo tenía más que claro. A Anna, sin embargo, ni siquiera se le había pasado por la cabeza eso de tener novio. Todavía no.

—¿Y tú, Anna? —preguntó Rosa—. ¿Le has echado el ojo a algún chico?

—Pocos chicos habrá visto esta en su vida. —Pili puso la mesa—. Seguro que no sabe ni cómo se hacen los niños.

—Pues claro que lo sé. —Puso los brazos en jarras—. Que haya vivido en un orfanato no significa que sea una mojigata. Solía acudir a la Biblioteca de mujeres y me gustaría seguir haciéndolo. No he tenido la oportunidad de estudiar en el pasado y quiero aprender ahora.

—Me parece muy bien. —Rosa cogió a Anna de la cadera y la condujo hacia el comedor—. Todavía eres muy joven y tienes toda la vida por delante.

—Pues yo a su edad ya tenía que ir a Madame X a hacerme irrigaciones —confesó Pili, riendo entre dientes—. Seguro que no sabes ni lo que es.

Rosa le azotó el culo mientras la perseguía por el comedor. La olla humeaba en la mesa a la espera de ser servida.

—He oído hablar de preservativos, pero no de eso —dijo Anna.

—Son unas bombas de agua que se presionan en el interior de la vagina —le explicó Rosa—. Se utiliza para eliminar los restos de fluidos del hombre y así evitar el embarazo. Pero los médicos dicen que eso no vale para nada.

Anna pensó en las monjas. Si la escucharan se llevarían las manos a la cabeza. El sexo era un tema tabú y más entre señoritas.

–Pues por suerte no me quedé embarazada de Víctor –continuó Pili, intentando recordar–. Luego vinieron Javier, Pepe, Mariano... y, oye, a mí me ha funcionado la mar de bien.

–Pues suerte has tenido, cariño –añadió Rosa, que ya se había sentado a la mesa–. Si no tendrías ahora a varios críos pululando por aquí.

Anna estaba sorprendida por la cantidad de hombres con los que había estado Pili pese a tener solo veintidós años. Según las monjas, una verdadera mujer debía guardarse para un solo hombre y, por supuesto, casarse con él, que sería para toda la vida. Y en eso, Anna estaba de acuerdo. Pero las *flappers* como Pili desafiaban las leyes o lo que se consideraba socialmente correcto. Eran mujeres atractivas, con un estilo de vida no convencional, que se rebelaban a favor de la liberación sexual. Esperaba convertirse en una de ellas en algunas cosas, pero no en otras.

Rosa sirvió la sopa y Anna la probó por fin. Hizo una mueca de desagrado, pues no se parecía para nada a la del orfanato: estaba excesivamente salada y sabía artificial. Las chicas, sin embargo, parecían encantadas y se la acabaron en un periquete.

–Un día os haré yo un buen caldo –se ofreció Anna–. Está mucho más rico.

–Ya sabemos que está más bueno, hija –le respondió Pili–. Pero no se trata de eso: el tiempo es mucho más valioso que el sabor. Nos pasamos el día trabajando y cuando llegamos a casa lo que menos nos apetece es encerrarnos en la cocina, ¿verdad, Rosa?

–Claro que sí. Preferimos salir y disfrutar de la noche.

–¿Y no estáis cansadas? –preguntó Anna–. Porque yo, después de pasarme el día lavando, lo que más me apetecía era tumbarme en la cama.

–Un poco sí, la verdad, pero Pili no perdona. –La señaló con el dedo–. Esta no sé de dónde saca las fuerzas, pero siempre tiene ganas de fiesta.

–¡Somos jóvenes! –exclamó Pili, divertida–. Ahora es el momento de bailar, beber y fumar, ¿no creéis? Cuando estemos casadas y tengamos hijos, entonces ya no podremos hacer todas estas cosas.

—Ya, pero yo soy enfermera y tengo que descansar si quiero hacer bien mi trabajo, no puedo seguir tu ritmo.

—Deberías tomarte uno de esos tónicos reconstituyentes: te fortalecerá. Quizás es eso lo que te pasa, Rosa. —Se levantó de la mesa y llevó su plato a la cocina—. Bueno, chicas, me voy a la cama, que hoy sí que estoy agotada y necesito dormir.

—No me extraña, después de dos días llegando a casa a las dos de la mañana...

—Ay, ni que fueras mi madre —la reprendió Pili, y luego miró a Anna—. Me has caído bien, pequeña, aunque creo que hablas poco. Seremos buenas amigas.

Anna sonrió. Era imposible hablar si Pili estaba cerca: estaba destinada a ser el centro de atención.

—Gracias —respondió—. Seguro que sí.

La estancia se quedó en silencio después de que el terremoto de Pili se marchara a su dormitorio. Rosa parecía otra sin ella: su rostro se había relajado y estaba dispuesta a conversar sobre cosas más serias.

—No hagas caso a esa loca. —Rio, refiriéndose a Pili—. Creo que en el fondo no es tan feliz ni despreocupada como aparenta. Tuvo una infancia difícil.

—¿De verdad? —preguntó Anna sorprendida—. ¿Puede ser que actúe así por eso?

—No lo sé, pero es más frágil de lo que parece.

—¿Y tú, Rosa? —le preguntó—. ¿Cómo has llegado a ser enfermera?

—Pedían a una señorita de conducta intachable para hacer prácticas de enfermera en el hospital de Infecciosos. —Se le escapó una risita—. Y ya ves, al final me dieron un certificado que validaba mi aptitud y ahora me pagan por ello. Si supieran que me voy por ahí por las noches...

—No haces daño a nadie. —Se encogió de hombros—. Siempre y cuando cumplas con tu trabajo.

—Eso va por delante. Yo no salgo todos los días como Pili, soy responsable y sé dónde está mi límite. Ella es taquillera, no necesita estar tan despierta.

—¿Y tu familia?

—Mi familia no vive en Barcelona, sino en Lérida. —Torció el gesto—. Mi padre es pastor, pero a mí no me gustaba la vida de campo, así que me trasladé a la ciudad en cuanto tuve la oportunidad. Es la mejor decisión que he tomado nunca, aunque los echo mucho de menos.

—Los tienes lejos, pero sabes que están allí —dijo Anna, y bajó la mirada—. Yo ni siquiera sé de dónde provengo.

Rosa se quedó callada, sin saber qué decir. La cogió de la mano y se la apretó. Aunque apenas se conocían de unas horas, sentía que podían llegar a ser grandes amigas.

—Lo siento —dijo al fin—. No me puedo imaginar lo que debe ser. ¿Has pensado en buscarlos?

—No sé nada de ellos, tan solo unas tristes iniciales que ni siquiera sé si son suyas realmente. T. P.

—Es algo. —Se encogió de hombros—. Podrías buscar en el censo y...

—Es imposible, Rosa. —Chasqueó la lengua—. Además, ¿para qué? Mi familia no me quiso. Mi madre se deshizo de mí porque obstaculizaba su camino.

—Quizá no podía mantenerte, pero no significa que no te quisiera. A veces, se ven obligadas a eso porque no les queda más remedio. En realidad, es un acto bondadoso. Con ella puede que no hubieras sobrevivido a los primeros años. Te ha dado una vida, Anna.

—Está bien verlo así. —Negó con la cabeza—. Pero si hubiera sido por eso hubiera dejado escrito su nombre para que yo la buscara cuando fuera mayor y ya estuviera criada. ¿No crees?

—¿Y si la obligaron a dejarte? —preguntó con esperanza—. Puede haber miles de motivos, no debes pensar en lo malo. Yo creo que todas las madres aman a sus hijos.

—Ojalá sea cierto. —Le sonrió, agradecida por la charla.

—Eres muy valiente, ¿sabes? —Bostezó por el sueño—. Eres un ejemplo a seguir.

—No te creas. —Negó con la cabeza—. Estoy aterrada por el día de mañana. No sé si sabré hacer bien mi trabajo. ¿Y si no logro vender nada?

—La droguería Anyí vende sola, no tendrás que esforzarte demasiado —comentó sin darle importancia—. Vete a dormir y descansa. Todo saldrá bien.

Anna le dio un beso en la mejilla, agradecida, y se marchó a la cama. Nunca había dormido fuera del orfanato y se sintió extraña. Un manojo de nervios le recorría el estómago mientras intentaba conciliar el sueño. Fue la primera vez que se le olvidó rezar.

8

Cuando se levantó, Rosa ya se había marchado y Pili seguía durmiendo. Se fue al baño y se lavó la cara, pero no tenía peine, así que decidió entrar en la habitación de Rosa para cogérselo prestado y, ya de paso, ponerse unas gotas del perfume Gal que tenía sobre la cómoda y que olía a multitud de especias orientales. Se miró en el pequeño espejo de mano que tenía Rosa allí mismo y se vio unas ojeras marcadas que disimuló con un poco de maquillaje. No había dormido muy bien pensando en su primer día de trabajo y en todo lo que había vivido el día anterior en su nuevo hogar. Había hecho una radiografía de sus compañeras de piso después de la conversación de aquella noche y había llegado a la conclusión de que iban a ser unas buenas maestras de vida. Con ellas iba a explorar un mundo totalmente nuevo, mucho mejor que el anterior, creía, o al menos más divertido. Sin embargo, Pili la asustaba. Era demasiado excéntrica, demasiado intensa. Sor Julia probablemente la tacharía de indecente y la consideraría una mala influencia. Había prometido a la monja que, si veía algo raro, se marcharía de ese lugar sin pensárselo. Pero ¿era Pili una mala mujer? En el fondo, parecía una buena chica y la había tratado muy bien. Debía darle una oportunidad. Finalmente, aunque Rosa tenía una barra de labios roja, declinó pintárselos: quizá pecaba de cautelosa y aburrida, pero prefería que la tacharan de eso que no de demasiado atrevida en su nuevo trabajo.

En conjunto, se veía guapa, pese a que le desagradaba su ropa. Aunque estrenaba el *jumper* blanco que había cosido con tanto esmero días atrás, ahora le parecía poca cosa después de haber visto las ropas que vestían sus compañeras de piso. Además, se avergonzaba de su falda recatada que apenas mostraba los tobillos. Estaba deseando poder ir de compras y renovar su vestuario para parecer, por fin, una verdadera *flapper*. Incluso, hacerse con uno de esos sujetadores tan modernos que aplanaban el pecho.

Dejó atrás el miedo y la inseguridad y cogió el tranvía que subía hasta arriba de la Rambla. Iba con tiempo, así que decidió hacer lo que siempre había deseado cuando cumplía con los recados de las monjas: sentarse en una terraza bulliciosa en plena hora punta y tomarse una gaseosa, rodeada de oficinistas y dependientas, mezclándose en la auténtica vida urbanita de Barcelona. Y así fue. En el café Zurich de plaza Catalunya se respiraba, pese a todo, cierta tranquilidad: aunque se encontraba en la parte más céntrica de la ciudad, estaba lejos del crujir de los tranvías y del ajetreo de los viandantes de la Rambla. Observando a la gente variopinta que se sentaba a su lado (empresarios, financieros, mujeres de clase alta elegantemente vestidas y perfumadas, escritores y periodistas) Anna sintió que por fin comenzaba a ser dueña de su vida y que, a partir de ese momento, lo bueno o lo malo que pudiera surgir sería a consecuencia de sus propias decisiones y de nadie más. Pagó la gaseosa con lo poco que le quedaba y llegó a la droguería Anyí dando un agradable paseo, sintiendo los primeros rayos matutinos del sol en la cara. La fachada estaba llena de carteles publicitarios que ofrecían soluciones a la dentadura con Colgate, insecticidas Chas y fijador para el pelo Fixol para hombres. En la puerta de entrada ya estaba puesto el cartel de «Abierto», así que quien estuviera a cargo de la tienda se había adelantado unos minutos a la hora de apertura. Quizá no tendría que haberse tomado el café, pensó angustiada. De todos modos, entró con la cabeza bien alta, inspirando fortaleza y seguridad, y se dirigió hacia el mostrador en el que se encontraba el supuesto encargado y, por lo tanto, su superior.

—Buenos días, señor —sonrió amablemente—. Soy Anna Expósito.

Era joven, quizá treinta y pocos; era muy moreno, tenía una gran cantidad de pelo peinado hacia atrás con brillantina y unas cejas pobladas que captaban toda la atención del rostro. Su barbilla era pequeña, con la barba bien rasurada, y unas orejas de soplillo con un lápiz en una de ellas. Era menudo y delgado, y la ropa, un traje y chaleco de lino de un blanco inmaculado, le venía grande y le daba un aspecto cómico y ridículo.

–¡La nueva dependienta! –Le estrechó la mano y le sonrió–. Yo soy Tomás, el hijo de los Anyí.

Tragó saliva y suspiró con cierto temor al descubrir que el encargado era el mismo hijo de los Anyí y que, por lo tanto, tendría el doble de presión para hacerlo bien.

–No tengas miedo, mujer, que no pasa nada –continuó–. Irás aprendiendo sobre la marcha. Poco a poco irás familiarizándote con los productos. Tenemos clientes fijos que vienen a menudo a comprar, así que no te costará demasiado.

Comenzó a caminar por la tienda mientras hacía un recorrido por las diferentes estanterías de las paredes, donde había decenas de perfumes, jabones de tocador, dentífricos, cremas faciales y un sinfín de productos más de diferentes marcas.

–Es mi primer trabajo. –Carraspeó, nerviosa–. Pero he de confesar que me entusiasma mucho, señor Anyí.

–Eres muy joven, pero sor Julia dijo que eras muy espabilada y responsable. Necesitamos a una mujer para que venda los cosméticos y los productos de higiene femenina, ya sabes... –Pareció avergonzado–. Yo tengo trabajo en la trastienda: he de elaborar los tónicos y los jarabes para el resfriado. Y cobrar, de eso me ocupo yo siempre.

Anna asintió mientras echaba un vistazo al mostrador: allí había un ejemplar del Codex, donde se cataloga toda la farmacopea, una balanza para pesar los productos a granel y varias cajitas de pastillas Juanola para la tos. El olor a las diferentes esencias, a jabones y talcos la hicieron sentir a gusto, como en casa, de hecho, pues en el orfanato solían preparar su propio jabón con aceite rancio, sosa cáustica y flores de lavanda. Estaba deseando empezar.

–Tienes que atender a las mujeres con amabilidad y siempre con una sonrisa –siguió Tomás en tono didáctico–. Que compren el producto más caro y que se marchen con algo más de lo que se habían propuesto. Esa es tu misión. Tienes que conseguir vender un mínimo de seis pesetas diarias. Al menos para empezar. No debería ser difícil.

¿Y qué pasaría si no llegaba a ese mínimo?, se preguntó Anna, aunque la respuesta era más que evidente: lo más probable era que la chica que había estado trabajando antes que ella hubiera sido despedida por no haber cumplido, precisamente, con esa exigencia. Pero aquello solo eran meros supuestos, por lo que intentó dejar de lado los malos pensamientos y confiar en sus capacidades de persuasión. No era una muchacha tímida, así que no le costaría entablar conversación con los clientes, más bien todo lo contrario: sor Julia siempre le decía que era una charlatana y que debía guardar silencio más a menudo para escuchar su interior y conocer el objetivo de su existencia. Que el ruido creaba confusión, desorden y agitación, decía, y que así uno no podía reencontrarse con Dios.

—Intentaré hacerlo lo mejor posible, señor Anyí –respondió con decisión.

—Eso espero. Cobrarás los lunes a inicio de semana. Y... –La miró de arriba abajo–. Intenta venir más moderna, no sé, con algo más corto; y píntate un poco, o no venderemos los carmines ni los coloretes.

Se avergonzó y desvió la mirada.

—Disculpe, es que no sabía si era apropiado o no.

—La dependienta tiene que dar ejemplo. –Dulcificó su mirada–. Es normal que seas prudente, ahora ya lo sabes. Y no te angusties, seguro que lo harás bien. Me voy a la trastienda a hacer supositorios de glicerina para las almorranas. No sabes lo bien que se venden.

Recordó el dolor de almorranas que sufrían varias monjas del hospicio; solían hervir unos dientes de ajo y luego se hacían varios baños de asiento con el agua para calmar la hinchazón y el picor. Aquellos supositorios de los que hablaba Tomás debían de ser mucho más eficaces.

Tomás desapareció en la trastienda y encendió la radio. Anna se sorprendió de que tuviera uno de esos aparatos, pues eran carísimos. No la había oído nunca y no pudo evitar emocionarse al escuchar al locutor Josep Torres Vilalta, desde el número seis de la calle Caspe, hablando a través de las ondas. No entendía cómo era posible, pero tampoco que pudiera uno comunicarse vía telefónica a miles de kilómetros de distancia. Nunca había hablado por teléfono, pues no conocía a nadie que tuviera uno en su casa; sin embargo, ahora podía decir que había oído la radio por primera vez.

«Gracias a la llegada de Jack Domby y de Romà Forns, el primer entrenador catalán de la historia del club, el Barcelona se ha erigido como triunfador del Campeonato de Cataluña habiendo ganado todos los partidos a excepción del de la última jornada contra el Europa...»

No le interesaba el deporte, pero cualquier cosa que se dijera a través de aquel aparato le parecía digno de ser escuchado. Así pasó los primeros minutos sin clientela, sin perder el hilo mientras recorría con la mirada todos los productos bien alineados en las estanterías y leyendo sus composiciones. Estaban envueltos en cajas sofisticadas donde aparecían mujeres exóticas y llenas de misterio o flores y frutas en paisajes decorativos de estilo art déco. Le llamó la atención la parte dedicada exclusivamente al caballero: príncipes del Cáucaso, guerreros de Cartago y escenas de hombres practicando deporte completamente engominados eran los protagonistas de sus productos, la mayoría hojas y loción para el afeitado. El mundo de la cosmética la apasionaba pese a que nunca se había comprado uno de esos potingues que anunciaban en las revistas y periódicos; se había fabricado ella sola los aceites y mascarillas con los desperdicios que encontraba por la cocina, haciendo caso a los consejos de sus amigas las lavanderas que, aunque pobres, eran sabias y coquetas.

Y por fin apareció la primera clienta. Era una mujer de mediana edad bien posicionada a juzgar por sus ropas: llevaba un vestido de rayas marrón y amarillo de crepé muy a la moda, un sombrero de seda ajustado y unos zapatos de cuero de cocodrilo. Entró con el mentón hacia arriba, mostrando prepotencia, y ni siquiera saludó.

—Buenos días, señora —dijo Anna, intentando mostrarse segura—. ¿En qué la puedo ayudar?

—Polvos de arroz para la cara —respondió con sequedad—. Siempre he utilizado Myrurgia.

Fue hacia la estantería y vio varias marcas: Floralia, Ausonia, Gala, Veloutine... Recordó las palabras de Tomás advirtiéndole que debía llegar a las seis pesetas diarias, así que se fijó en la marca más cara e intentó convencer a la señora.

—Yo creo que debería cambiar de marca. —Cogió una de las cajitas—. Polvos de arroz Flores de Talavera, de la casa Gal. Es estupendo.

—¿Sí? —Le echó un vistazo al estuche—. ¿La has probado?

—Bueno... —titubeó y decidió mentir—. Sí, claro que sí. Me lo pongo para salir por la noche. Te da mucho... brillo.

La señora alzó la ceja y volvió a mirar la caja.

—Pero aquí pone que da un delicioso toque mate. —Miró a Anna fijamente—. ¿Y dices que aporta brillo?

Se puso roja como un tomate. Se había precipitado y no había leído bien las características de ese producto. Estaba perdiendo credibilidad.

—Un poco de ambas cosas. —Comenzó a sudar por la espalda—. Pero estoy segura de que hará que parezca más joven; quizá logre sacarse diez años de encima y tape las arruguitas de al lado de los ojos.

—¡Dios mío! —exclamó, frunciendo el ceño—. ¿Cuántos años crees que tengo?

—No sé, señora... —Sopló agobiada—. No quería decir que fuera ya mayor, sino que...

—Pero ¡¿cómo voy a ser mayor si solo tengo cuarenta y cinco años?! —Negó con la cabeza—. Las chicas de tu edad nos ven como si fuéramos ya unas abuelas... ¿Y de qué arruguitas hablas?

—Usted está muy bien, de verdad, pero si se llevara estos polvos de arroz sería la más guapa de la fiesta.

—Solo quieres que compre esta marca porque es más cara, no porque sea mejor —la reprendió señalándola con el dedo—. No soy estúpida.

Anna se quedó en silencio, derrotada.

—Me habré expresado mal, señora. Llévese la de siempre y ya está.

—¡Ni hablar! —contestó airada—. No pienso hacerle gasto después del trato recibido.

—No, por favor, señora. —El corazón se le aceleró—. Discúlpeme si la he ofendido, no era mi intención.

De repente salió Tomás de la trastienda con la frente arrugada.

—¿Qué es lo que pasa? —preguntó, acercándose a la clienta—. ¿Tiene algún problema?

—Esta muchacha, que no sabe vender —espetó con soberbia—. Y no solo eso, sino que encima trata mal a la clientela. En pocas palabras me ha llamado vieja.

Anna no sabía dónde meterse. En ningún momento había querido insultarla, sino todo lo contrario: creía que si le vendía el producto como la solución al paso de los años, no podría resistirse a comprarlo. Estaba claro que aquella mujer no era joven y que los estragos de la edad comenzaban a verse en su rostro, pero no quería oír la verdad.

—Es el primer día de la chica y está aprendiendo —dijo Tomás con voz compasiva—. No se lo tenga en cuenta. Ella quería venderle el de Gal porque sabe que es el preferido de las mujeres. Yo se lo he dicho antes, que es el más vendido. Y quería darle lo mejor, aunque no ha sabido expresarse.

—¿De verdad? —Volvió a mirar el estuche de los polvos de arroz—. Es cierto que lo anuncian mucho en la revista.

—Es mate, pero le hará brillar allí donde vaya —continuó Tomás, esbozando una gran sonrisa—. A eso se refería la dependienta.

Así que Tomás había estado escuchando tras la puerta y había sido testigo de su torpeza. Encima, la clienta se había quejado. No llevaba ni una hora allí y ya la había fastidiado.

—Bueno... —La señora se lo pensó durante unos segundos—. Quizá debería probarlo.

—Claro que sí, ya verá cómo no se arrepentirá. —Se dirigió hacia el mostrador para cobrarle—. Si no es así, yo mismo le devolveré el dinero. Aunque le digo una cosa: no necesita demasiado para estar guapa.

La mujer se sonrojó y sacó el monedero con decisión. Anna no se podía creer lo que acababa de hacer Tomás: en un abrir y cerrar de ojos, había logrado vender el producto más caro sin tener idea de cosméticos. Sabía leer la mente de las mujeres, decirles lo que querían oír en todo momento. Tantos años vendiendo productos femeninos en esa droguería lo habían convertido en un hombre experimentado, mucho más incluso que cualquier mujer.

—Disculpe, señor Anyí —dijo Anna, tras la marcha de la señora—. Creí que lo estaba haciendo bien, que iba a conseguir venderlo.

—Ya lo sé, muchacha, no te disgustes. —Le acarició el brazo—. Esa mujer es un poco estúpida, ya la conozco. Has tenido mala suerte.

Dejó escapar un suspiro de alivio al comprobar que Tomás no tenía intención de despedirla tras lo mal que lo había hecho. Era bondadoso y comprensivo y eso la hizo sentirse mucho más tranquila.

–Las mujeres usan cosméticos para sentirse mejor con ellas mismas. No debes recordarles sus defectos, aunque sean evidentes, porque entonces no se creerán lo suficientemente guapas y atractivas como para comprárselos. El maquillaje provoca sensaciones positivas, no negativas.

–Pero los polvos de arroz son precisamente para tapar imperfecciones –replicó ella sin comprender–. Las mujeres perfectas no los necesitan, ¿no?

–Las que se sienten feas no se ponen vestidos extremados, ni se pintan los labios de carmín –comentaba Tomás mientras apuntaba en una libreta la venta realizada–. Tampoco compran cosméticos. Cuanto más guapas se vean, más consumirán.

Anna se quedó reflexionando sobre las palabras de Tomás mientras este regresaba a la trastienda y pensó que tenía razón.

–Ah, por cierto. –Volvió a girarse. Esta vez sin sonreír, serio–. No puedes volver a fallar. No estoy para tirar el dinero. Tienes que vender.

Se le aceleró el corazón con preocupación. Si volvía a fallar, entonces perdería el trabajo. Y si lo perdía, no le quedaría otra que acabar de lavandera y olvidarse de la vida nocturna que Pili y Rosa disfrutaban. Negó con la cabeza, decidida a cambiar las cosas: iba a fingir y a decirle a la gente lo que quería oír. Sin embargo, el día acabó tan mal como lo había empezado. No pudo llegar a las seis pesetas que exigía Tomás porque los clientes no se creían sus palabras. Carecía de la experiencia y la persuasión de su encargado. Y es que Anna había estado toda su vida bajo el amparo y enseñanzas de las monjas y poco sabía de la vida real salvo por lo que leía en aquellas revistas de moda y cosméticos. Había creído que vender iba a ser una tarea fácil, sobre todo si esos productos aparecían anunciados por toda la ciudad. Pero no había sido así. Era todavía muy joven y debía formarse, aprender sobre la vida moderna y ganar confianza en sí misma. Solo así sería capaz de convencer a los clientes.

Aquella misma tarde, tras el trabajo, se dirigió a la Biblioteca popular de Mujeres. Allí daban clases de gramática, de aritmética, de cálculo mercantil, de taquigrafía e idiomas... Podía leer novelas, ensayos o libros especializados sobre materias técnicas y científicas. Organizaban también conferencias, talleres y cursos para que las mujeres tuvieran los conocimientos y habilidades necesarios para llegar al mundo laboral. Estaba decidida a convertirse en toda una profesional.

9

Por fin ha acabado la revuelta. Ni sus dirigentes sabían cómo organizarla ni Lerroux, al estar en Argentina, ha podido proclamar la República. Tío Carlos sigue con nosotros por si acaso: en el periódico pone que han sido quemadas más de veinte iglesias y cuarenta conventos durante estos días. ¡Qué pena! Y, total, ¿para qué? La guerra en Marruecos sigue igual, lo único que han conseguido es todavía más destrucción y muerte. Dicen que hay más de cien muertos, detenciones e incluso algún que otro ejecutado por la represión de Maura.

Por suerte, ayer ya pudimos viajar a Sant Pol. No sufrimos ningún contratiempo y, aunque pasamos mucho calor en los coches, enseguida se nos pasó la angustia al sentir el aire limpio y refrescante de la costa. Nunca había estado en la casa de los Girona: es sencilla, clásica, pero se encuentra en una montaña frente al mar desde la que se puede observar un paisaje maravilloso. Las rocas agrestes, los pinos moviéndose por el viento, las pequeñas calas que dibujan las entradas hacia la costa... Es una explosión de colores azules, verdes y tierras que hacen que no eche de menos Barcelona. Mi padre dice que es un pueblo abandonado, que falta urbanizarse y que él, si pudiera, construiría muchísimas más casas, un barrio residencial. Yo prefiero que se quede como está. Es más auténtico.

Por desgracia, todavía no he podido ver a Enric. No ha aparecido por la casa y sus padres no saben ya qué excusa poner. Dicen que salió esta mañana a hacer una excursión por la montaña y que, probablemente, se haya alargado más de la cuenta. Sin embargo, ya es de noche y Enric sigue sin regresar. Nadie parece estar preocupado, así que su ausencia no se debe a que le haya podido pasar algo, sino a su falta de interés por verme. Le gusta demasiado salir por ahí con los amigos, organizar fiestas en casas ajenas. No es la primera vez que oigo hablar mal de él durante mis paseos por el paseo de Gracia... La gente dice que es un poco irresponsable y que bebe demasiado alcohol, incluso que pierde los papeles a menudo. Yo no sé qué pensar: puede que se lo inventen. Prefiero creer que no es así, que Enric es un hombre íntegro y maduro, y que algún día me demostrará que también le gusto. Mis padres hacen como si no pasara nada, aunque también han oído los rumores, pero prefieren hacer caso omiso, como yo. Madre me dice que tenga paciencia, que es joven y que se le habrá olvidado que veníamos, que seguro que no era su intención dejarme plantada. Espero que mañana regrese.

Teresa

10

Era el último día de la semana y todavía no había conseguido llegar al mínimo que le había pedido Tomás. Si no lo hacía pronto, probablemente acabaría por despedirla. Miró el reloj, nerviosa: apenas quedaba media hora para cerrar la tienda y sus posibilidades de triunfo eran más bien pocas. Por suerte, entró un joven de clase media que parecía tener cierta prisa. Dedujo que se trataría de un hombre soltero porque lo habitual era que las esposas compraran lo que necesitaran sus maridos. Al verla, se peinó el pelo fugazmente con las manos y carraspeó nervioso. Su presencia lo había inquietado, quizá porque las mujeres le hacían sentir inseguro. Sus ojos huidizos comenzaron a buscar el producto con rapidez para no demorarse demasiado.

—Buenos tardes, caballero —lo saludó con amabilidad—. ¿En qué le puedo ayudar?

—Quiero matarratas —respondió rápidamente.

Anna cogió el producto y miró su precio: era barato, así que iba a ser una venta irrisoria. Necesitaba un par de pesetas para llegar al mínimo exigido por Tomás. Debía enmendar los errores de la semana e intentar que ese chico comprara algo más.

Antes de dárselo, lo miró fijamente a los ojos. No era agraciado, sudaba profusamente y tenía las manos manchadas de tinta. Trabajaría, probablemente, en una oficina.

—¿Sabe que se parece al hombre de los anuncios de Varón Dandy? —soltó de golpe, mintiendo.

El chico levantó las cejas y le salió una sonrisa nerviosa.

—No lo creo, señorita. —Miró el suelo—. Él es un hombre distinguido.

—No es un hombre distinguido, sino que usa Varón Dandy y parece que lo sea. —Cogió un frasco de colonia y se la dio al muchacho para que lo oliera–. ¿No le parece maravillosa? Es masculina y elegante.

Asintió y asomó una tímida sonrisa.

–Es inconfundible –continuó–. Cuando paseo, sé perfectamente qué hombre la lleva y cuál no, y le aseguro que a las mujeres nos encanta. Les hace parecer más serios, más maduros. Además, también sirve como fijapelo.

–Ya tengo fijapelo en casa –comentó, dudoso.

–Pero piense que Varón Dandy le aporta las dos cosas: fijapelo y un perfume que no deja indiferente a nadie. Las mujeres lo compran para sus esposos, por algo será.

El hombre volvió a olerlo y se lo pensó.

–Sí que es verdad que lo anuncian en todas partes... –dijo para sí mismo.

–Es el más vendido porque es el más masculino. Y los hombres quieren eso, ¿no?

–Está bien. –Cabeceó con entusiasmo–. Siempre he querido probarlo, pero me parecía un poco caro.

–Poco cuesta para lo bien que funciona. –Le guiñó un ojo–. Va a triunfar, caballero.

El hombre se llevó el matarratas y su frasquito de Varón Dandy debajo del brazo, mucho más feliz que cuando había entrado. Desconocía si había aplicado bien la técnica de Tomás o había tenido suerte. La cuestión era que con ello esperaba que el señor Anyí se sintiera satisfecho.

De repente, escuchó la carcajada escandalosa de Pili en la calle. Estaba mucho más guapa que la noche anterior, aunque iba excesivamente pintada. Anna creía que no necesitaba tanto maquillaje; la hacía parecer mayor de lo que era y le endurecía unas facciones que por sí solas ya eran bonitas. Rosa estaba a su lado: a través de la ventana del escaparate, que se había teñido de rubí y azul por la luz del sol, parecía la protagonista de una pintura del Renacimiento. Tenía un aspecto angelical, inocente, que contrastaba con el glamour misterioso y seductor de Pili. Sonrió al verlas, impaciente, a la espera de que Tomás le diera la autorización para irse. Rezó para que la felicitara por lo que había conseguido al final del día.

—Buen trabajo, Anna —le dijo con un guiño de ojos—. Hoy lo has hecho bien. Es lo que espero que consigas cada día. Te pagaré el próximo día.

Salió con una gran sonrisa. Todo había salido bien y ahora podía disfrutar de lo que quedaba de tarde con las chicas, con las que había quedado para ir de compras. Respiró hondo y observó la bonita tarde soleada que hacía. Tenía una sensación de plenitud, de liberación.

—¡Aquí viene la mejor dependienta de la Rambla! —espetó Pili.

—¿Cómo ha ido? —le preguntó Rosa—. ¿Has conseguido llegar a las seis pesetas?

—¡Lo he conseguido! —Dejó escapar un suspiro—. Es divertido cuando vendes bien.

—¿Y el jefe? —preguntó Pili, riendo entre dientes—. ¿Sabes si está casado? ¿Es guapetón?

—Es joven y no lleva anillo, así que supongo que estará soltero —frunció el ceño—. Pero ¿por qué lo dices? No voy a seducirlo ni nada de eso.

—Pues no estaría de más. Tendrías todo el maquillaje y perfume que quisieras.

—¿Crees que hace falta llegar tan lejos para pintarme los labios de carmín?

—Siempre puedes coger prestado algún perfume de una estantería —propuso con descaro.

—¡No lo dirás en serio! —la reprendió, molesta—. ¡No soy una ladrona!

Pili le dio un pellizco en el brazo y suspiró.

—Ay, que te lo tomas todo en serio, tonta.

Las tres rieron animadas y comenzaron a andar. En su camino hacia la tienda de lencería de Madame X, se cruzaron con un vendedor ambulante que ofrecía relojes y *espardenyes* a la clientela de una de las barberías más lujosas del paseo de Gracia. Desde el escaparate, se veía a los hombres sentados en sillones de cuero, con las toallas húmedas sobre la cara mientras los barberos afilaban sus navajas. Varias cuchillas de recambio, brochas de pelo natural y una piedra de alumbre de potasio, que servía para eliminar las impurezas de la piel, reposaban sobre un majestuoso y elegante mostrador antiguo. También tijeras, cepillos y geles, además de algún que otro vaso de brandy Soberano. En sus paredes, algunas fotografías en sepia de clientes ilustres de la burguesía catalana, que a principios de siglo acudían para arreglarse el bigote o recortar sus barbas pobladas. Precisamente en la puerta había un grupito de jóvenes pintores recién afeitados, guardando bajo el brazo sus carpetas repletas de esbozos y dibujos; estaban tomando la fresca mientras se fumaban unos cigarrillos y piropeaban a las chicas guapas que pasaban por delante. A escasos metros se encontraban las Galerías Dalmau, lugar donde se promocionaba el arte de vanguardia.

—*Passa per l'ombra, que els bombons al sol es desfan!* —soltó uno con la voz engolada.

Anna ni siquiera se giró, pues se imaginaba que el piropo iba directo a Pili. Sin embargo, el chico insistió, dirigiéndose a ella.

—Eh, nena, la *rossa... Busques pastor?*

El grupo rio y Rosa le dio un codazo.

—Te lo dicen a ti, Anna.

—¿A mí? —Abrió los ojos como platos—. ¿Y por qué a mí?

Miró a Pili: era preciosa, descarada y atractiva. Y ¿qué tenía ella?

—Porque eres guapa —respondió Rosa—. ¿O no te habías enterado?

—No sé, yo no voy pintada ni arreglada. —Se encogió de hombros—. No soy nada del otro mundo.

—Eso es lo que te crees tú.

Anna miró a los chicos y les sonrió agradecida. Enseguida le llegó un intenso olor a almizcle, que provenía de la loción de su afeitado.

—Hay gustos para todo —soltó Pili con desdén, ofendida.

Se había molestado. Odiaba no ser la estrella, que alguien la eclipsara. Estaba acostumbrada a ser el centro de atención, triunfar a cada paso que daba, que los hombres la siguieran con la mirada.

—Seguro que trataban de ir a por la más fácil —dijo Anna, quitándole importancia.

No quería que Pili se enfadara. A ella no le importaba que la piropearan, pero Pili necesitaba el halago para sentirse segura de sí misma. Le importaba demasiado lo que la gente, sobre todo los hombres, opinaran de ella.

–Oh, no creo que sea eso, bonita –respondió más aliviada–. Tú también eres muy mona.

Lo dijo con poco convencimiento. Rosa intentó cambiar de tema y señaló un carrito de helados que anunciaba los mejores polos y mantecados de la ciudad.

–Venga, os invito a unos helados.

–Yo no quiero nada de eso –declaró Pili con cara de asco–. Van a ir directos a vuestras caderas, señoritas.

–¡Qué estricta eres, chica! –exclamó Rosa–. Hace mucho calor, te sentará bien. Tu cuerpo no va a cambiar por un mísero cucurucho.

–Ya me lo dirás cuando no te entre la faja de Madame X.

Anna ni siquiera prestó atención a la conversación: sus ojos observaban con entusiasmo los cuidadosos gestos del heladero, que añadía una bola cremosa de vainilla al barquillo de galleta.

–¿No has comido nunca uno o qué? –espetó Pili–. Estás salivando.

–Pues no; las monjas solo usaban la nata para hacer mantequilla. Y el hielo lo teníamos racionado.

–Jolines, con las monjas –resopló–. Qué crueles.

–Bueno, tú podrías comértelo y no quieres –dijo encogiéndose de hombros–. ¿No es eso peor?

Pili torció el gesto, sin saber qué decir, así que continuó la marcha y las dejó atrás para no ver cómo devoraban el delicioso y refrescante cucurucho.

Por fin llegaron a Madame X. Varios maniquís vestidos con camisones y fajas de seda y encajes lucían en sus escaparates, donde también se anunciaban las famosas irrigaciones de las que había hablado Pili y los mejores apósitos mensuales para la menstruación. El tocador de mármol era el punto focal de la sala principal, con estantes adornados con accesorios y cajas de cartón donde se guardaban las medias, ligas, sostenes y polveras. En las paredes, unos cuantos dibujos de mujeres sensuales dibujadas por prestigiosos ilustradores de las revistas americanas, como la *Vogue*, *Harper's* y *Playboy*. Olía a lavanda y esencia de rosas, y las dependientas iban a la última moda: todas ellas cumplían el perfecto estereotipo de los años veinte, con la cintura estrecha, poco pecho y el pelo a lo *bob*. Las fajas que anunciaban proporcionaban un cuerpo moldeado y masculino, sin formas. Después de la Primera Guerra Mundial y en una época en la que se bailaba el charlestón, las mujeres desecharon el corsé para usar prendas más cómodas: las enaguas se redujeron, las medias quedaron libres y se llevaba liguero. Se abandonaron colores como el blanco, el beige y el rosa, y aparecieron los celeste, salmón y amarillo.

Anna se metió en el probador y se probó varias fajas, camisones y medias.

—¡Pero bueno! —exclamó la dependienta—. ¿Qué es lo que tenías oculto ahí abajo?

Rosa y Pili se asomaron por la cortina del probador. Anna era delgada y no tenía pecho, pero nunca se había imaginado que tendría el físico andrógino que estaba de moda.

—Con un vestido de talle bajo y fino causarás furor —continuó.

Anna se tocó las medias, que eran de seda. Eran suaves y brillaban. Jamás había usado algo así, pues en invierno solía llevarlas de lana, tejidas por ella misma, y en verano, nada. El sostén era ligero y cómodo, con copas y correas elásticas, y la faja le aplanaba todavía más la cadera hasta quitarle cualquier atisbo de silueta curvada.

—Nos llevamos todo eso —espetó Pili—. Yo lo pago.

Anna se quedó sorprendida. Aquellas prendas no eran baratas: ¿cómo podía pagarlo si tan solo era una taquillera?, se preguntó.

—¿Estás segura, Pili?

—Claro que sí, no te preocupes —insistió ella—. Ah, y ponnos también varias cajas de Kotex.

Nunca había oído hablar de eso. Rosa sí, y puso cara de sorpresa.

—¿Estás loca? —la regañó—. ¡Son carísimas! Solo las ricas las llevan.

—Oh, vamos, no son tan caras...

—Sí lo son para nosotras. —Abrió los brazos—. Eres una derrochadora, Pili.

—¿Alguna vez he dejado de pagar el alquiler? —La miró fijamente, esperando respuesta—. Nunca, así que no me trates como a una niña pequeña. Además, las voy a comprar para todas, no solo para mí.

—Pero, oye... —se metió Anna—. ¿Qué narices son las Kotex?

—Los apósitos para la menstruación que vienen de América —respondió Rosa—. Son de usar y tirar. No hay que lavarlas.

La dependienta sacó una revista americana y mostró un anuncio de compresas Kotex en el que aparecía una mujer angelical, de grandes ojos azules que transmitían fortaleza y fragilidad a partes iguales. Sin ni siquiera entender lo que ponía en aquel texto en lengua inglesa, Anna supo al instante que aquel producto podía cambiarle la vida y convertir a cualquiera en una mujer segura y liberada.

–Nos protege de los olores y manchas –explicó la dependienta, sin sutilezas–. Y absorbe mejor que los paños. No las encontraréis en otro lado, pues acaban de llegar de Estados Unidos.

–¡Ya era hora de que alguien pensara en nosotras! –soltó Pili–. Es muy molesto salir de noche por ahí con miedo a manchar el paño. Además, los bolsos de ahora son tan pequeños que no caben los de recambio. Estos paquetitos son pequeños y disimulados. ¡Póngame cuatro cajas!

La dependienta se marchó por unos segundos y regresó con las cajas. Pili sacó su monedero y pagó sin ningún remordimiento pese a que Rosa seguía atravesándola con la mirada. Anna estaba agradecida por lo que acababa de hacer Pili, pero temía no poder devolvérselo pronto, pues no podría ahorrar lo suficiente con la primera paga.

–Y ahora nos vamos a los almacenes Jorba –continuó ella, animada–. Anna tiene ropa interior, pero necesitará algún vestido de noche para salir, ¿no?

–No puedes gastarte más, Pili –le rogó Anna–. No voy a poder devolvértelo. Ni si quiera sé si conservaré el trabajo...

–¡No te preocupes, querida! –La cogió del brazo, dirigiéndose hacia la calle–. El vestido será un regalo. ¿Quieres uno tú también, Rosa?

Esta frunció el ceño y negó con la cabeza.

–Tendrás que explicarnos cómo lo haces –le espetó enfadada–. ¿De dónde narices sacas el dinero?

–Una tiene recursos. –Sonrió y les guiñó el ojo–. No penséis en eso y disfrutad.

Rosa suspiró y decidió no darle más vueltas. Mientras regresaban por el paseo de Gracia, a Anna le dolían las piernas de tanto caminar, después de pasarse todo el día de pie. Estaba agotada y deseaba llegar a casa para descansar un rato. Había sido un día intenso y comenzaban a molestarle los ruidos y los olores de la ciudad: los tranvías, los coches mal aparcados por las aceras, los urbanos con silbatos indicando cuándo debían cruzar de acera, el olor a piel, cedro y heno... Aún debía acostumbrarse al ritmo de sus compañeras, que parecían combatir la fatiga con actividades, fiestas y paseos.

Por fin llegaron a los almacenes Jorba, en Portal del Ángel esquina con Santa Ana. Hacía solo un año que se había inaugurado ese imponente edificio de estilo clasicista, de grandes ventanales y escaparates, de mostradores de mármol, paredes de azulejos y lámparas al estilo francés. En el punto más alto de la fachada, se podía leer un lema latino: «Labor omnia vincit». El trabajo todo lo vence. El cliente podía adquirir géneros que abarcaban desde los cinco céntimos a las cien mil pesetas: pieles, muñecas y juguetes, joyas, refinados perfumes, caza y deportes... Y moda, claro.

La década de los años veinte estuvo marcada por la vida nocturna, la extravagancia y la sofisticación, así que los vestidos de noche debían ser lujosos y llevar todo tipo de brillantes, lentejuelas y bordados, flecos y plumas de marabú. Y para recargarlos todavía más: boas, capas, redecillas y tocados. Los aparatosos sombreros de la *belle époque* dejaron paso a los minimalistas y elegantes *clochés*, y los zapatos, que debían ser cómodos para las fiestas desenfrenadas y los maratones de baile, no tenían excesivos tacones, sino hebillas y pulseras al tobillo para sujetar mejor el empeine y evitar los resbalones.

Anna dejó de sentirse fatigada al verse rodeada de aquellos preciosos vestidos y complementos que cambiarían radicalmente su imagen. Con uno de ellos sobre su piel podría comerse el mundo y convertirse en la reina de la noche, con el permiso de Pili.

–Este es perfecto, ¿no crees? –comentó Pili, poniéndolo sobre el pecho de Anna–. Y encima está rebajado.

Era de fina seda de crepé, negro; en la falda llevaba un panel de pétalos brillantes y en el pecho una flor de diamantes falsos.

–Solo te falta un buen corte de pelo –añadió, quitándole la pinza que lo recogía–. Tienes una bonita melena, pero no seducirás nada con ella. A lo *garçon* no te quedaría mal.

–¿De verdad? –Siempre había querido tener el pelo corto–. Yo estoy dispuesta a todo para ser una chica moderna.

–¡Claro que sí! –Le dio una palmada en la espalda–. ¡Así se habla!

–Cuando ahorres un poco te llevaré a un precioso salón de belleza y te dejarán perfecta, ya lo verás. –Se agachó y le miró las piernas–. ¡Pero si tienes pelos, Anna!

Rosa se agachó también y rio.

–¡Qué exagerada eres! –exclamó, negando con la cabeza–. No la asustes. Tiene el pelo rubio, ni siquiera se ven. Yo no me había dado cuenta.

–Pero ¿cómo queréis que me los quite? –Anna miró a las chicas, preocupada–. ¿Os los quitáis vosotras? ¡Lleváis medias de seda, no os hace falta!

–Dios mío, ¿y las axilas? –Pili se santiguó–. ¿También tienes pelos ahí?

–¿Soy la única mujer que tiene pelos? –Arrugó la frente–. Pensaba que era lo normal. Nunca he utilizado vestidos de tirantes. En el orfanato ninguna se depila.

–¡En el orfanato no hay hombres, hija! –soltó impaciente–. ¿Y si alguno te acaricia la pierna? A los hombres no les gustan las mujeres peludas, esperan que seamos como muñecas de porcelana.

Nunca había pensado en lo que esperaban los hombres de ella. Siempre había estado rodeada de mujeres y todo lo que había hecho para cuidarse había sido con el objetivo de sentirse mejor con ella misma, no para contentar al público masculino.

–Tendrás que sacártelos con cera –dijo Rosa–. Nosotras la preparamos en casa con cera de abeja, resina y parafina. Duele un poco, pero te deja la piel como el culito de un bebé.

–Sé de algunas que utilizan las Gillette de los hombres –añadió Pili–. Pero lo desaconsejo: dura muy poco y al cabo de unos días los pelos salen con más fuerza y parecen cuchillas.

–Está bien, está bien –claudicó Anna–. Haré lo que me digáis, señoritas.

11

Llegaron a casa cargadas de cajas. En el portal coincidieron con Manuel, el vecino andaluz. Venía de la carnicería: había cobrado unas propinas en el Villa Rosa y se había comprado unos riñones de cordero envueltos en un papel de periódico. Llevaba la camisa prácticamente descordada, que dejaba al descubierto un pecho peludo, rizado y moreno, y una medallita de la Virgen del Mar enrollada en un cordel de cuero.

–¿Las señoritas han ido de compras? –preguntó con una sonrisa abierta.

Anna observó de reojo a Rosa, que pareció ponerse nerviosa al tener a Manuel delante. Estaba claro que le gustaba.

–Sí, para la nueva, que no tenía nada bonito para salir de bailoteo –respondió Pili–. Y tú, ¿qué? Has perdido el trabajo, ¿no?

–Ya *ve*, ahora me toca apechugar, pero me voy apañando.

–Si alguna vez necesitas algo, pídelo –dijo Rosa, con las mejillas coloradas–. Para eso estamos los vecinos, para ayudarnos.

–Gracias, chiquilla. –Le guiñó el ojo–. Yo mientras tenga mi cuartico y una comida caliente al día... En fin, que os quería invitar al Villa Rosa, que hoy viene a bailar la Chicharra.

–¿Y esa quién es? –Pili hizo una mueca de desagrado–. ¿Una vulgar gitana que canta flamenco?

–Baila el Crispín, es muy divertido. Es mejor que lo veáis en vivo.

–Yo no pienso ir, no me gusta ir a esos sitios carentes de glamour y llenos de turistas...

–Y yo debería ponerme a estudiar –comentó Anna–. Me he apuntado a un curso de comercio en la Biblioteca y tengo muchísimos libros por leer.

—¿Un curso de comercio? —preguntó Pili—. ¿Y para qué te va a servir eso?

—Pues para saber de contabilidad, de cómo tratar a los clientes y cómo vender los productos...

—¡Pero tú no tienes ningún comercio! —exclamó—. ¡Menuda tontería!

—No lo es, Pili —le respondió, molesta—. Es importante tener conocimientos de donde se trabaja.

—A mí me parece muy bien —añadió Rosa—. Pero hoy es sábado, cariño, ¿no crees que te mereces un poco de diversión? ¡Vámonos con Manuel!

Aunque estaba agotada, le apetecía ver el Villa Rosa y oír cantar a Manuel. Había estado toda la semana trabajando y se merecía un descanso. Ya estudiaría al día siguiente.

—De acuerdo, pero... no llegaremos muy tarde, ¿verdad?

—Tranquila, mañana estarás fresca como una rosa.

Manuel esbozó una sonrisa y se dirigió a Anna.

—Esta muchacha hace unos garbanzos de rechupete, ¿no los habéis *probao*?

Las chicas negaron con la cabeza.

—Esta vez os voy a invitar yo a cenar —continuó animado—. En el Villa Rosa hacen un *pescaíto* frito que es *pa* darte un *jamacuco* de lo bueno que está. Quedamos aquí abajo a las ocho.

Manuel se fue y Rosa no podía estar más contenta. Se le había cambiado la cara y se mostraba impaciente por salir, pues no dejaba de mirar el reloj. En un cuarto de hora, debían ponerse guapas. Por suerte, Anna tenía el vestido nuevo para estrenar y Pili le dejaría sus zapatos y un bonito sombrero a juego.

—Me vais a dejar sola, esta me la apunto —les recriminó Pili, que se tumbó en el sillón mientras cogía una revista—. Pierdes el culo por Manuel, Rosa. Se te ve el plumero.

—Solo quiero divertirme... —contestó, como si le debiera una explicación—. Yo no te digo nada cuando te marchas sola y ni siquiera duermes en casa. No soy tu madre.

—Pero ¿Manuel, hija? —resopló—. Yo podría presentarte a alguien mejor...

—Déjala, Pili —se metió Anna—. Quiere enseñarme el barrio, estoy deseosa de conocer la noche. ¡Y encima nos invitan a *pescaíto* frito!

–Bah... –Hizo un gesto de rechazo con la mano–. Sumadlo al helado que os habéis comido esta tarde. Yo cenaré una sopa.

–¿Otra vez? –exclamó, preocupada–. Pero ¿qué comes durante el día?

–¡No te preocupes, mujer! –Negó con la cabeza–. Como lo suficiente para tener un cuerpo perfecto.

Anna no entendía la actitud de Pili. Estaba obsesionada por parecerse a las artistas de Hollywood y llevaba una dieta estricta, prácticamente inexistente. ¿Cómo podía sobrevivir sin ingerir alimentos? Ya era guapa, perfecta a sus ojos, pero ella no tenía nunca suficiente. Si seguía así, podría enfermar.

Rosa se llevó a Anna a la habitación. Estaba molesta por la conversación que había tenido con Pili. Se quitó los zapatos y los tiró con violencia al suelo.

–Oye, puedes escoger a quien quieras, ¿vale? –le dijo Anna–. No hagas caso, cada uno tiene sus gustos.

–¡Es que siempre está igual! –susurró en voz baja–. Se cree mejor que nadie y estoy harta. Manuel es un buen hombre.

–¡Claro que lo es y te ha invitado al Villa Rosa! –Le puso las manos en los hombros–. Si no le importaras, no te lo habría dicho, ¿no crees?

Rosa sonrió y comenzó a desnudarse. Tenía unos pechos grandes, fuertemente apretados en vendas bajo el sostén para que no se notaran demasiado. Su cuerpo era muy femenino, de caderas anchas y trasero prominente, pero no se lo había parecido vestida por la cantidad de fajas reductoras que llevaba. Si hubiera nacido unas décadas antes, habría sido el prototipo de belleza perfecto. Anna se puso la ropa interior nueva y el vestido de fiesta; Rosa le dejó unos pendientes y un collar de perlas y luego la maquilló: le aplicó sombra de ojos oscura, polvos de arroz para emblanquecer el rostro y le pintó los labios de carmín en forma de corazón.

–No tenemos tiempo, pero la próxima vez te depilaré las cejas –comentó Rosa–. Se llevan finas y arqueadas. ¿Y qué hacemos con este pelo tan largo?

El maldito pelo, pensó Anna. Estaba deseando cortárselo y dejar de preocuparse por él.

–Sé lo que vamos a hacer –dijo al fin Rosa–. Lo peinaremos hacia atrás con brillantina. Es moderno y no se verá tanto la melena.

Anna estaba encantada con el resultado, y todavía más cuando Pili le dejó sus zapatos negros de tacón y el sombrero *cloché* brillante. Se sentía guapa y a la moda. Pili silbó al verla.

–¡Madre mía! –exclamó sorprendida–. ¡Menudo cambio, bombón!

–¡Está espectacular! –añadió Rosa–. ¡El Villa Rosa va a arder!

–Venga, que llegamos tarde. –Anna, avergonzada por los piropos, se dirigió a la puerta–. No hagamos esperar a Manuel.

Pili les dio un beso en las mejillas y les deseó que lo pasaran bien. A Rosa se le había pasado ya el enfado y más al encontrarse de nuevo con Manuel, que iba mucho más arreglado que antes, con una camisa blanca bien planchada y el pelo repeinado hacia un lado. Olía fuertemente a colonia barata y tenía una pequeña herida en la barbilla por el afeitado.

–¡Esto sí son monumentos y no el de Colón! –soltó mientras les daba un par de vueltas–. Voy a ser la envidia del barrio chino.

Con buen humor comenzaron su camino hacia la calle Arc del Teatre, pasando por un laberinto de callejuelas llenas de todo tipo de gente: emigrantes, bohemios y revolucionarios que deambulaban de un lado a otro intentando ganarse la vida y que vivían realquilados en condiciones infrahumanas; viajeros y marineros llegados a Barcelona en busca de lupanares y *meublés*; hijos, nietos y padres que se apiñaban en los portales de las casas para tomar la fresca; artesanos, comerciantes y obreros que se dirigían a sus casas después de un largo día de trabajo... Era un ambiente pintoresco, lleno de vitalidad: la ropa de los tenderos se agitaba al son del viento en edificios de familias trabajadoras que debían convivir con prostitutas, proxenetas, macarras y vagabundos. Estibadores del puerto, trileros y limpiabotas se acomodaban en las esquinas a la espera de hacer negocio con los traficantes de cocaína. Anna no podía dejar de mirar de un lado a otro: el barrio chino tenía un conglomerado de ingredientes revolucionarios, alegres, pasionales y marginales que lo hacían único y especial, aunque también peligroso. Todavía era de día y al ir con Manuel se sentía mucho más tranquila.

A medida que se acercaban al Arc del Teatre, los *music hall*, las tabernas de mala muerte, las casas de empeño y los colmados flamencos comenzaron a llenar la calle, además de las casas de lavajes y gomas. Precisamente al lado del Villa Rosa, una discreta y estrecha puerta daba entrada a La Japonesa, en cuyo rótulo se anunciaba «clínica de vías urinarias» y donde las prostitutas y sus clientes acudían para abastecerse de preservativos rudimentarios fabricados con intestino de ternera y curas de enfermedades venéreas: el lavaje se hacía con lavativas con vinagre y jabón a través de una cánula de cristal que se introducía en el pene o la vagina o inyecciones mensuales para evitar embarazos y provocar la menstruación. La mayoría de los que entraban en La Japonesa procedían del prostíbulo de al lado, el Madame Petit, popular por sus servicios como el *menage à trois*, la cama redonda y la prostitución homosexual. Anna estaba sorprendida por todo lo que estaba descubriendo: jamás podría haber imaginado que existieran todos aquellos locales ni aquellas prácticas sexuales de las que nunca había oído hablar y que Rosa procedió a explicarle con una franqueza y una normalidad pasmosas. Ella no parecía escandalizada y mucho menos Manuel. Los hombres con los que se cruzaban tenían pinta de delincuentes y la miraban descaradamente de arriba abajo, gesto que la hacía sentir insegura e incómoda. Esperaba que el famoso Villa Rosa del que hablaba Manuel fuera un lugar un poco más decente.

–Ya hemos *llegao* –dijo Manuel, abriendo la puerta del local.

Entraron por una puerta de cristal: en la entrada había un guardarropa y una primera barra donde se servía la cena. Allí mismo, Manuel les pidió un plato de jamón y el pescaíto frito del que tan bien les había hablado, además de un par de vasos de manzanilla, típico vino blanco andaluz. Cargando con los platos, entraron en la enorme sala llena de mesas y sillas que envolvía un escenario donde actuaban los artistas invitados y el cuadro flamenco de Manuel. En los azulejos moriscos de las paredes colgaban motivos taurinos, mantillas, castañuelas y abanicos; en las mesas de madera había jarrones con claveles frescos. Anna suspiró al ver que el ambiente era festivo y alegre. No parecía ser peligroso.

–Me voy a ir preparando *pa* cantar, niñas –se despidió de Manuel–. Pasarlo bien.

Estaba a rebosar de gente. Solo se oía el acento andaluz: murcianos, marineros de Huelva y pescadores de Sanlúcar trabajaban en el puerto descargando pacas de algodón y maderos, y por la noche, acudían a los cuadros flamencos que inundaban las calles del Distrito V, desde el Villa Rosa hasta el Bar del Manquet, en el Portal de Santa Madrona. También algún habla extranjera, mayormente el francés y el inglés, de turistas que venían en transatlántico procedentes de un crucero por el Mediterráneo.

Mientras saboreaban el rico pescaíto frito, salió a bailar la Chicharra, una gitana de pelo negro como el azabache y ojos oscuros penetrantes, que llevaba un típico vestido gitano color verde con lunares y mangas con volantes hasta el codo. Se quitó las sandalias, levantó la barbilla y comenzó a bailar. Anna nunca había visto bailar a nadie así, con tanta raza y arte: giraba las muñecas, balanceaba los brazos y golpeaba el suelo con los pies con pasión y poderío inconmensurables. Tras ella, un hombre tocaba la guitarra con la camisa abierta mientras las gotas de sudor caían al suelo. Después, comenzó a hacer *El Crispín*, un baile de origen gitano que consistía en quitarse prendas como si tratara de deshacerse de una pulga que recorre todo su cuerpo hasta quedarse en enaguas. Era en ese momento cuando la gente se ponía en pie, silbaba y gritaba piropos obscenos a la bailaora.

–¡Qué bien me lo estoy pasando! –exclamó Anna–. Creo que es la mejor noche de mi vida. Qué tonta la Pili, se lo está perdiendo. –Bebió su manzanilla–. No sé qué manía le tiene a estos sitios. Solo quiere rodearse de lujo. ¿Tú sabes de dónde saca el dinero? –preguntó en voz baja–. Me siento mal por todo lo que me ha regalado.

A Rosa se le ensombreció el semblante y carraspeó nerviosa.

–No sé... –Negó con la cabeza–. Si es lo que yo creo, es grave. Puede que esté recurriendo a la prostitución.

Anna palideció y se bebió el vaso de golpe.

–Muchas noches no duerme en casa –continuó Rosa, haciendo círculos con el dedo sobre la mesa–. Y sus joyas no son bisutería barata, sino oro y plata de verdad.

–¿Y no será que tiene novio?

–Si tuviera un novio rico, ya nos lo habría presentado. Te lo aseguro: se sentiría muy orgullosa y lo mostraría por todas partes.

–¿Y qué podemos hacer? –Anna estaba preocupada–. ¿Por qué tiene esa necesidad si con lo que gana como taquillera puede tener una vida normal?

—Es ambiciosa y le disgusta su vida –resopló–. Quiere una vida de ensueño: vivir en una mansión, viajar, tener todos los lujos... Creo que ha visto demasiadas películas de Hollywood.

—Así que no es feliz... –Sacudió la cabeza–. Es una chica preciosa, carismática y arrasa por donde pisa...

—Pura apariencia –dijo Rosa chasqueando la lengua–. Se hace la fuerte, pero es más frágil de lo que crees. Su infancia estuvo llena de tragedias.

—¿De verdad? ¿Qué es lo que le pasó?

—Sus padres eran pobres: vivían en una chabola de la Barceloneta y el padre trabajaba a veces de pescador, pero pasaban hambre porque se lo gastaba todo en la taberna. Su madre murió cuando tenía solo diez años, la única que se preocupaba y velaba por ella. Su padre aprovechó esa desgracia para prostituir a Pili y sacar dinero para sus juergas y su vicio al alcohol.

—¡Eso es horrible! –exclamó horrorizada–. ¿Qué clase de padre hace eso?

—Escapó de ese energúmeno cuando tenía dieciséis años, pero está claro que no lo ha superado.

—No me extraña... –Tragó saliva–. ¿Quién supera algo así? ¡Era solo una niña!

—Ella finge normalidad, como si ya hubiera pasado página...

—¿Y sigue prostituyéndose cuando ya no tiene la necesidad? Es extraño, ¿no?

—Creo que es su manera de conseguir lo que quiere. –Encogió los hombros–. Su padre así se lo enseñó. Tiene la atención de los hombres gracias a eso y así se siente mejor. No sé, digo yo.

—Me da mucha pena, Rosa... ¿Por eso no come?

—Tiene obsesión por su cuerpo, para que esté perfecto, pero no se da cuenta de que ya lo es. Llevo cuatro años viviendo con ella y nunca la he visto disfrutar con una comida.

—Es una lástima... –Suspiró con tristeza–. ¿Podemos ayudarla de algún modo?

—No se deja. Siempre quita hierro al asunto, no le da importancia a nada... Es imposible.

Justo en ese momento, apareció Manuel en el escenario acompañado por una bailaora, un hombre con guitarra y otro con un cajón de percusión. Todos eran muy morenos, de aspecto gitano y vestían el típico atuendo flamenco, con camisa blanca y chaleco negro.

Anna miró a Rosa, que no dejaba de echarle el ojo a Manuel, embelesada.

—Se te cambia la cara, hija —le dijo, dándole un codazo en las costillas—. Creo que hacéis buena pareja.

—Anda, calla. —Rosa se ruborizó—. No creo que le guste.

—Nunca se sabe. No te ha dado señales de lo contrario.

—¿Y tú que sabrás de chicos? —Rio—. Si has vivido rodeada de monjas y mujeres...

—Pero soy muy observadora y he pasado mucho tiempo en las terrazas de los cafés. Allí veía a los hombres coquetear con las mujeres, el juego de seducción entre ambos... Además, desde que voy a la Biblioteca de mujeres estoy aprendiendo muchísimo.

—¡Pero si solo tienes diecisiete años! —exclamó, sin tomarla en serio—. ¡Acabas de salir del cascarón!

Las dos comenzaron a reír a carcajadas y llegaron dos vasos más de manzanilla sin que los hubieran pedido. Manuel se sentó en una silla y le guiñó el ojo a Anna, no a Rosa. Por suerte, su amiga no lo había advertido. Tragó saliva y le quitó importancia: probablemente, pensó, solo había tratado de ser simpático. Se bebió su manzanilla mientras Manuel comenzaba a cantar, acompañado por los demás instrumentos y el baile sentido de la bailaora, que expresaba con gestos todo lo que Manuel decía con la voz. Una voz delicada, aunque llena de personalidad y sentimiento: sus gemidos, el alma que ponía en cada nota y en cada palabra le pusieron los pelos de punta. Estremeciéndose por los tercios de los fandangos, no pudo evitar que le cayera una lágrima que recogió con su dedo sin dejar de observar el rostro angelical del andaluz. Cuando la intensidad de la canción se lo permitía, Manuel le lanzaba alguna que otra mirada; Anna sintió un pellizco en el estómago, que iba creciendo a cada nota, a cada desgarro emotivo del cantaor. Miró a Rosa y se sintió culpable. Seguía embobada y le brillaban los ojos.

—¡Me está mirando, Anna! —exclamó con ilusión.

No quiso negárselo, pero estaba convencida de que aquellas miradas tenían dueña y era ella. El vino, las palmas, las batas de cola, los toques de guitarra, la voz genuina y emotiva de Manuel... Era una eterna velada de ensueño y quería repetirla más veces. Aunque sor Julia no aprobaría nada de lo que había vivido durante esa primera semana, sentía que había encontrado unos buenos amigos con los que empezar su nueva vida. Iba a quedarse.

12

4 de agosto de 1909

Esta noche no podía dormir. He abandonado la habitación y he salido al jardín a pasear bajo la luz tamizada de la luna. ¡Me relaja tanto! Esa intimidad que aporta la noche, la fragancia de los naranjos y los nísperos, que parecen sacar todo su aroma a esas horas tardías, el rumor del agua y el cantar de los grillos...

En fin, cuando ya llevaba un rato caminando, me he sentado en un banquito de piedra frente a la fuente del ángel alado. Allí me he quedado pensando en Enric, en su falta de respeto por nosotros. Los Puig somos una gran familia: mi padre tiene la mayor constructora de Barcelona, así que sabe que podría ser una buena esposa para él. Debería estar agradecido de que hayamos venido a Sant Pol.

Pues bien, la cuestión es que mientras estaba allí pensativa, he escuchado de golpe el ruido quejumbroso de la puerta de hierro que daba acceso a la casa. Era tarde y me he preguntado quién demonios sería a esas horas. Me he acercado con precaución y me he escondido tras unos setos para no ser vista. Era Enric. Venía andando, sin el coche. Y menos mal, porque iba dando tumbos con torpeza, incapaz de caminar en línea recta. Llevaba la camiseta desabotonada por la parte del cuello y la chaqueta sobre uno de los hombros. Iba poco a poco, intentando guardar el equilibrio para no toparse de bruces con alguna pared de hiedra de las que flanquean el camino. Me he sentido avergonzada de verlo así, tan borracho. Es joven y tiene derecho a divertirse, pero también debe cumplir con sus obligaciones. Sin decirle nada, he regresado a la cama decepcionada.

Esta tarde por fin se ha presentado. Ha dicho que había estado cuidando de un amigo enfermo y por eso no había podido venir antes. Mentiras, claro. Pese a todo, no he podido resistirme a él: tan guapo, con sus ojos color miel y su barbilla prominente, masculina... Ha vuelto a hechizarme, a seducirme. Su mirada constantemente fija en mí, como si quisiera provocarme... ¡Ay! Logra que nuestro entorno se disipe por completo, que solo existamos los dos en una burbuja íntima y placentera...

No sé si es el hombre perfecto, pero me tiene absolutamente enamorada.

Teresa

13

No he podido escribir hasta hoy. Estos días han sido maravillosos con Enric. Anteayer salimos a navegar por el Mediterráneo en un barco de vela que tiene un amigo suyo. Mi hermano también vino, así que éramos cuatro en total. ¡Fue un viaje mágico! Nunca había subido a un barco y me pareció una sensación maravillosa: el sonido del agua, la brisa, la naturaleza que nos rodeaba... Mentiría si no dijera que temí un poco por lo que pudiera pasarnos: el amigo de Enric es igual de atrevido y despreocupado que él y, aunque tenía cierta pericia con el timón, no dejaba de beber champán. Por suerte, teníamos el viento a favor y no tardamos mucho en llegar a Barcelona.

Enric se empeñó en visitar el Lion d'Or porque venía a cantar la Bella Chelito, una de las mejores cupletistas que existen en España. La verdad es que yo también tenía ganas de verla porque, aunque había visto muchos carteles suyos en las entradas de los teatros, nunca había disfrutado de una de sus actuaciones en directo. La cuestión es que llegamos al Lion d'Or todavía de día y no salimos de allí hasta el día siguiente.

Los chicos ya iban bastante borrachos cuando entraron en el café. Y yo, que siempre he sido muy cautelosa con el alcohol, decidí unirme a la fiesta y beber alguna que otra copita de champán. Enric estaba de lo más atento y cariñoso: se preocupó por mí en todo momento y me hizo reír toda la noche. Fue el rey de la fiesta hasta que apareció la Chelito. No dejó de piropearla durante su actuación y eso me enfadó un poco. ¿No debería guardar las formas y respetarme? Entiendo que es difícil contenerse ante esa mujerona: llevaba un escote redondo, los brazos al aire y una falda de gasa que dejaba ver sus piernas cada vez que se la levantaba. Enseñó el culo, incluso.

Pero, en fin, al final siempre consigue llevarme a su terreno y hacerme olvidar su mal comportamiento. ¡Me robó un beso! Sí, sí... me besó a escondidas, sin que mi hermano pudiera vernos y me sentí la mujer más afortunada del mundo. No puedo describir la sensación que tuve en ese momento tan íntimo entre los dos, tan mágico...

A mi hermano no se le da muy bien hacer de carabina, afortunadamente. Sin embargo, hizo algo que no me gustó ni un pelo. Aunque trató de desmentírmelo después, sé bien lo que vi. En el Lion d'Or también estaba Santiago Rusiñol, el pintor y escritor, que suele frecuentar a menudo este café y hacer tertulia. Pues bien, todo el mundo sabe que Rusiñol es un adicto a la morfina, que incluso tuvo que ir a un centro de esos que logran quitarte la adicción. Al parecer, mi hermano se gana bien la vida vendiendo recetas de morfina (firmadas de su puño y letra) a los morfinómanos. ¿En qué está pensando? Si padre se entera lo mata. ¿No ve que pone en evidencia a toda la familia? Debería crear su propia consulta y trabajar decentemente, en vez de trapichear y hacer cosas que no están bien. Estoy muy enfadada.

Nos lo pasamos muy bien en el Lion d'Or, incluso nos hicieron una fotografía con la Bella Chelito. Salimos al alba y regresamos a Sant Pol después de dormir un rato en el barco. Nunca me he sentido más viva.

Teresa

14

Había sido un año muy intenso. Se había sacado el curso de comercio y había aprendido muchísimo sobre ventas y algunas estrategias para persuadir, seducir y satisfacer mejor las necesidades del cliente. Por fin había comprendido que la mayoría de mujeres que buscaban lo último en cosmética perseguían el mismo objetivo: tener la piel suave, sentirse guapas, atraer al sexo opuesto... Los polvos de talco o el maquillaje regalaban belleza instantánea y un estereotipo de mujer elegante y exitosa. Por solo unas pesetas, podían ser aquello que anhelaban. Gracias a esos conocimientos, Anna había mejorado sus ventas en la droguería Anyí y había consolidado su trabajo. Interpretaba sus deseos, los analizaba y les ofrecía el mejor producto del mercado. Sin embargo, el mundo de la publicidad cambiaba a cada minuto y lo que la gente podía querer hoy podría estar pasado de moda mañana. Por eso Anna quería seguir estudiando: siempre había algo nuevo que aprender.

Una suave pincelada sobre cada uña y el efecto es instantáneo: produce un brillo nacarado, persistente, y por largo tiempo inalterable. Y ahora también con los colores que utilizan las actrices de Hollywood: rojo, rosa y morado. Una revolución en el mundo de la belleza. ESMALTE CUTEX.

Anna se quedó mirando el cartel: salía una *flapper* fumando con una boquilla larga y elegante, mostrando unas manos bonitas y pálidas que destacaban unas uñas pintadas de rosa. Tomás abrió la caja y sacó los pequeños esmaltes para ponerlos en el mostrador.

–Tienes que pintarte las uñas –ordenó, mientras cogía uno al azar–. Este rojo está bien. ¿Sabes cómo se hace?

Nunca se las había pintado, pero intuía que no sería muy difícil.

–Nos ha llegado de América –continuó–. Pero puede que sea complicado venderlos aquí. Hay muchas mujeres que se resisten.

Abrió el esmalte y salió un fuerte olor a barniz y productos químicos.

–No lo comprarán por su olor, desde luego –comentó Anna.

–En realidad es pintura para coche. Lleva los mismos componentes, de ahí surgió la idea.

–¿Y eso es bueno? –preguntó preocupada, mientras se las pintaba con sumo cuidado.

–Si nos preocupara eso, no podríamos vender nada. –Rio–. Si supieras todo lo que llevan estos productos... Mira, la crema depilatoria que vendemos lleva acetato de talio, un matarratas, y algunas cremas blanqueadoras llevan radio, que es profundamente tóxico. Pero nadie quiere saber eso: lo importante es que funcione. ¿Por qué decir que el jarabe para el dolor de dientes para niños lleva morfina, alcohol y cannabis?

Era cierto, las mujeres estaban encantadas porque los niños dejaban de llorar, se dormían y las dejaban tranquilas. Algunos morían por sobredosis.

–Hasta que se den cuenta y lo retiren –comentó Anna.

–Cierto. –Hizo una mueca de indiferencia–. Pero hasta que pase eso, podemos seguir vendiéndolo y todos salimos beneficiados. Así que ya sabes, Anna, tienes que vender los esmaltes. Si vendes alguno hoy, te daré una peseta extra con la paga.

Jugaba con ventaja: era un producto que venía de América y que estaba de moda entre las actrices de cine. Eso siempre triunfaba entre las más jóvenes. Y pudo comprobarlo con las primeras clientas: eran madre e hija y habían ido solo a por una botella de jabón Heno de Pravia cuyo anuncio en las revistas prometía un cutis limpio, joven y bello.

–Heno de Pravia no miente, ¿eh? –comentó Anna a la mujer mayor.

Iba bien vestida, muy elegante. Su hija parecía moderna y su rostro era fresco, jovial. Era mucho más joven que Anna y observaba embelesada los anuncios de los carteles de mujeres guapas, altas y sofisticadas.

–¿Disculpe? –preguntó la mujer.

—Que está claro que usted lleva años usando esta marca.

—¿Cómo lo sabe? —Arrugó el ceño, confusa.

—Tiene un cutis impecable. —Hizo una pausa—. Y a su hija le está enseñando bien, pues va por el mismo camino. Su rostro reluce.

La mujer sonrió tímidamente y sacó el monedero. Anna lanzó una mirada a la chica, que se había quedado prendada de los esmaltes que había sobre el mostrador, pero que no se había atrevido ni siquiera a tocar.

—Mi hija también es muy coqueta —dijo al final—. Se pasa el día mirando revistas y esas cosas... Ya sabe, lo que hacen las muchachas de su edad.

—Yo he de confesar que también adoro esas revistas —dijo con una sonrisa y se dirigió a la joven, mostrándole las uñas—. ¿Has visto los esmaltes que han llegado de América?

La chica asintió y miró a su madre, a la espera de que esta diera algún tipo de consentimiento.

—Uy, eso ya me parece demasiado —soltó, negando con la cabeza.

—Lo mismo dijo mi madre —mintió, sin perder la sonrisa—. Hasta que le recordé que cuando ella era joven su madre tampoco le dejaba ponerse polvos de arroz en el rostro. Y fíjese ahora, ¿qué haríamos sin ellos?

—¿Y qué dijo su madre al final? —preguntó la hija, ansiosa.

—Pues que no podía luchar contra la moda y que si las actrices de Hollywood llevaban las uñas pintadas... —Se encogió de hombros—. Todo lo que viene de América, tarde o temprano, triunfa, así que mejor ser de las primeras y crear estilo.

La chica asintió y le dio un codazo a su madre.

—¿Ves, mamá? Si está en lo cierto, de aquí a unos meses todas mis amigas las llevarán pintadas. Si me adelanto seré la envidia de todas y podré presumir de tener la madre más moderna de Barcelona.

La mujer se quedó reflexionando un rato mientras toqueteaba los esmaltes y leía el cartel de publicidad.

—Ya ve lo bien que quedan —añadió Anna, enseñándole las manos—. Brillantes... Ah, y también fortalece las uñas.

—Está bien —dijo al fin—. Probaremos uno.

La hija llenó de besos la cara de su madre. Anna no podía dejar de sonreír por el triunfo. Había logrado vender el primer esmalte y se iba a llevar una peseta de más. Con eso y con lo que ya había ahorrado por fin podría ir al salón de belleza. Aquella misma tarde se llevaría a Rosa con ella y se haría un buen corte de pelo. Después, irían al cine donde trabajaba Pili.

En cuanto llegó a casa, Anna le mostró el sobre a Rosa con una enorme sonrisa en el rostro.

–¡Por fin pareceré una chica moderna! –exclamó orgullosa–. ¡Ay, me siento tan independiente! Ya he saldado mis deudas con vosotras, ya tengo un bonito ajuar de toallas y sábanas... Vamos al salón de belleza, Rosa.

–Ahora te toca gastártelo en ti. –Le guiñó un ojo–. Te lo mereces.

Le cogió del brazo y salieron a la calle. Rosa llevaba un vestido fresco y ligero, de un rosa pálido.

–Pero no pienso gastármelo todo, ¿eh? –añadió Anna, divertida–. He de ser responsable y guardarme un poco para los libros de estudio. Ahora mismo me estoy leyendo el *Manual Práctico de Propaganda y Venta*, de Rafael Bori, y me gustaría poder comprarlo y no tener que cogerlo prestado de la biblioteca.

–Madre mía, Anna, debes estar aprendiendo mucho.

–¡Ni te lo imaginas! –sonrió, satisfecha–. ¿Sabías que la propaganda de hoy en día se basa en la psicología? Ya sabes, lo de estudiar la mente y eso.

–Vamos, que nos manipulan.

–Bueno, no sé si es eso... ¿Manipulo yo a mis clientes? –Negó con la cabeza–. No, solo trato de darles lo que quieren. Mira, Rafael Bori dice que hay seis pasos para convencer a un cliente de que compre un producto: despertar su atención, retenerla, estimular el interés, inspirar simpatía, crear el deseo y conseguir que llegue a consumarse la compra.

–¿Así que por eso vendes tanto? –Rio–. ¿Aplicas esa fórmula?

–A eso se le llama fuerza de venta, Rosa. No solo se debe llamar la atención, eso es muy fácil, sino que también hay que expresar una utilidad, crear una necesidad de ese producto.

–Estás hecha una profesional, amiga.

Rosa rio, tenía los ojos brillantes y parecía impaciente por contarle algo.

—Manuel nos ha invitado a cenar a su casa —dijo emocionada, como una adolescente—. Esta noche, a las nueve.

La noticia le cayó a Anna como un jarro de agua fría. Manuel no había dejado de coquetear con ella desde que se habían conocido por primera vez. Disimulaba delante de Rosa porque intuía lo que sentía por él, pero cuando estaban solos se deshacía en halagos y piropos hacia ella. Anna en ningún momento le había dado pie a que creyera que lo suyo podía ir más allá de una buena amistad. Se sentía feliz en el Raval, y Pili y Rosa se habían convertido en su familia, en las hermanas que no había tenido nunca, así que jamás haría algo que pudiera hacer daño a Rosa.

—Me ha preguntado si vendrías y le he dicho que sí, cómo no —continuó, mordiéndose el labio—. Ay, estaba tan guapo, Anna...

Asintió, fingiendo entusiasmo. Anna había tenido parte de culpa en la ilusión de su amiga. No quería que sufriera, así que le había dado esperanzas y le había hecho creer que el andaluz podría andar tras sus pasos, que hacían una buena pareja...

—Qué bien —respondió sin más—. Seguro que nos divertiremos.

—Espero que venga también Pili porque estará el compañero de piso de Manuel. Julio está loquito por sus huesos y a Pili le encanta que le vayan detrás.

—Entonces seguro que se apunta.

Llegaron al salón de belleza. El olor a humedad, cremas y geles inundaba una estancia llena de espejos y bombillas que simulaban los camerinos de un auténtico set de rodaje. Cortinas rosas y una enorme lámpara de araña decoraban una estancia cubierta con papel pintado floreado y fotografías enmarcadas de modelos de moda. En los mostradores había cremas, afeites y maquillaje de todo tipo. Las muchachas, que iban de uniforme azul claro, corrían de un lado a otro en busca de toallas, pinceles, tijeras y cepillos para el pelo. Eran consejeras de belleza, mujeres resolutivas, creativas, que habían aprendido de los tratamientos y métodos de Elisabeth Arden, la americana que había creado un imperio con sus salones de belleza por todo el mundo. Estaba lleno hasta los topes: una tratándose las pecas con dióxido de carbono, otra haciéndose la permanente con la cabeza llena de rulos... Apenas se podía hablar por el ruido ensordecedor de los secadores eléctricos. La sentaron en un sillón, justo al lado de una mujer que llevaba una máscara de goma en el rostro para quitar las arrugas.

—¿Qué peinado quieres?

La muchacha le señaló un cartel en el que aparecían dibujados todos los cortes de moda: con o sin flequillo, ondulados y lisos, secos o con efecto mojado, con la raya al lado o hacia atrás... Pero todos cortos, sin pasar más allá del cuello.

—Al estilo Louise Brooks, por favor.

—Todas quieren parecerse a esa actriz. —Le puso una tela sobre los hombros y le soltó el pelo—. ¿Y quién no? Es bella, tiene una personalidad arrolladora, amante de Charles Chaplin y la mujer más envidiada de América.

—Y además rica —añadió Rosa, que se había sentado al lado de Anna y había cogido una revista—. ¡Qué vida más fascinante!

—Dicen que a los catorce años se enamoró de un hombre casado y que alguien abusó de ella cuando era solo una cría —comentó Anna.

La chica, mientras hablaba, comenzó a cortar la melena. Los mechones de cabello comenzaron a caer al suelo. Pronto sintió la nuca despejada, libre y fresca.

—Y las orgías que tuvo con Chaplin —continuó, recortando el flequillo—. Parece que tiene debilidad por las jovencitas...

—Pero se casó un par de veces, ¿no? —comentó Rosa—. O eso leí en una revista.

—Sí, ambas tenían dieciséis años. Parece que las dejó embarazadas y se vio obligado a casarse con ellas. Luego se divorció.

—Madre mía, lo joven que es y lo mucho que ha vivido ya... ¡Es un mujeriego!

—Sí, pero hace unas películas buenísimas —declaró con entusiasmo—. *La quimera del oro*, la mejor. No pude parar de reír.

La peluquera le retiró con un plumero los pelos adheridos en la piel y le dio un espejo para que se viera el corte por detrás. Anna quedó impresionada con su nueva imagen, moderna y sofisticada, que había empezado hacía ya un año gracias a sus compañeras de piso. Se había acostumbrado al barrio chino, a las actuaciones a altas horas de la noche, a bailar hasta que le dolieran los pies... ¡Menos mal que sor Julia no sabía nada de eso! Iba a visitarla poco, pues apenas tenía tiempo; además, cuando lo hacía, solía reprocharle su nueva vestimenta y su exceso de maquillaje. Las monjas estaban a años luz de la vida moderna de la ciudad y, aunque había pasado la infancia con ellas, se sentía ahora muy lejos de su forma de pensar. Estaba feliz, con una autoestima indestructible.

Y así llegó al cine Barcelona: sin dejar de sonreír, con la cabeza alta, el peso del flequillo sobre sus ojos y un ligero viento recorriendo su nuca, erizándole el vello mojado por el sudor.

Frente a la fachada, donde colgaban los carteles de las películas que se proyectaban, había un par de jóvenes repartiendo volantes y programas de mano ilustrados con fotografías y dibujos promocionales de la sala. También pasaba algún que otro coche y tranvía empapelados con los fotogramas de la película que iban a ver, *El maquinista de La General*, protagonizada por Buster Keaton. No pudieron evitar la cola. La sesión de las seis y media, y más siendo sábado, se llenaba hasta arriba. De lejos veían a Pili, en la taquilla, entregando las entradas a los clientes con una sonrisa forzada, falsa. Sus ojos parecían cansados, incluso se le percibían unas ojeras moradas bajo la capa espesa de maquillaje. No había dormido en casa las dos últimas noches y no había dado ningún tipo de explicación, como ya era costumbre. Desde que Rosa le había explicado la dura infancia de Pili, Anna había sido mucho más comprensiva con ella: su forma de actuar se debía a un pasado traumático y a su baja autoestima, así que le era difícil reprocharle su actitud. Por fin les tocó a ellas.

—¡Dios mío, Anna! —exclamó al verla—. ¡Estás guapísima! Déjame verte por detrás.

Anna se giró y enseñó su corte de pelo con orgullo.

—Hay que salir esta noche —continuó Pili—. Debemos mostrarte al mundo.

—No, no, esta noche tenemos otros planes —se adelantó Rosa—. Que nos ha invitado Manuel a su casa, a cenar.

—Jolines —puso cara de decepción—. Yo que tenía ganas de bailar un charlestón...

—Venga, va —insistió Rosa—. Estará Julio y sabes que te lleva en palmitas. Tendrá ganas de verte, Pili. Tienes que ir guapa y ponerle los dientes largos.

—¿Insinúas que no estoy ya guapa? —Levantó el mentón y sonrió—. Bueno, vale, pero la próxima vez elegiré yo.

Pili les dio las entradas y se dirigieron al interior del cine. Antes de entrar a la sala, Rosa decidió comprar algunos dulces para la película: barquillos, regalices, chicles mentolados y un par de gaseosas. Anna estaba nerviosa; la sala era enorme, llena de butacas de terciopelo rojo que olían a naftalina y una enorme pantalla blanca. Un acomodador bien trajeado las acompañó a sus asientos. Enseguida se llenó del todo y apagaron las luces. Todo quedó a oscuras y en silencio, aunque no tardaron en aparecer los primeros anuncios en la pantalla, productos con los que Anna ya estaba familiarizada y que había visto en las estanterías de los Anyí. Los de Gal, sobre todo. Y mientras oía el masticar y el crujir de la gente al comer, los sorbos de las botellas de cristal y algún que otro bostezo, empezó la película. ¡Qué emoción ver los rostros en movimiento, la melodía del piano que variaba en función de la acción del personaje, los gestos exagerados y expresivos de los actores...! Y Buster Keaton, maquillado con fuertes ojeras y una tez pálida, lograba transmitir al espectador todo el dramatismo y la comicidad de la trama sin esforzarse demasiado. El «cara de palo», como se lo conocía popularmente, era uno de los mejores actores cómicos después de Charles Chaplin.

Anna estaba disfrutando como nunca, incapaz de apartar la vista de la pantalla. Sin embargo, cuando ya estaban a mitad de película, le entraron ganas de ir al baño.

–Pero ¿a dónde vas? –le preguntó Rosa al verla de pie–. ¡Te vas a perder la película!

–No puedo aguantarme –susurró–. He de ir al baño. La maldita gaseosa.

–Hay que ver, hija –murmuró, negando con la cabeza–. Pareces una niña chica. Venga, date prisa.

Tras oír un par de quejas de los de su misma fila, por fin logró salir de la sala y correr hacia el baño. Y fue allí, en ese mismo instante, cuando descubrió a Pili frente al espejo del lavabo, con una especie de cajita de metal sobre la mano. Estaba aspirando algo por la nariz: un polvo blanco que, aunque Anna nunca lo había visto de cerca, sabía perfectamente de qué se trataba. Cocaína. Era la droga de moda, la sustancia que tomaban los ricos y los pobres, los mayores y los más jóvenes... Hasta tenía su propia canción, que se tocaba en todos los cabarets y revistas de la ciudad. «El tango de la cocaína» era una oda a esa droga que, milagrosamente, lograba combatir la fatiga y el sueño y exaltaba el ánimo y la seguridad en uno mismo. Mucha gente la esnifaba en las salas de fiesta y, aunque al principio se había llevado las manos a la cabeza, después de un año saliendo de noche ya se había acostumbrado a verlo. Sin embargo, jamás lo hubiera imaginado en ninguna de sus amigas. Le parecía un acto repugnante, de gente que se quería muy poco.

–¡Pili! –exclamó Anna–. ¿Pero qué haces?

Guardó rápidamente la cajita en su bolsillo, descolocada al verse descubierta. Tragó saliva, se masajeó la nariz y fingió una sonrisa.

–¿Qué pasa? –Hizo un gesto de indiferencia con la mano–. ¿Es que no lo habías visto nunca?

–Pero eso es malo. –Apenas le salían las palabras–. ¿Cuánto hace que...?

–Bah, tonterías. –Rio, quitándole importancia–. Todo el mundo la esnifa, no pasa nada. Solo es de vez en cuando.

–¿Y por qué la necesitas?

No podía aguantarle la mirada. En el fondo sabía que mentía, que era una auténtica adicta y la consumía a diario.

–No es que la necesite, mujer, simplemente me gusta. –Se encogió de hombros–. Hace que pueda salir y bailar durante horas sin sentirme cansada. ¿No es eso genial?

Anna comenzó a entender por qué Pili, a diferencia de ellas dos, podía aguantar sin dormir tantas horas y trabajar como si nada al día siguiente, tan fresca como una rosa.

–No creo que sea bueno... Deberías dejarla –le aconsejó, preocupada–. ¿De dónde la sacas?

–Pues depende del día y del lugar. –Sacó un pintalabios de su falda y se retocó los labios como si nada–. Todo el mundo la vende en el Raval. Y en los cafés. Está por todas partes.

Anna suspiró y le puso la mano sobre el hombro.

–Si tienes algún problema podemos hablar y...

–¿Qué problema voy a tener? –la interrumpió y se deshizo de su mano–. Te agradezco que te preocupes por mí, cariño, pero estoy la mar de bien y la vida me sonríe. Venga, vuelve a la sala, que os espero fuera.

Le dio la espalda, dirigiéndose hacia la puerta con la cabeza bien alta, moviendo el culo seductoramente.

–Ah, y no le digas nada de esto a Rosa –añadió, con el dedo en alto–. No quiero que se preocupe por esta tontería. Será un secreto entre tú y yo, ¿vale?

Anna asintió por inercia. Trató de pensar fríamente en lo ocurrido y llegó a la conclusión de que no podía hacer nada si Pili no se dejaba ayudar. Si Rosa no había logrado cambiarla en cuatro años, poco iba a poder hacer ella. Regresó a la sala y mantuvo el secreto. La película ya no le parecía tan divertida ni tan asombrosa como al principio. Era feliz en el Raval, con Pili y Rosa, pero también se sentía, a veces, demasiado expuesta a la delincuencia, a la marginalidad y al consumo de drogas. Era el precio que debía pagar por su independencia.

Llegaron a casa de Manuel. El salón olía a tabaco rancio y había un cenicero lleno de colillas sobre la mesa, justo al lado de un plato con jamón y queso. Habían tratado de adecentarlo lo mejor que habían podido, pero en cada uno de los rincones de aquella casa la ausencia del toque femenino era más que evidente. Muebles sencillos, sin adornos ni cortinas, hacían de ese espacio un lugar poco acogedor. Estaban las ventanas abiertas para que corriera el aire y Julio, el compañero de piso de Manuel, tocaba de fondo una guitarra española mientras observaba a Pili embelesado. Rosa, por otro lado, había acompañado a Manuel a la cocina para traer los vasos y la botella de vino blanco que había sacado a hurtadillas de la despensa del Villa Rosa. A la vuelta, se detuvo a mirar a Anna.

–¡Menudo cambio te has hecho, mi alma! –Le echó un vistazo de arriba abajo–. ¿No te han *cambiao* por otra?

–¿Quieres decir que antes no estaba bien? –le preguntó en tono de humor.

El andaluz tragó saliva, sin quitarle los ojos de la cara.

–A mí ya me gustabas antes. –Se puso rojo–. Que nunca olvidaré que me invitaste a comer sin conocerme de *na*.

Rosa percibió el sonrojo y frunció el ceño. Anna se apartó de él, dejando la conversación a medias, fingiendo indiferencia, y se sentó en el sofá con Pili y Julio. Este último, que tenía un aire a Rodolfo

Valentino, alto, guapo y seductor, hizo una mueca de fastidio al ver que interrumpía su charla con ella. De fondo, oía a Rosa hablar con Manuel, aunque este apenas le seguía el hilo: se había ofendido por el desplante y, cuando volvió al sofá, ya no le volvió a dirigir la mirada. Rosa había olvidado el sonrojo anterior y continuaba, a veces demasiado insistente, llamando la atención del cantaor.

—¿Por qué no nos tocas algo? —planteó con entusiasmo—. ¡Con lo bien que cantas!

Rosa era como un libro abierto: cualquiera podría darse cuenta de que estaba enamorada de Manuel. Él, sin embargo, aunque intentaba no perder su característico buen humor, parecía inquieto, incómodo en su propia casa. Anna se sintió mal por lo que había hecho y lo animó también a que cantara.

—Venga, va, que lo pasamos muy bien el otro día. —Le sonrió y fingió normalidad—. Pili seguro que está deseando oírte.

Pili asintió eufórica. Odiaba el flamenco, pero en aquel momento, con su mano sobre la pierna de Julio, parecía no importarle. Estaba pletórica, llena de felicidad, sin rastro del rostro cansado que aparentaba en taquilla. La cocaína había hecho su efecto y gracias a ella volvía a ser la reina de la fiesta, como siempre. Anna se mordió la lengua: habría gritado allí mismo que esa no era la verdadera Pili, sino un espejismo que se apagaría tan pronto como dejara de tomar aquel polvo blanco. Sintió lástima por ella, porque necesitaba esa substancia para sentirse bien, para ser amada y querida por los demás.

Finalmente, Julio cogió la guitarra y tocó unos sencillos acordes que precipitaron el cante de Manuel. Enseguida se le puso la piel de gallina, como si su voz fuera un cálido y protector abrazo nocturno. En aquel pequeño salón, mientras Pili llenaba los vasos de vino, Anna volvió a sentir la mirada de Manuel dirigiéndose a ella.

15

El Lion d'Or, en la parte baja de la Rambla, era el lugar por excelencia de la bohemia barcelonesa. Pili había insistido tanto que al final habían decidido pasar la noche del sábado allí, para tomar unas copas y bailar algún que otro charlestón. Las tres entraron en el majestuoso salón lleno a rebosar de mujeres vestidas a la última moda, con turbantes, boinas y sombreros, collares de perlas y gargantillas sobre los escotes de vestidos de finos tirantes; también hombres acicalados al más puro estilo americano, con trajes de lino en tono pastel y pantalones estrechos y cortos que dejaban entrever los calcetines al bailar. Olía a populacho, a sudor y a alcohol. De fondo, la canción de «A media luz», cantada por una tanguista que previamente había sacado su polvera llena de cocaína para esnifar. Y es que, entre las mesas del Lion d'Or, mujeres de habla francesa se llenaban los bolsillos vendiendo la «mandanga», como se la conocía también popularmente, que cruzaba la frontera ilegalmente desde Francia.

Se sentaron en una mesa y Pili trajo unos *Gin Rickey*, unos cócteles hechos a base de ginebra y limón.

–Bueno, Anna, ya llevas un año con nosotras –dijo Rosa–. ¿Eres feliz?

Se había acostumbrado a los bohemios soñadores y marineros malhablados, a los gitanos que encendían velas en honor a la Virgen, a los maleantes y locos que trataban de sobrevivir en la oscuridad de sus calles... También a la grandeza de su gente, trabajadora, honrada y humilde. Y a la libertad y el placer. Aunque a veces temía al barrio maldito, marginal y pobre del Raval, Anna lo consideraba ya su casa.

–No podría estar mejor, la verdad. –Sonrió, contenta–. Claro que soy feliz.

–Y Tomás Anyí todavía más, ¿no? –añadió Pili–. Eres una vendedora de primera.

Asintió. Siempre conseguía arañar unas pesetas de más al final del día. Estaba aprendiendo muchísimo sobre cosmética y cómo venderla; sabía leer la mente de las mujeres que entraban en la droguería, sus anhelos y deseos, en qué querían convertirse.

–Adoro mi trabajo, ya lo sabéis –respondió–. Y el señor Anyí está encantado.

Apenas se podía hablar. Las risas alocadas de las muchachas, intercambiándose gestos de erotismo y galantería con los hombres, se mezclaban con el sonido estridente y festivo de la *jazz band*. Tres hombres negros, uno con un saxofón, otro con una trompeta y el último con un contrabajo, tocaban a ritmo de swing, haciendo que el público se lanzara a la pista y comenzara a bailar.

–Venga, chicas, vamos a pasarlo bien.

Pili las agarró del brazo y las arrastró a la pista. Se encendió un cigarrillo y mantuvo la boquilla en los labios mientras seguía bailando frenéticamente, moviendo sus caderas de forma sugerente, rozándose con los traseros de los hombres que tenía al lado. Rosa hizo lo mismo, aunque de forma más recatada. A Anna todavía se le resistía el charlestón, pero se puso a mover brazos y piernas, y también los pies, que debían girar hacia dentro y hacia fuera, flexionó las rodillas e improvisó. No se le daba tan mal, pensó. Enseguida comenzó a sudar por el ejercicio, así que se tomó unos segundos para regresar a la mesa y terminarse el cóctel. Después se fue a la barra y se pidió otro mientras observaba a las chicas reír y disfrutar de los ritmos negros de la música.

–Madre mía, muchacha, te pareces mucho a la de la foto –dijo el camarero, tras ponerle el cóctel.

Anna arrugó la frente sin saber a qué se refería. Luego, el hombre señaló una fotografía enmarcada que había colgada en una columna, junto a otras más.

–Porque es antigua, que si no juraría que eres tú –añadió.

Anna se acercó con curiosidad: todas las fotos eran en el Lion d'Or y en ellas aparecían escenas de fiestas y eventos importantes. Enseguida supo a cuál se refería. Anna tragó saliva y le temblaron los pies. Inesperadamente, Rosa y Pili aparecieron por detrás: estaban sofocadas y no podían dejar de reír y de decir tonterías.

–Pero ¿qué te pasa, chica? –le preguntó Pili–. ¿Es que has visto un fantasma?

Rosa miró la fotografía y se quedó blanca.

–¡Ostras, pero si eres tú! –Volvió a mirarla con atención–. Eres clavadita.

En la fotografía aparecía un grupo de personas junto a una cupletista. La mujer era una joven rubia, de piel blanca y ojos azules, con los mismos hoyuelos que Anna.

–Y es una foto antigua –siguió Pili–. ¿No será tu madre?

–¡Qué tontería! –exclamó Rosa–. ¿No ves que viste de forma rica? ¿Qué madre rica abandona a su hija en un orfanato?

–Solo es una casualidad. –Anna trató de quitarle importancia–. Es verdad que nos parecemos mucho, pero eso es todo.

–Bueno, bueno... –Pili no estaba del todo convencida–. No creo que sea tan descabellado lo que digo, ¿no?

Se dirigió al camarero, dispuesta a no ceder en su idea.

–¿Sabe de qué año es esa foto? ¿Conoce a alguno de ellos?

–Solo conozco a la Bella Chelito, la cupletista –respondió, mientras agitaba la coctelera–. No hace tantos años que trabajo aquí.

–Déjalo ya, Pili –insistió Anna–. No le des más vueltas, que no es nada.

–¿Y podríamos saber el año? –insistió Pili al camarero.

–Hombre, seguramente aparezca la fecha detrás de la fotografía, pero no pienso desarmar todo el marco, señorita –negó repetidamente–. Solo era un comentario y ya está.

–Pues es que la muchacha es huérfana, ¿sabe? Y no sabe quién es su madre y yo creo que podría ser ella.

Anna cogió de la mano a Pili y la alejó de la barra.

–¡Basta ya! –la reprendió con dureza–. No hay ningún indicio de que esa mujer sea mi madre, así que no pienso perder el tiempo ni hacerme ilusiones por una estupidez.

–Vale, vale... –Pili cambió la cara y agachó la mirada–. Madre mía, cómo te pones...

–Te agradezco tu interés –dijo al fin, sintiéndose culpable por su reacción–. Pero no quiero darle importancia a algo que no la tiene. Venga, que hemos venido a pasarlo bien.

Volvieron a la pista de baile. Después del charlestón vinieron los *boogie-woogie* y los foxtrot. Anna se contagió rápidamente de la alegría de vivir de la gente, de la elegante frivolidad que transmitían Pili y otras como ella, y se olvidó de aquella mujer de la foto. Bailó y bailó hasta que le dolieron los pies.

Cansadas, regresaron a la mesa. De repente, un camarero les llevó una nota.

–¿Una nota? –preguntó Rosa–. ¿De quién es?

–Me la ha dado un joven del reservado –respondió el camarero.

No dijo nada más, y se fue tan rápido como había venido, probablemente para que no le hicieran más preguntas.

–¡Léela, Rosa! –le ordenó Pili, exaltada–. Madre mía, si está en el reservado seguro que es un torero o un artista.

Rosa la leyó en voz alta, incapaz de reprimir un tono infantil.

Os invitamos a las tres a nuestro reservado. Necesitamos unas clases de baile. ¿Queréis ser nuestras profesoras?

Lanzaron grititos de alegría.

–¡Se han fijado en nosotras! –exclamó Pili, emocionada–. Dios mío, ¿estoy guapa?

–Siempre estás guapa –respondió Anna–. Pero... ¿qué tipo de reservado es ese? No pensarán lo que no somos, ¿no?

–No, mujer, no seas aguafiestas. –Se levantó de la silla y se retocó el pelo–. Eso es que nos han visto bailar y les hemos gustado.

–¿Serán guapos? –preguntó Rosa, siguiendo a Pili–. ¿Y si no lo son? ¿Qué excusa pondremos?

–A mí si son ricos ya me valen.

Brutalmente sincera, Pili encabezó la comitiva hacia el reservado. Anna prefería quedarse en la sala de baile en vez de ir a un reservado con unos hombres desconocidos. Inconscientemente, las voces de las monjas retumbaron en su cabeza advirtiéndole de que aquello no estaba bien. Sin embargo, las chicas parecían contentas y no iba a ser ella quien estropeara la fiesta. Era una sala pequeña, con sofás y mesitas. La luz era más íntima, así que les costó poner rostro a los dos hombres que había allí sentados y que sostenían entre sus manos unos vasos de whisky. En la mesa, un cenicero lleno de colillas y más vasos vacíos. Rieron al verlas y se presentaron.

–Yo soy José y este es mi hermano Fernando.

José era elegante, de aspecto distinguido a pesar de estar un poco ebrio. Besó la mano de las señoritas de forma resuelta, también con cierto desdén arrogante. Su mirada de ojos azules le confería una actitud airosa, llamativa, pero también lo dotaba de atractivo. Su hermano Fernando, de aspecto más infantil y aniñado, no podía dejar de sonreír, con los ojos visiblemente achispados. Los dos eran morenos, no muy altos, pero parecían estar en forma y aparentaban ser ricos. Pili estaba encantada.

Después de saludarse, se sentaron todos en los mullidos sofás, un poco mojados por las copas derramadas y agujereados por los cigarrillos. El camarero no tardó en llevar una botella de champán del bueno, y recibió una suculenta propina por parte de José.

–Os hemos visto bailar... –José le guiñó el ojo a Pili–. Sois las chicas más guapas de la fiesta.

Tenía una mezcla de acentos, entre andaluz y madrileño, y una voz grave, cautivadora.

–No eres de aquí, ¿verdad? –preguntó Anna.

–No exactamente, aunque como si lo fuera. –Se encendió otro cigarro–. Mis padres, después de casarse, vinieron a vivir aquí, aunque yo nací en Madrid. ¡Pero adoro esta ciudad!

–Nos encanta pasear por las callejuelas de los alrededores de Capitanía, ya sabéis, por el paseo Colón –comentó Fernando–. Beber vino en alguna tasca portuaria, ir al teatro o al cine, visitar algún café... Aquí uno no se aburre.

–Y cuando uno está cansado del bullicio de la ciudad, no hay nada como la costa –continuó José, cerrando los ojos–. Hace unos años precisamente aprendí a nadar en las tranquilas aguas de Vilassar de Mar. O en Alella. ¿Habéis estado alguna vez? Allí tengo unos buenos amigos, los Bosch Labrús.

–Así que tienes amigos de los buenos, ¿eh? –añadió Pili, arrimándose más al muchacho–. ¿Te codeas entonces con lo más chic de Barcelona?

Los dos hermanos soltaron una sonora carcajada.

–No te imaginas cuánto, señorita... Me invitan a muchas fiestas. Soy marqués, ¿sabes?

Los ojos de Pili hacían chiribitas. Se rellenó de nuevo la copa y bebió el champán de golpe.

—¿Y vosotras, niñas, a qué os dedicáis? —preguntó José—. Porque cualquiera diría que sois la mismísima Josephine Baker de lo bien que bailáis.

—Yo soy taquillera. —Pili se bajó el escote con toda la intención—. Rosa es enfermera y Anna, dependienta de una droguería.

—Solteras, claro —matizó él—. Con lo guapas que sois, no tardaréis en casaros y así no tendréis que volver a trabajar.

—¡Eso es lo que quiero yo! —exclamó Pili, ansiosa—. Un marido que me quiera bien y poder cuidarlo en mi bonita casa.

Anna apretó los labios y la miró con dureza.

—Pues a mí me gusta mi trabajo, así que mi futuro marido debería respetarlo.

—¡Qué tontería! —soltó ahora Fernando—. ¿Y si tienes hijos? Una mujer se debe a su hogar.

—Bueno, pues trataría de que alguien me ayudara, no sé —titubeó—. Me apasiona mi trabajo y me sentiría vacía sin él.

—Eres la madre y debes cuidar a tus hijos —se puso serio—. ¡Por el amor de Dios!

—Bueno, hermano, no las enfademos —dijo José, en tono conciliador—. Cuando tenga un hijo cambiará ella sola de opinión. Deseará estar a su lado por encima de todo y prescindirá de otras cosas.

—Pues probablemente sí. —Anna agachó la cabeza—. Si hiciera falta lo haría. Jamás desatendería a mi hijo. Lo único que digo es que me daría mucha pena tener que dejar de trabajar. ¿No te ocurriría a ti lo mismo?

—Soy abogado y tengo un bufete en Madrid —se jactó—. ¿Vas a comparar tu trabajo con el mío? Oye, una esposa tiene obligaciones. Ella la de velar por la familia y yo la de traer el pan a casa.

—¡Di que sí, José! —aplaudió Pili—. Pues yo sería una esposa como Dios manda, eso te lo aseguro.

José puso su mano sobre la pierna de Pili mientras esta coqueteaba con descaro.

—Cada mujer que decida lo que quiera hacer, ¿no? —señaló Rosa, que no había abierto la boca todavía.

—Bah, que sois unas pesadas. —Pili se levantó y cogió a José de la mano—. ¿Bailamos?

De fondo se oía la música de la *jazz band*. Comenzaron a moverse, José un poco torpe, Pili radiante, feliz, sintiéndose la estrella de nuevo. Estaba poniendo todo de su parte para lograr conquistar a José, que parecía ser un buen partido. Su objetivo de convertirse en esposa de un rico estaba por encima de todo. Probablemente, José se aprovecharía de ella, como habían hecho otros tantos, y su intento de comprometerse quedaría, otra vez, en agua de borrajas. Mientras ellos bailaban, Fernando trataba de conquistar a Rosa sin mucho éxito. Evidentemente, después del discurso subversivo de Anna, ninguno iba a tratar de seducirla.

Y así estuvieron hasta que empezaron a surgir las primeras claras del día, que sorprendieron a los últimos noctámbulos que se resistían a abandonar el local. Desde la claraboya del reservado, una luz espesa iluminaba unas caras cansadas y unos esmóquines arrugados y mojados. José y Fernando, ebrios, se arrastraron fuera del reservado; Pili, en medio de los dos, parecía incapaz de sostenerse en pie. Rosa, sujetándose a Anna, estaba melancólica, sin dejar de clamar su amor por Manuel. El salón del Lion d'Or parecía un auténtico campo de batalla: vasos de vino tirados, trozos de alguna botella rota en el suelo, hombres y mujeres durmiendo sobre las mesas... Lo único que se mantenía impertérrito en su sitio era la fotografía en la que aparecía la Bella Chelito.

–¡Deberíamos llevárnosla! –soltó Pili, riendo–. ¡Porque seguro que es tu madre, Anna!

Anna resopló, agobiada, y no le hizo caso.

–¿De qué hablas? –preguntó José, con su mano en el trasero de Pili.

–Anna, que es huérfana, y es clavada a esa de ahí. –Señaló la foto torpemente–. ¿A que sí?

José se acercó a la columna y observó detenidamente la fotografía.

–¡No me lo puedo creer! –exclamó con entusiasmo–. ¡Pero si yo conozco a uno de ellos!

Anna levantó la vista y se le aceleró el corazón.

–¿Conoces a la que se parece a mí? –preguntó nerviosa.

–No, a ella no, pero sí al hombre que está a su lado –rio–. De hecho, es mi amigo. Jolín, ¡qué joven estaba aquí!

José descolgó la fotografía y le sacó el marco sin importarle si algún camarero estaba por allí. Miró en la parte de atrás.

–Verano de 1909 –leyó en voz alta–. Enric Girona. Le encantaría ver esto. ¿Sabes que me he hospedado muchas veces en su palacete de la calle Ancha? Su familia ha sido gran amiga de la mía.

–¿En serio? –exclamó Pili–. Pues quizá él se acuerde de esa mujer.

Anna negó con la cabeza fríamente. Eran meras suposiciones, pensó, que no llegarían a nada. No debía acogerse a la esperanza, si no la caída sería demoledora. Tenía que olvidarse de eso.

A punto de salir por la puerta, el camarero se despidió.

–Adiós, señoritas –dijo educadamente–. Adiós, señores Rivera.

16

Pili gritó, histérica. Anna se levantó de la cama y corrió hasta el salón.

—Pero ¿qué pasa? —Se restregó los ojos—. ¿Qué hora es?

—La hora de ponerse las pilas —volvió a gritar—. ¡Ay, Dios, qué nervios!

Pili sostenía una carta en las manos y no dejaba de dar vueltas por el salón. A los pocos segundos apareció Rosa también, con el rostro todavía dormido y el cabello alborotado.

—¿Nos vas a decir lo que ocurre? —repitió Anna—. Nos tienes en un sinvivir.

—Que he recibido una nota de José Antonio. —Aplaudió frenética—. Que nos pasan a buscar en coche de aquí a una hora. ¿Os lo podéis creer? ¡Los Rivera!

—Anda que no darnos cuenta.... —comentó Rosa, bostezando—. Ya nos lo podían haber dicho.

—No creo que vayan por ahí diciendo todo el santo día que son los hijos de Miguel Primo de Rivera, digo yo.

—Pues yo no quiero saber nada —soltó Anna, enfadada—. No me caen bien.

—¡Y una leche! —Pili le dio un codazo—. ¿No quieres codearte con los Rivera?

—Me importan un bledo los Rivera. —Cruzó los brazos—. Ahora no finjamos que su padre no es un dictador.

—Bueno, pero eso no quiere decir nada. —Hizo una mueca de indiferencia—. Él es el marqués de Estella, abogado... ¡Ojalá se enamore perdidamente de mí!

—No te adelantes, Pili —añadió Rosa—. Quizá solo te tome como amiga, para divertirse... ¿me entiendes? No te hagas ilusiones.

–Si tuviera tantas amigas, no nos habría invitado al club de tenis.

–¿Quiere que juguemos a tenis? Porque yo no tengo ni idea.

–Que no, hija mía, que solo vamos a mirar a los hombres. –Negó con la cabeza–. Menuda ocurrencia. Yo no me pongo de *sport* ni muerta.

–¡Va, Anna, vente! –insistió Rosa–. No me dejes sola, por favor. Pili estará con José Antonio y...

–Pues tú deberías aprovecharte de Fernando –resopló Pili–. Es que os lo tengo que decir todo, ¿eh?

Anna recapacitó y aceptó ir por Rosa.

–Bueno, va, quizá nos divirtamos –zanjó al fin.

No les dio tiempo a desayunar, tan solo a arreglarse y ponerse guapas. Tal como ponía en la nota, al cabo de una hora se escuchó el claxon de un coche en la calle. Bajaron corriendo, emocionadas, y más al toparse de bruces con el precioso Hispano Suiza T49 de José Antonio. Anna lo había visto anunciado en las revistas: capó plegable, tapicería de cuero y una carrocería tan pulida como un diamante. Era de color azul marino, brillante, sin restos de suciedad. Nunca se había subido a un coche.

–¿Cómo estáis, bonitas? –preguntó José Antonio.

Iba de *sport*, con ropa cómoda, un suéter amarillo de manga corta y unos pantalones bombachos. A su lado estaba Fernando, que salió del coche para ayudar a las mujeres a acomodarse en la parte de atrás.

–Señoritas... –comentó José Antonio al emprender la marcha–. Yo de vosotras me quitaría los sombreros si no queréis perderlos.

Y tenía razón. Apretó con fuerza el acelerador y empezaron a moverse a una velocidad vertiginosa. Anna levantó las manos, tratando de tocar el cielo y alcanzar la línea del horizonte. El aire azotaba su cara, obligándola a cerrar los ojos. Sonrió e imaginó que volaba deprisa y constante, deslizándose suavemente por encima de la ciudad sin que nada ni nadie pudiera retenerla. Estaba feliz, llena de vida. De fondo oía los chillidos de sus amigas, que no dejaban de reír influidas por una inyección de pura adrenalina y una placentera sensación de libertad.

Los dos hermanos las observaban, encantados, por el retrovisor. Cuanto más reían, más aceleraban, así que pronto llegaron al barrio de Sant Gervasi. Era un pueblo agreste, situado al pie de la montaña de Collserola. A mediados del siglo XIX se había convertido en una zona residencial tranquila y de ocio para la burguesía catalana. Por sus calles, ancladas en colinas y auténticos miradores de Barcelona, se habían construidos torres y fincas de veraneo, conventos y colegios religiosos y jardines privados. Apenas quedaba rastro del pueblo campesino de antaño, de sus casas solariegas y menestrales.

En la calle Alfonso XII se encontraba el club de tenis. En una de las pistas había dos mujeres jugando, con jersey verde y falda blanca por las rodillas. Sujetaban con fuerza las raquetas, serias, con el cuerpo encogido para golpear bien la pelota; en las sillas que había en la misma cancha, un par de espectadores aplaudían tímidamente sus logros mientras se tomaban unos vermuts y hablaban sobre negocios.

Se adentraron en una pista vacía en la que había un hombre esperando. Se estaba atando los cordones de las zapatillas deportivas sobre la silla. Tenía el pelo canoso, algunas arrugas junto a los ojos, pero estaba en forma y todavía era apuesto. Nadie diría que tuviera más de cincuenta años.

–¡Enric! –exclamó José Antonio–. Ya veo que te estás preparando bien... ¡Esta vez pienso ganarte!

Se saludaron afectuosamente antes de presentarle a las chicas. Sin embargo, cuando vio a Anna, su rostro palideció y comenzó a retorcerse los dedos. Anna se dio cuenta de su cambio de actitud, de que su presencia lo había alterado de algún modo. Aquel hombre era Enric Girona y estaba claro que debía recordar bien a la mujer de la fotografía, concluyó.

–Mira, ella es Anna –continuó José Antonio, señalándola–. ¡Dime que te recuerda a alguien!

Enric tragó saliva y le dio dos besos. Hizo un esfuerzo por controlarse y fingir normalidad.

–¿Que si me recuerda a alguien? –preguntó, con el ceño fruncido–. ¿Por qué lo dices?

–Porque en el Lion d'Or había una fotografía en la que aparecías tú con una mujer exactamente igual a ella. De 1909. ¿No te parece increíble?

–Pensábamos que quizá se acordaría de ella –añadió Pili–. La muchacha es huérfana y puede que...

111

—Pili, por favor —interrumpió Anna, molesta—. No hace falta que vayas pregonando a los cuatro vientos que soy huérfana. A nadie le importa.

—¡Pero es importante para ti! —suplicó—. No tienes de qué avergonzarte, hemos de encontrar a tu familia.

Enric todavía no se había pronunciado. No dejaba de mirarla, concentrado; sus ojos parecían estar en 1909, en el Lion d'Or, junto a la Bella Chelito y aquella mujer que era su viva imagen. Anna trató de entender lo que le pasaba por la cabeza en aquel momento: ¿había tenido algún romance con ella o simplemente era una conocida?

—No tengo ni idea de quién me hablan, la verdad —dijo al fin, negando con la cabeza—. Pero sí que recuerdo ese día. La Bella Chelito hizo una gran actuación, como siempre.

—Pues la mujer aparece a su lado —siguió Pili—. Y parecen conocerse. Venga, caballero, haga memoria.

—Ya le he dicho que no la recuerdo. —Abrió las manos—. Hace muchos años de eso y he tenido muchas amistades.

—Si es igual que ella. Vamos, como si estuviera aquí mismo.

Enric cabeceó de nuevo y se tocó el cuello del suéter con impaciencia.

—No insista, señorita —concluyó en tono hostil—. Puede que se parezca a esa mujer, pero es solo una casualidad.

—¡Oh, vaya! —Pili chasqueó la lengua—. Bueno, puede que le venga a la cabeza otro día.

Anna calló, pero no dejó de darle vueltas a la extraña actitud de Enric Girona. ¿Por qué querría negar algo así? ¿Qué podría haber pasado entre ellos dos?

—Bueno, ¿y dónde has dejado a Olga? —preguntó José Antonio—. ¿No se ha animado a venir?

—Mi señora no es muy aficionada al tenis, ya sabes. —Enric sacó la raqueta de una bolsa de deporte—. Venga, vamos a jugar. Espero ganarte esta vez.

Los dos hombres se lanzaron a la pista. Pili, Rosa, Anna y Fernando se sentaron en las sillas y, al cabo de un rato, apareció un camarero con unos vasos de vermut. Pili se encendió un cigarrillo y jaleó a José Antonio, que iba dominando el partido.

—¿Estás bien, Anna? —Rosa habló en voz baja—. Te veo afectada.

112

–Sí, no te preocupes. –Se frotó la frente–. Es mejor olvidarse del tema.

–Creo que es solo una coincidencia. –Hizo una pausa–. Sigo diciendo que una mujer de clase alta no abandonaría a su hijo.

Anna asintió, pensativa, y se dirigió a Fernando.

–¿A qué se dedica Enric Girona?

–Ahora a disfrutar de la vida –rio–. Pero su familia tenía el Banco de Barcelona. Desgraciadamente, desapareció hace ocho años por una mala gestión. Hizo mucho daño a la economía catalana.

–Y está casado y tiene hijos, ¿no? –Fingió curiosidad–. ¿Hace mucho que está casado?

–Su hija mayor tiene dieciséis años, así que sí. –Le brillaron los ojos–. Es guapísima y muy simpática. Se parece a la madre.

De repente apareció en la cancha una mujer de mediana edad, alta, morena y de tez pálida. No era de facciones agraciadas, pero lucía una imponente figura, elegante y seductora. Sujetaba con firmeza una sombrilla de encaje para evitar el sol; en la otra mano, un bolsito naranja, brillante, a juego con su vestido plisado y sus zapatos de tacón. Olía fuertemente a perfume y su cuello estaba adornado con un llamativo collar de oro.

–¡Isabel Agramunt! –exclamó Fernando, poniéndose de pie para recibirla–. ¡Qué placer verla!

Todas habían oído hablar de ella. Era hija de un importante industrial textil y tenía gran peso dentro de la alta sociedad catalana; se había convertido en la mujer más elegante y bien vestida de toda Barcelona. Era soltera porque así lo había decidido.

Enric y José Antonio decidieron hacer un descanso para saludarla. Empapados en sudor, se secaron con una toalla y le estrecharon la mano a la dama. Luego, José Antonio hizo las presentaciones.

–¿Por qué no os venís a comer a casa? –sugirió Isabel con amabilidad–. Vivo aquí al lado, ya lo sabéis, y hace tiempo que no nos vemos, señores Rivera. ¿Qué os parece? Que vengan también estas jóvenes tan guapas.

–Me parece fantástico –contestó apresuradamente José Antonio, que aprovechó para darle una calada al cigarrillo de su hermano–. Su palacete es muy agradable.

–¿Y usted qué dice, señor Girona?

Enric asintió y carraspeó con cierta inquietud. Anna pensó que aquel hombre era, ya de por sí, un tanto extraño y que aquella forma de exhibirse, dudosa e insegura, quizá era simplemente su forma de ser. No quiso darle más vueltas al tema de la fotografía.

A los pocos segundos, apareció de nuevo el camarero con más copas de vermut y unas olivas rellenas. Isabel Agramunt no dejó de hablar en ningún momento, consciente de que allí donde iba acababa convirtiéndose, inevitablemente, en el centro de atención y de las conversaciones. Era afable y simpática; los hombres la trataban con veneración, con un respeto exquisito. Incluso José Antonio, cautivado por su presencia, parecía haber olvidado a Pili, que se había puesto de morros y se había quedado en la silla sin hablar con nadie.

–¡Qué bien huele, señora Agramunt! –exclamó el mayor de los Rivera, cautivado–. ¿Qué perfume es?

–Chanel Nº 5. Soy admiradora de todo lo que hace Coco Chanel. Ya sabe, la diseñadora.

–Mmm... –Inspiró con fuerza y cerró los ojos–. Podría enamorarme de cualquier mujer que llevara este perfume.

Isabel Agramunt comenzó a reír, tapándose la boca con la mano.

–No creo que sea de mí, que ya tengo una edad.

–Pues algunos dicen que ha conquistado hasta al mismísimo Carlos Gardel –comentó Fernando con picardía–. Cuando vino a hacer la gira por estas tierras estuvo en una de sus fiestas, ¿verdad?

–Esas cosas no se preguntan, Fernando –le recriminó José Antonio–. Y menos a las señoras.

–Oh, no lo regañe –dijo Isabel sonrojándose–. Lo único que puedo decir es que Gardel es un auténtico caballero...

La charla continuó hasta que Enric y José Antonio regresaron a la pista y terminaron con el partido. Después, se marcharon a los vestuarios para darse una ducha de agua fría y cambiarse de ropa. Los esperaron en la calle, fuera del club. Isabel Agramunt, pese a que vivía a pocos metros de allí, había venido con su Rolls Royce descapotable. Aparcaron frente al espectacular palacete de la calle Muntaner, construido por el arquitecto modernista Josep Puig i Cadafalch. El tejado, en pendiente, le daba todo el aire de un castillo feudal y, junto con el muro de piedra que bordeaba el jardín, recordaba a una antigua fortaleza. Para acceder al interior de la casa había que subir por una escalinata empinada rodeada de columnas griegas. El salón era de lo más lujoso, al más puro estilo modernista, con vidrieras de colores, suelo de mosaico y muchas plantas y espejos. En las paredes, algunas pinturas de Ramón Casas, el pintor por excelencia de la burguesía catalana y quien, de hecho, la había retratado en varias ocasiones. El jardín era todavía mejor: la mesa de mármol estaba rodeada de parterres compuestos por hortensias, helechos, hiedras, laureles y hasta algún árbol frutal, como el melocotonero. Las plantas trepaban por las pérgolas y las mariposas, las abejas y los pájaros se posaban en ellas disfrutando del cálido sol del mediodía. El pequeño estanque con juncos y nenúfares que había justo en el centro lo convertía en un auténtico paraíso en la tierra.

Se sentaron a la mesa y tomaron unos cócteles a la espera de la comida. Anna no dejaba de observar a Enric, que se encontraba justo enfrente de ella y la lanzaba miradas furtivas, tratando de reprimir su nerviosismo: no podía dejar de fumar, de tocarse el cuello de la camisa con insistencia, de pasarse la mano por la garganta como si le faltara el aire.

Isabel Agramunt se levantó y encendió el tocadiscos. Las primeras notas de un tango de Carlos Gardel provocaron que José Antonio y Pili comenzaran a bailar. Fernando y Rosa hicieron lo mismo. El ambiente se tiñó de íntima complicidad gracias a la letra emotiva y pasional de «Caminito». Anna se quedó embriagada por la dulzura de la voz del argentino, que evocaba la nostalgia y el amor. Recordó a sor Julia, a quien debía una visita. Todavía no la había visto con el pelo corto y temía lo que pudiera decirle. Había preferido salir, disfrutar de la fiesta, pasar las horas muertas charlando con sus nuevas amigas... Y se sentía mal por ello.

Miró a su alrededor: las dos parejas seguían bailando, pero no había ni rastro de Enric e Isabel. ¿Dónde se habían metido? Los criados ya estaban preparando la mesa para comer: mini sándwiches de queso cremoso y jamón, canapés de salmón y huevo, *bruschetas* de champiñones, caviar y cóctel de gambas... No paraban de entrar y salir platos, así que Anna aprovechó la confusión y el desorden para abandonar el jardín y tratar de encontrar a la anfitriona y a Enric Girona. En el salón no había nadie, así que recorrió los pasillos de la planta baja hasta que se topó con el majestuoso despacho del fallecido

Pau Agramunt, el padre de Isabel y dueño de la empresa Agua Purgante de Rubinat-Agramunt. La puerta estaba entornada y pudo escuchar la conversación de los dos.

—Tenía ganas de verte –susurró Enric–. Olga cada vez me ata más en corto.

Isabel rio y le puso las manos en los hombros.

—Es que estoy muy ocupada, ¿sabes? No puedo descuidar mis fiestas...

—Sé que no soy el único hombre, Isabel... –Chasqueó la lengua–. Pero prefiero creer que sí.

—Yo tampoco soy tu única mujer, ¿no? –Volvió a reír–. Ya no somos tan jóvenes... Ahora podemos permitirnos ciertas licencias.

—¡Ojalá tuviéramos veinte años menos! –exclamó él, con voz melancólica–. Hubiera cambiado tantas cosas...

—Por cierto, Enric, esa muchacha... ¿Anna? –Hizo una pausa–. ¿No te recuerda a...?

—Calla, calla –resopló–. Es igualita. Dos gotas de agua.

—Siempre recordaré el numerito que nos montó en Sant Pol. –Negó con la cabeza–. ¡Menudo bochorno!

Enric forzó una sonrisa.

—Los Puig siempre fueron de montar numeritos.

12 de agosto de 1909

Después de nuestra aventura por el Lion d'Or, Enric y yo hemos vivido unos días inolvidables en Sant Pol. Hemos paseado por la playa, hemos jugado al tenis, hemos tomado el vermut frente al puerto... Y hemos sellado nuestro amor. Ayer mismo, en el jardín, en un árbol. Cogidos de la mano, sin carabina, disfrutando de nuestra intimidad, libres, sin límites. Enric me acarició la cara y me besó por segunda vez. Valiente y sincero, me dijo sin tapujos que me amaba y que le gustaría pedirle permiso a mi familia para cortejarme. Estaba radiante, feliz. No me podía creer que, por fin, todo lo que siempre había anhelado se cumpliera. Éramos, en pocas palabras, novios. Y eso, irremediablemente, llevaba a un solo destino: el matrimonio. Así que, ilusionados y con la emoción de dos chiquillos, tallamos nuestros nombres en un árbol apartado del camino. Así sellábamos nuestro amor verdadero y el inicio de una vida juntos.

Pero no todo ha sido como esperaba. Enric, de repente, desapareció. Sin decir nada, me dejó plantada durante nuestro habitual paseo por la playa. Fui en su búsqueda, enfadada, por el paseo de Sant Pol. Y lo vi allí, junto a una preciosa señorita, prácticamente rozándose, tonteando el uno con el otro. Corrí hacia ellos, histérica. ¿Cómo podía hacerme algo así? ¿Estaba jugando con mis sentimientos? ¿Amaba a otra mujer o solo se estaba divirtiendo?

Le recriminé su actitud mientras la señorita observaba avergonzada el lamentable espectáculo. Porque sí, fue ridículo. No debería haberme expuesto de esa manera, pero me había dolido y no lo pude evitar. Le grité y le recordé su compromiso conmigo, pero él estaba tranquilo, sin perder los nervios. Dijo que no había hecho nada malo, que era una amiga de toda la vida, Isabel, que habían llegado los Agramunt y quería ser el primero en recibirla. ¿Y por qué había callado esa información? Yo estoy segura de lo que vi: trataba de seducirla, de cortejarla...

Al día siguiente nos marchamos a Barcelona y por ahora no he vuelto a hablar con él. Y no pienso hacerlo hasta que me pida disculpas y me demuestre, de nuevo, sus verdaderos sentimientos hacia mí. Estoy destrozada.

Teresa

18

Anna llevaba toda la semana pensando en el apellido Puig. ¿Tenía algo que ver con él la misteriosa P que aparecía en su tela bordada? Demasiadas coincidencias para ser tan solo meras casualidades. Estaba claro que Enric Girona, incluso Isabel Agramunt, conocían a la joven que aparecía en la fotografía y con la que, al parecer, habían tenido alguna que otra discrepancia en el pasado. Pero ¿por qué Enric había querido ocultarlo? ¿Por qué le había negado que conocía a esa mujer? Allí había gato encerrado y debía salir de dudas.

Anna miró el reloj: ya era casi la hora de cerrar, pero justo en ese momento entró una clienta en busca de unos buenos polvos de arroz para la cara. Ya en el mostrador, la señora recordó que su marido se había quedado sin agua de colonia añeja, así que dejó el bolso sobre la mesa y acompañó a Anna hacia la estantería donde se encontraban las últimas novedades que habían llegado de París. Mientras la atendía, una cara familiar observaba el escaparate: Pili estaba allí, esperándola, para irse juntas a casa. Sin embargo, enseguida entró en la tienda. Anna alzó las cejas, sorprendida: ¿qué querría?

—Voy a echar un vistazo a los perfumes —comentó con una sonrisa.

—Aún me queda para salir, he de cerrar caja —respondió ella, avergonzada por tener que dar explicaciones a su amiga delante de la clienta—. Vas a tener que esperar un rato.

Pili le guiñó el ojo y le hizo un gesto despreocupado para que siguiera con lo suyo. Anna soltó un suspiro y trató de centrarse en la clienta, que estaba indecisa.

—Pruebe esta. —Abrió el frasco y la dejó oler—. Tiene todos los aromas saludables del jardín y de las plantas silvestres. Ha sido de las más vendidas.

–¡Mmm, huele muy bien! –exclamó la señora, agarrando la botella con ambas manos.

–Le aseguro que a su marido le calmará los nervios y le aliviará el cansancio –añadió–. Contiene esencias naturales de flores y frutas. ¡Le parecerá estar en el mismo monte!

–Pues le vendría bien, la verdad, porque en casa no se quita las preocupaciones de la oficina.

–Ya verá como es mano de santo.

La mujer asintió convencida y volvió al mostrador para pagar los productos. Pili seguía observando los perfumes, toqueteando una y otra vez el frasco lujoso y elegante de Chanel Nº5.

–¡Alguien me ha robado el monedero! –exclamó la señora, revolviendo una y otra vez el interior de su bolso–. ¡Ha debido de ser aquí!

–¿Está segura de que no lo tiene? –preguntó Anna, nerviosa–. ¡Eso es imposible!

–Lo tenía antes de entrar en esta tienda –explicó en tono agresivo–. Me he tomado un café en el Zurich y después de pagar he venido directa aquí. ¡Nadie me ha tocado el bolso!

–Pues no sé, señora, pero aquí nadie le ha cogido nada...

–Justo he dejado el bolso aquí, en el mostrador y... –Miró a su alrededor–. ¿Y esa mujer, la que ha hablado con usted?

Anna miró a Pili, que observaba la escena con incredulidad, y negó con la cabeza.

–No, esa chica es amiga mía y le aseguro que no haría algo así. Es de confianza.

–¿Entonces, cómo me explica que me haya desaparecido el monedero? ¡Quiero hablar con el encargado!

Anna resopló, angustiada, y llamó a Tomás. Seguro que él sabría qué hacer para calmar a la señora y reconducir la situación. Era la primera vez que le ocurría algo así en la tienda y estaba totalmente bloqueada.

–¿Qué ocurre? –preguntó el encargado.

–¡Que alguien en esta tienda me ha robado el monedero! –gritó alterada–. Y dado que la dependienta estaba conmigo, solo puede ser esa jovencita de allí. –Señaló a Pili, que había comenzado a ponerse nerviosa–. Y que, por cierto, es amiga de su trabajadora.

–Yo no he hecho nada, señora. –Pili trató de defenderse–. Solo estaba mirando perfumes.

–¡Y merodeando por la tienda mientras su amiga me enseñaba las aguas de colonia! –Apretó los labios, enfadada–. Dejé mi bolso allí y seguro que aprovechó la ocasión para robarme mi dinero.

–¡Le digo que no, que mi amiga sería incapaz de hacer algo así! –insistió Anna, asustada–. Seguro que se lo dejaría olvidado en el Zurich.

–¡Válgame Dios! –Negó con la cabeza–. ¿Sabré yo lo que hice con mi monedero? Si la señorita no tiene nada que esconder, que muestre el interior de su bolso y salimos de dudas.

–Disculpe, señora –comentó Tomás–. Pero no puedo obligar a ninguna de mis clientas a que haga algo así sin tener pruebas evidentes.

–¡No es su clienta, solo es la amiga de su dependienta!

Anna estaba abochornada. Tomás estaba pasando un mal trago por culpa de aquella insinuación que apuntaba directamente a Pili. Debía solucionar eso antes de que la situación empeorara y la buena reputación de la droguería Anyí pudiera verse afectada.

–Pili, por favor, enséñale el bolso a la señora y acabemos con esto –dijo con la voz quebrada–. Demuéstrale que no eres una ladrona.

Pili abrió la boca, ofendida, y miró a Anna pidiéndole auxilio.

–¿Por qué tengo que enseñarle el bolso? –preguntó, escandalizada–. ¡Yo no he hecho nada!

–Haz el favor, Pili, hazlo por mí –insistió de nuevo–. No pasa nada.

–Pero yo... –Se agarró el bolso con más fuerza–. No quiero hacerlo.

Anna arrugó la frente y miró inquisitoriamente a su amiga. ¿Qué era lo que tenía que esconder? Estaba en juego su trabajo y todo dependía de ella. ¿Por qué se empeñaba en poner las cosas más difíciles?

–Ahí está la prueba, señor encargado –dijo la señora–. ¿No ve que no quiere enseñar el bolso?

La mujer, impaciente, se acercó a Pili y le arrancó el bolso de las manos ante la cara de estupefacción de su compañera de piso, que se quedó paralizada. Luego se dirigió al mostrador y dejó caer su contenido ante la atenta mirada de todos. Y allí se encontraba su monedero.

—¡Lo ve! —vociferó la clienta—. ¡Si es que tenía razón! ¡Es una ladrona!

Anna se llevó las manos a la cabeza y cerró los ojos, incapaz de mirar a Pili, que estaba temblando y con el rostro colorado por la vergüenza.

—Yo creo que trabajan juntas, señor —continuó la señora—. Su dependienta me entretenía mientras la otra me robaba. ¡A saber cuántos monederos habrán robado ya!

Tomás lanzó una mirada de reproche a Anna y suspiró amargamente mientras se disculpaba ante la clienta.

—No creo que mi dependienta tenga nada que ver en esto... —comentó—. Es muy buena trabajadora y nunca me ha dado problemas en todo este año que lleva trabajando aquí.

Anna se echó a llorar al ver que su encargado rompía una lanza a su favor. Sin embargo, Pili era su amiga y había cometido el robo delante de sus narices. La señora estaba en su derecho a creer que había sido un acto deliberado y planeado.

—¡No me importa lo que diga usted de su dependienta! —estalló la señora una vez más—. ¿Prefiere defenderla a ella que a sus clientas? Le aseguro que si no toma cartas en el asunto todo el mundo se enterará de que en esta droguería se roba. ¿Quiere eso para su negocio?

Anna apretó los puños, enfadada, y se atrevió por fin a mirar a Pili. Seguía callada, con la mirada gacha, incapaz de asumir su responsabilidad.

—¿Por qué lo has hecho? —le preguntó Anna con dureza—. ¿Es que necesitas dinero?

—Yo... —comenzó a llorar—. Quería ese perfume para gustarle a José Antonio y...

—¿Has hecho esto por un maldito perfume? —Se frotó la frente con las manos—. ¿Has jugado con mi trabajo solo por contentar a ese hombre?

Las lágrimas de su amiga resbalaban con fuerza hasta empaparle el cuello.

—¿Y pensabas salir indemne de esto? —continuó Anna—. ¿Creías que no iba a ocurrir nada, que no me pondrías a mí en evidencia?

–Ha sido algo impulsivo... –titubeó–. Yo... vi el bolso y...

Pili era inconsciente e inmadura, pero Anna jamás se podría haber imaginado que se atrevería a hacer algo así. La vida estaba llena de sorpresas y su amiga ya la había decepcionado con el tema de las drogas. Encima, ahora, la ponía en un apuro del que iba a salir mal parada.

–Eres mala persona –le soltó con frialdad–. No quiero volver a verte más en mi vida.

Pili se secó las lágrimas con la mano, recogió su bolso y se marchó de la tienda sin volver a mirarla a la cara. Ni siquiera se disculpó por ello. Anna no se lo iba a perdonar nunca: había sacrificado su amistad, la confianza que las unía, por un capricho absurdo que tampoco la ayudaría a mejorar su autoestima.

De repente, la clienta empezó a aplaudir con ironía.

–Muy bien, sí señor, muy buena actuación. –Soltó una carcajada–. ¡Qué vergüenza! ¡En mi vida me había ocurrido algo así!

Tomás tenía la frente sudorosa y estaba abochornado. Sabía que si no se ponía de parte de su clienta, la droguería Anyí se volvería el blanco de las habladurías y ya nadie querría comprar en ella. Pese a que Anna se había convertido en una buena dependienta y creía en su inocencia, tendría que deshacerse de ella por el bien de su negocio. Anna lo sabía, así que aguardó temerosa las palabras que la alejarían para siempre del sueño de su vida:

–Estás despedida.

Llegó a casa destrozada. Se quedó en el sillón, llorando, incapaz de pensar en lo que haría a partir de ese momento. ¿Tendría que regresar al orfanato? ¿Trabajar de sirvienta? Ninguna droguería la aceptaría después de lo que había ocurrido. Los rumores corrían como la pólvora y su imagen quedaría tachada para siempre. Además, su intención era seguir estudiando. ¿Cómo iba a hacerlo si acababa de criada en una casa?

De repente, alguien llamó a la puerta. Arrastrando los pies por el suelo, con los ojos todavía enrojecidos por el llanto, la abrió. Era Manuel. Entró en el salón y buscó con la mirada a las demás.

–¿Dónde están las chicas? –preguntó–. Venía a invitaros al Villa Rosa.

—No estoy de humor —lo interrumpió, desviando la mirada.

Manuel se acercó a ella y la observó.

—¿Qué te pasa, mi alma? —Se puso en jarras—. Que no me entere yo que mi niña está triste, que esto lo soluciono yo con una cancioncita.

Anna se lanzó al sofá, se tapó la cara y rompió a llorar. Manuel se sentó en el borde y le acarició el pelo.

—¿Qué ha *pasao*? —Sonó preocupado—. ¡La Virgen, chiquilla, que nunca te había visto así!

Anna se enderezó y se secó las lágrimas.

—He perdido el trabajo. Pronto tendré que dejar el piso.

—Pero ¡qué dices! —Negó con la cabeza—. ¡Si tú has *trabajao* una *jartá* y te iba todo bien!

—No ha sido culpa mía. —Apretó los labios—. Ha sido Pili. Le ha robado a una clienta y esta ha pensado que yo también estaba metida en el ajo. Mi encargado se ha visto obligado a despedirme.

—¿La Pili, dices? —Se llevó las manos a la cabeza—. ¡No puede ser!

—Sí, como lo oyes... Yo también me he quedado asombrada. Lo he perdido todo...

—Pero... ¿y no hay forma de que vuelvas?

Anna negó con la cabeza y resopló.

—Tendré que regresar al hospicio y buscar otro trabajo.

Manuel, con el rostro compungido, le acarició el brazo.

—Podrías buscar otro trabajo de dependienta, ¿no? —preguntó preocupado—. No te vayas de aquí, reina. Entre todos podremos ayudarte.

Anna asintió agradecida.

—Ni siquiera tú tienes trabajo... —suspiró—. No me queda otra que el servicio. Lo de la droguería Anyí solo ha sido un espejismo. Algo demasiado bonito para ser real.

—Pero eres buena, ¿no? —insistió él—. O eso dicen, que sabes vender.

—Pero ahora he quedado como una ladrona —dijo con la boca pequeña—. Me aterroriza que puedan señalarme con el dedo.

Manuel frunció el ceño, enfadado.

—Tendré que hablar seriamente con Pili —dijo-. ¿Cómo ha podido hacer algo así? No se juega con el pan de los demás.

—Es mejor que la dejes. —Se encogió de hombros—. No está bien, tiene problemas.

–Y ahora te ha metido a ti en uno *mu* gordo.

Se miraron en silencio durante un instante. Él seguía acariciándole el brazo, como si no quisiera perderla. Ella se sentía a gusto, tranquila, a su lado.

–Te echaré de menos –añadió, con la voz temblorosa–. Eres una buena niña y... no sé, me gustaba tenerte por aquí.

Anna se ruborizó y desvió la mirada. Se sentía vulnerable por lo que había ocurrido y la presencia de Manuel la reconfortaba.

–Yo también. –Sonrió tímidamente–. Ojalá algún día pueda ir al Villa Rosa y verte cantar de nuevo. Lo haces muy bien.

Manuel la abrazó. Así, de golpe, sin previo aviso. Un gesto humilde, tierno, que la hizo olvidar, por unos segundos, lo que había ocurrido. Un placer vertiginoso le subió por el estómago: allí, entre sus brazos, con la barbilla sobre su hombro y el olor a jabón Lagarto en su camisa... el mundo se podría haber detenido. Manuel le puso el dedo en la barbilla, le inclinó la cara y la besó. Un beso corto que terminó en un largo minuto de intimidad, euforia y placer. Era su primer beso.

De repente, se oyeron unos sollozos. Anna se separó de Manuel y miró a su alrededor: Rosa había llegado a casa y observaba la escena entre lágrimas y miradas de reproche.

–¡Rosa! –exclamó aturdida–. Yo... yo...

No le salían las palabras. En su rostro se dibujaba la dolorosa imagen de la traición.

–¿Cómo has podido? –La señaló con el dedo–. ¡Me has engañado!

–Ha sido... yo no quería... –balbuceó.

–¿Qué no querías, niña? –Manuel apretó los labios, molesto–. ¿Cómo que no querías?

–Estaba mal, me he dejado llevar y...

–Sabes que me gustas desde hace tiempo...

–¿Te gusta Anna? –Rosa esgrimió una mueca de angustia–. ¡Dios mío! ¡He estado haciendo el ridículo todo este tiempo!

–Estoy enamorado de ti. –Manuel ignoró a Rosa y miró a Anna directamente a los ojos–. Para mí este beso ha sido muy importante. ¿Y para ti?

Rosa y Manuel no dejaban de mirarla, esperando una respuesta coherente que no iba a llegar nunca. Estaba segura de que no amaba a Manuel, de que solo había sido un momento de flaqueza. El beso le había gustado, pero no hasta el punto de sacrificar la relación de amistad que tenía con Rosa.

—Lo siento —dijo al fin, derrotada—. Ha sido un error.

Manuel se marchó dando un portazo, ofendido.

—Creía que éramos amigas —soltó Rosa, incapaz de controlar las lágrimas—. Confié en ti... y tú...

—Perdóname, de verdad —suplicó, con la voz temblorosa—. No quería hacerte daño. No amo a Manuel.

—Pero sí sabías que él estaba enamorado de ti, ¿verdad?

—Bueno, a veces lo parecía, pero... —Negó con la cabeza—. Las cosas podían cambiar y que Manuel y tú al final...

—Las buenas amigas se dicen la verdad —espetó, dolida—. Y ya veo que tú no eres de esas.

Como una brisa de aire gélido, Rosa también se marchó, dejándola tiritando por el miedo y la culpabilidad. Se sintió impotente por no poder cambiar las cosas. Todo había sucedido en un abrir y cerrar de ojos: había perdido su trabajo, a sus amigas y a Manuel. Volvía a estar sola.

—Ya sabía yo que el Raval no te traería nada bueno —le reprochó sor Julia—. Me dijiste que esas compañeras tuyas eran intachables y resulta que una de ellas es una ladrona.

—No creía que fuera así.

—Esas muchachas te llevaron por mal camino, mi querida Anna; te alejaste de nosotras y del rezo y no fuiste del todo sincera con tu vida. Si lo hubiéramos sabido, te habríamos aconsejado encarecidamente que te marcharas de allí y regresaras al seno de Dios, donde no hay mala fe y solo virtudes.

—La he fastidiado de verdad —suspiró.

—Ahora ya no debes compadecerte. —Puso sus manos arrugadas y firmes sobre sus hombros—. Debes perdonar el acto de esa muchacha, que bastante tiene ya con lo suyo, y ser compasiva. Acepta tu destino con resignación y sigue hacia delante.

Sor Julia la abrazó. Enseguida le vinieron a la memoria imágenes, palabras y sensaciones del pasado en la Casa de la Misericordia. En aquel orfanato había aprendido que perdonar aliviaba el alma y ayudaba a deshacerse del rencor, la culpa y el sufrimiento. Sin embargo, le iba a costar hacerlo con Pili.

—Pero ¿qué voy a hacer ahora? –preguntó Anna.

La capilla estaba en silencio, olía a incienso y había unas velas prendidas que dotaban al ambiente de paz y calma. Sor Julia reflexionó durante unos segundos.

—Iba a mandar a una de las muchachas al servicio de una casa. –Torció el gesto–. Pero creo que lo necesitas tú más que ella. Ella todavía es una niña y tú ya conoces la vida de afuera.

Anna bajó la mirada. El momento más temido había llegado por fin: ni droguería Anyí, ni cosmética, ni salón de belleza, ni cine, ni Lion d'Or. El servicio la sumiría en una vida de obediencia, sacrificio y duro trabajo. Nada de disfrute, ni de tiempo libre. Tan solo sobrevivir.

—¿Dónde? –Su voz sonó débil–. ¿Y cuándo?

—Partirás en una semana. En Sant Feliu de Guíxols.

19

Bajó del autobús con poco ánimo. Cargaba la misma maleta con la que había entrado en el piso del Raval hacía ya más de un año, pero esta vez con los bonitos vestidos que le había regalado Pili y que no iba a tener ocasión de ponerse allí, en Sant Feliu de Guíxols. Ya no importaba su pelo a lo *bob*, ni su aire de *flapper*. La vida nocturna había acabado para ella, igual que el jazz, los esmaltes y los pintalabios. Además, echaba de menos a Rosa. Había sido una buena amiga y la había fastidiado con lo de Manuel. Ella nunca lo había amado de la misma forma que lo había hecho Rosa. Sentía cariño por él, nada más. Pese a todo, finalmente había podido comprarse el manual de publicidad de Rafael Bori, del que había aprendido tanto en los últimos meses y que había devorado para ponerse al día sobre el arte de vender; en él se daban instrucciones de cómo formular un lema con enganche publicitario, de cómo decorar y enaltecer un producto en un escaparate comercial, de cómo empaquetar un envase para que resultara atractivo a la vista del público... Conocimientos que no le iban a servir de nada ahora que iba a ser una simple sirvienta.

Paró para contemplar la playa. En ella se encontraban algunas barcas varadas y, tendidas sobre la arena, redes, cubos, cañas y carretes. Los pescadores, sobre una lona, vendían su fresca mercancía mientras descansaban de faenar y comían unas sardinas saladas con pan y aceite. La gente del pueblo, cargada con papeles de periódico, se acercaban para llenar sus cestas de anguilas, anchoas, lubinas y doradas.

Caminando por el paseo del Mar, el olor a leña y a guiso marinero la hizo salivar. Aunque aparentemente era un pueblo tranquilo, gozaba de una gran actividad fabril gracias a la industria del corcho. En el patio de La Suberina, una de sus fábricas, los obreros apilaban los fardos de corcho bajo el intenso sol de uno de los agostos más calurosos de la década. Anna los compadeció y, procurando andar por la sombra de los balcones modernistas de hierro forjado, siguió su camino hacia la montaña de Sant Elm, donde se encontraba el chalet que se convertiría en su nuevo hogar.

Acalorada y sedienta, llegó por fin. La casa era de estilo noucentista, elegante y sobria, con un jardín delantero abierto al mar de levante desde el que se observaba toda la línea de la costa marítima hasta Tossa de Mar. El verde esmeralda del mar y el olor a resina y romero que procedía de los pinos, encinas y brezos de la montaña logró tranquilizarla un poco. Estaba ansiosa por saber cómo iba a ser la señora de la casa y si la iba a tratar bien. Más arriba de la casa, en el peñón, estaba la ermita de Sant Elm, de estilo marinero, con las paredes encaladas de un blanco deslumbrante. En sí, el conjunto era de lo más bonito y armonioso.

Abrió la verja y entró en el jardín donde se levantaba una pesada y señorial puerta de madera. Llamó y esperó, estrujándose los nudillos. Salió una mujer de mediana edad, de ojos oscuros y pelo moreno con alguna cana incipiente. Iba sin pintar y llevaba un sencillo vestido naranja que le hacía una figura oronda y curvada, poco cuidada. Por el parco saludo, Anna dedujo que se trataba de una mujer distante y poco afable. Y así se lo demostró después, cuando ni siquiera se atrevió a estrecharle la mano.

—Soy la señora Alarcón. —Su voz sonó fría—. Deja las maletas que primero te voy a enseñar la casa.

La casa no era humilde, pero tampoco hacía gala de grandes ostentaciones. El amplio vestíbulo, bien iluminado y con colores miel y caoba, tenía una preciosa vidriera y una claraboya por donde entraba la luz blanca de la mañana. En esa planta estaba la cocina y su habitación.

—Salvo cocinar, tendrás que hacerlo todo —carraspeó—. Librarás los domingos por la tarde.

Repartidos entre el primer y el segundo piso, se encontraban las estancias dedicadas al ocio y al trabajo de los señores: el comedor, la sala de costura, el despacho, los dormitorios y el baño. Muebles de caoba de gran calidad, paredes con cenefas modernistas, cristales emplomados, cuadros impresionistas y figuras decorativas de estilo oriental... Anna no podía cerrar la boca. Nunca había estado en una casa tan bonita y decorada con tan buen gusto.

Mientras observaba cada detalle de aquellas habitaciones, la señora Alarcón le iba dando instrucciones de lo que tendría que hacer en cada una de las habitaciones. Escrupulosa del orden, no paró de repetirle una y otra vez que debía ser cuidadosa y dejar todo en su sitio sin desviarse un centímetro.

—Y cuidado con el suelo, que es de mosaico y vale una fortuna —añadió.

Anna asentía, callada. La figura de la señora la había sobrecogido. Iba a pasar allí mucho tiempo y esperaba disfrutar de su compañía. Sin embargo, todo indicaba que no iba a ser así.

Por fin la llevó a su habitación. Era acogedora y tenía todo lo indispensable para vivir: una cama, un armario y una mesita de noche.

—¿Y el señor de la casa? —preguntó Anna, después de comprobar que no había nadie más allí.

—No lo vas a conocer todavía —dijo con tono que revelaba tristeza—. Puede que pasen unos meses.

Levantó el mentón y se dio media vuelta para no mostrar un solo atisbo, por pequeño que fuera, de fragilidad. Anna no pudo evitar pensar que aquella mujer se sentía sola y poco querida, quizá por la ausencia de un esposo más preocupado por su trabajo que por su familia. Además, no había rastro de niños en la casa.

—Si necesitas cualquier cosa, Paquita te ayudará —concluyó, señalándole la cocina.

Se marchó decidida, fingiendo seguridad, pero Anna sabía que era todo impostura, como la de Pili. En el fondo, sus ojos reflejaban un desconsuelo infinito.

Tras deshacer su maleta, fue en busca de Paquita, de quien esperaba cierta complicidad para que su estancia en aquella casa se hiciera un poco más llevadera. Y, por suerte, así iba a ser. Paquita era todo un terremoto: una mujer ancha, de grandes pechos y papada, expresiva y la mar de simpática. La verruga sobre el labio superior, negra y peluda, bailaba al son de sus palabras, enérgicas y llenas de entusiasmo. Estaba encantada de tener también compañía y, sobre todo, de que esta fuera nueva y desconociera los recónditos secretos de la familia Alarcón. Ella se encargaría de informarla y de saciar toda la curiosidad que le había despertado la señora de la casa.

—Así que eres una expósita... –Arrugó la frente al ver su corte de pelo–. Pero eres muy moderna, ¿no?

Mientras hablaba, Paquita estaba cortando un conejo a trozos. La sangre salpicaba los bonitos azulejos blancos de la cocina. Y en el fuego, en una olla de barro, se hacía un suculento sofrito que olía a romero y ajo. Anna se sentó en la pequeña mesa redonda en la que había una balanza y unos potecitos de especias.

—Bueno, una cosa no quita la otra –respondió–. Antes de esto trabajé en una droguería y debía ir a la última moda para vender cosmética.

—¡No me digas! –exclamó Paquita, sorprendida–. Pues el señor Alarcón creo que trabaja en algo de eso... Ay, no me acuerdo, pero algo de perfumes y no sé qué.

Anna alzó las cejas.

—¿Perfumes? –preguntó con interés–. ¿Quieres decir que fabrica perfumes?

—No, no, eso no. –Se paró unos segundos para pensar–. Creo que los vende.

—¿En una droguería?

—No, tampoco... –Chasqueó los dedos, nerviosa–. Los anuncios esos que salen en las revistas. Creo que los hace él.

—¿De verdad? –Sonrió por la casualidad–. Es increíble. ¡Qué trabajo más interesante! Yo hice un curso de comercio y he leído mucho sobre publicidad. Se debe tener mucha psicología para poder llevar a cabo un anuncio y que resulte provechoso.

—Mira, niña, a mí déjate de psicologías o *psicologios*. Ni siquiera sé lo que es eso.

Paquita salpimentó el conejo y lo añadió a la sartén. Luego le echó un chorrito de coñac y una buena jarra de caldo de pollo.

—Oye, pero... ¿y qué haces aquí, entonces? –continuó–. ¿No dices que trabajabas en una droguería?

—Sí –suspiró con desánimo–. Pero, bueno, al final las cosas no salieron bien. Y aquí estoy, dispuesta a dejar la casa como los chorros de oro.

—Entonces la señora estará contenta. –Le guiñó un ojo–. Es muy exigente. No tiene nada que hacer en todo el día salvo controlarnos y sacar pegas.

131

–Y ¿quién había antes que yo?

–Una chiquilla. –Torció el gesto–. La pobre se enamoró de un trabajador de la fábrica de corchos y perdió el norte. Se casaron y dejó el trabajo.

Paquita le sirvió un vaso de agua y unas cortezas de cerdo que había frito. Le supieron a gloria.

–Y ¿qué pasa con el señor Alarcón? –Se chupó los dedos llenos de grasa–. ¿Por qué dice la señora que no lo conoceré hasta dentro de unos meses?

Paquita sonrió levemente y bajó el tono.

–Está en Madrid. Algo de negocios, según escuché. –Levantó el dedo índice–. Pero me parece a mí que no se llevan muy bien. Se marchó el mes pasado y no volverá hasta el verano que viene.

–¿Son un matrimonio mal avenido?

–Él, con eso de los perfumes y el maquillaje... Ya sabes, que creo que tiene a muchachitas por allí y por allá, guapas y modernitas. –Levantó la cabeza, señalando la planta de arriba–. Y ya has visto a la señora, que ni se pinta, ni se cuida ni nada; solo quiere comer y comer. Te lo digo yo, que me paso el día cumpliendo sus caprichos. Que si pastelitos por aquí y por allá...

–O sea, que ya no hay amor y el señor Alarcón tiene queridas en Madrid y no quiere vivir aquí.

–Si es que vivían en Barcelona. –Le dio un golpecito en el brazo, entusiasmada–. Esta casa es la herencia de ella, de su padre, que tenía una fábrica de corcho y era rico. Total –se limpió la saliva del borde de la boca– que aquí solo venían a veranear, pero cuando el señor le dijo que se iba a Madrid y que no regresaría pronto, la señora decidió quedarse aquí y no volver a Barcelona.

–¿Y por qué no lo acompañó a Madrid?

–Uy, niña... ¿Tú meterías a un lobo en un corral de ovejas? –Negó con la cabeza–. Allí es libre para hacer lo que quiera. Sencillamente, ni siquiera se lo pidió. Además, creo que se avergüenza de ella.

–Bueno, es raro que, teniendo dinero y siendo de buena clase, no tenga afán por la moda y la cosmética, la verdad. Y más si su marido se dedica a eso.

–Antes no era así. –Apretó la barbilla. Sus ojos parecían salírsele de las órbitas–. Recuerdo que cuando era más joven la señora

Alarcón venía a veranear cargada con veinte baúles llenos de ropa y sombreros. Era una de las mujeres más populares de Sant Feliu, incluso la que más admiradores tenía. Pero creo que eso de no poder tener chiquillos...

—Así que no puede tener hijos, pobre.

—Bueno, digo yo, porque llevan veinte años juntos y no ha habido descendencia. —Se encogió de hombros—. Y, la verdad, no creo que sea porque no quiera... Si está de lo más aburrida.

—Hombre, tendrá amistades o algo —comentó Anna—. ¿Es que no hay nada que hacer en este pueblo?

—Sí, claro que sí, pero ella no quiere. Te lo digo yo, que escucho que la llaman por teléfono para invitarla a fiestas y siempre dice que no. Va siempre tan descuidada que... no sé, creo que no quiere que la vean.

—Eso es muy triste, la verdad. —Hizo una mueca de pena—. Entiendo entonces que sea así.

—Ya, claro, ya me lo dirás, ya...

Fue una semana agotadora y extenuante. Anna se levantaba a las seis de la mañana, tal como hacía en el orfanato. A esas horas, la señora Alarcón ya estaba despierta, sentada en el sillón, esperándola para dar órdenes y organizar las labores de la casa. Sufría de insomnio y muchas noches las pasaba en vela. Para entonces, ya había decidido qué comería a lo largo del día. Paquita, la cocinera, llegaba sobre las ocho de la mañana y siempre preparaba el mismo desayuno: huevos, butifarra y pan. Después, durante horas, seguía cocinando un sinfín de guisos y repostería tradicional: crema catalana, *carquinyolis*, *pa de pessic*, *coques de llardons*... La señora Alarcón tenía predilección por los dulces y eso, sumado a su falta de ejercicio, la hacía engordar sin remedio.

Así pues, la semana estaba distribuida por tareas: los lunes limpiaba el comedor y los cuartos de la casa, además de poner la ropa en remojo para la colada; los martes restregaba, quitaba el jabón, sacudía y tendía la ropa; los miércoles limpiaba el polvo y se dedicaba al planchado; los jueves sacaba brillo a toda la cubertería con agua y vinagre; los viernes limpiaba el suelo y los cristales; y, por último, los sábados, preparaba el baño a la señora. Era la tarea más agotadora, pues tenía que calentar el agua en la estufa y cargarla hasta la bañera, que se encontraba en la segunda planta. Y, además de todo lo mencionado, tenía que realizar otras tareas menores que le ocupaban muchísimo tiempo: ir a la lechería, deshacerse de la basura, limpiar los zapatos de la señora, hacer las camas, limpiar el lavabo cada día, poner la mesa y distribuir sillas, platos, cubiertos y servilletas, servir la comida y aguantar impertinencias, ayudar a Paquita a fregar los platos, correr a la puerta cuando sonaba el timbre, recoger el correo, hacer encargos, regar las plantas de interior, tostar y moler café, sacudir alfombras...

Después de una semana de duro trabajo, tenía la espalda dolorida y las piernas hinchadas. Aquello era un auténtico infierno y no había hecho más que empezar. ¡Cómo echaba de menos su vida en el Raval! El trabajo en la droguería era mucho más divertido y menos cansado; además, le permitía dedicar unas horas al estudio. Añoraba estudiar y aprender cosas nuevas, sentirse cultivada. Pero estaba estancada, atada a un trabajo que la desquiciaba. Los días iban a pasar terriblemente lentos.

Sonó el teléfono. Anna, al ver que la señora no se inmutaba ante el timbre repetitivo y agudo del aparato, decidió cogerlo. Nunca lo había usado y ni siquiera sabía muy bien qué debía responder. Pero no hizo falta, pues enseguida se oyó la voz fuerte y grave de un hombre al otro lado de la línea.

–No me llames al despacho, Laura, te lo he dicho mil veces –dijo sin más–. No pienso ir, no insistas.

Anna tragó saliva y titubeó.

–No soy la señora Alarcón, señor.

Hubo un silencio.

–¿Y quién demonios eres? –preguntó sorprendido.

–La criada. ¿Quiere que le deje recado a la señora?

–¿Tienes papel y bolígrafo a mano?

Cogió el papel de carta que había justo en la mesita del teléfono y un lápiz. De fondo, se oían varias voces y el tecleo de una máquina de escribir.

–Sí, señor.

–Pues apunta esto y dáselo a mi mujer: Como vuelvas a llamarme no pienso enviarte ni un duro más. Déjame tranquilo. Hasta el verano que viene. Tu querido esposo.

Anna abrió los ojos como platos.

–¿Está seguro de que quiere decirle eso? –Tragó saliva.

–Segurísimo.

Colgó. Anna dejó el papel allí mismo a la espera de que lo leyera la señora. Había hablado, por primera vez, con el señor Alarcón y le había parecido el hombre más maleducado del mundo. ¿Cómo podía tratar así a su esposa? ¿Es que no le guardaba ni el más mínimo respeto?

Aquella noche, en la oscuridad del salón, el llanto sofocado de la señora Alarcón se oyó en toda la casa.

20

Llevo días sin escribir. Estoy desanimada. Toda mi vida ha dado un giro inesperado y no precisamente para bien. Nuestra familia está arruinada. Padre ha perdido mucho dinero en la Bolsa. No entiendo demasiado, pero he oído que se han desplomado las cotizaciones de los fondos públicos por los gastos de la Guerra de Marruecos. No sé, la cuestión es que, por culpa de la mala gestión de mi padre, Edificacions Puig puede irse a la quiebra. ¿Qué va a ser de nosotros si eso ocurre? Enric, entonces, ya no querrá saber nada de mí. Aunque ni siquiera ahora se ha dignado a escribirme. ¿Y si se ha comprometido con Isabel Agramunt?

En fin, que la cosa no acaba aquí. Padre, desesperado, ha pedido ayuda a sus contactos, a los altos cargos de Madrid y a los bancos de la capital. No quiere pedir ayuda a los Girona porque si estos se enteran de nuestro penoso estado financiero, entonces no querrán comprometer a Enric conmigo. Y si no lo hacen, la empresa no podrá financiarse en Barcelona. La cuestión es que, por fortuna, le han dado trabajo en Madrid. Quieren construir otro tramo de la Gran Vía y le van a dar el proyecto a mi padre. Así que, con suerte, podremos salir del paso.

Por otro lado, mi hermano sigue vendiendo recetas y padre se ha enterado. Él no quiere venir a Madrid, quiere quedarse en Barcelona, pero padre no le deja. Dice que le montará un despacho allí y pasará consulta. Joan está de lo más rebelde e insoportable. A pesar de que conoce nuestra situación, él sigue derrochando y yendo de fiesta en fiesta. Parece que le pagan bien por sus trapicheos. ¡Qué vergüenza! ¿Cómo hemos podido acabar así?

Madre está muy triste también, porque va a tener que dejar aquí a tío Carlos y a todos sus amigos. En la capital no conocemos a nadie y tendremos que hacernos hueco en su sociedad y acoplarnos a sus costumbres. Espero que nos reciban bien.

En dos semanas estaremos viviendo en Madrid. ¿Qué más nos puede pasar?

Teresa

21

Era su primer domingo de fiesta. Anna inició el camino de ronda hacia Sant Pol, que se encontraba a pocos kilómetros de Sant Feliu de Guíxols. Sobre esos acantilados rocosos, muchos carabineros habían sido testigos de la llegada de piratas y corsarios, así como de pescadores que transportaban su mercancía de una cala a otra; ahora, aunque la situación transcurría tranquila y solitaria, de vez en cuando se dejaba ver algún que otro guardia civil controlando el mercado negro de alcohol y tabaco que se escondía en las cuevas más recónditas de esas bonitas montañas. Anna observó el paisaje: torres de defensa, faros e infinidad de casas señoriales llenaban la línea del horizonte a lo largo de todo el litoral del mediterráneo. Chalets burgueses que parecían auténticos decorados dignos de películas, con acceso a la playa y templetes privados desde los que se avistaba el agua cristalina del mar.

Ahora, ese lugar recién urbanizado se conocía como s'Agaró. Josep Ensesa i Gubert, discípulo de Gaudí, había comenzado a construir en aquella década una de las primeras y más lujosas urbanizaciones de la zona. Su propio chalet, la Senya Blanca, había sido la primera, con pórticos, arcadas y terrazas inspiradas en el Novecentismo. ¿Qué habría sido, entonces, de la casa de los Girona? ¿Seguiría en el mismo lugar que antaño?

No dejaba de pensar en lo que le depararía la visita. Su objetivo era claro: encontrar información sobre los Puig, sobre aquella mujer con la que creía compartir algo más que una fisonomía parecida. La plaza del Rosemar, núcleo de la urbanización, estaba completamente desierta. De fondo se oía el graznido de unas gaviotas que sobrevolaban las aguas de Sant Pol y Sa Conca. Afortunadamente, soplaba un aire ligero.

De repente, apareció un pastor con un pequeño rebaño de cabras. Hizo un alto en el camino para beber de la bota y se apoyó en un muro de piedra. Olía a sudor, a almizcle y a las deposiciones de los animales. Anna decidió acercarse a él y preguntar.

–Buenas tardes, señor. ¿Conoce usted la zona?

El hombre tenía el rostro moreno, por las largas horas bajo el sol. Se quitó la gorra en señal de respeto y la miró de arriba abajo.

–De toda la vida, nena. –Rio–. Hace unos años aquí no había nada, ¿sabes? Rocas y pinos, y poco más. Entonces los ricos no querían venir. Y fíjate ahora, que organizan bailes, regatas y cenas de gala en estas mismas calles. ¿Te has perdido?

–No, no... –Miró a su alrededor–. Creo que sí que había una casa, hace unos años. La de los Girona. ¿Se acuerda?

–Ahh, los Girona... –Cabeceó–. Sí, sí. Se construyeron una casa aquí. Eran los únicos. Yo más de una vez me crucé con ellos, que bajaban a la playa.

–¿Y me podría decir dónde está?

–Uy, nena... –Negó con la cabeza–. Esa casa ya no existe. El arquitecto ese, el Ensesa, compró todo el terreno de aquí y la tiró abajo. Y una lástima, porque era muy bonita. –Señaló a lo lejos con el bastón–. ¿Ves esa zona de bosque? Ese era el jardín. Allí quieren construir más casas.

–¿Y se acuerda de la familia Puig? –preguntó Anna tímidamente–. Eran amigos de ellos y los visitaban.

–Venía mucha gente a la casa esa. –Hizo una mueca de indiferencia–. Era una familia de renombre. Tenían el banco ese... ¿cómo se llamaba? No sé, pero en los periódicos contaron que se había arruinado. Fue entonces cuando le vendió el terreno a los Ensesa.

–¿Y Enric Girona?

–Se decía de él que era un cabeza loca. Muchos líos de faldas hasta que se casó con una buena chica. La verdad es que hace años que no sé nada de ellos.

Anna le agradeció la información y se dirigió a la que había sido la casa de los Girona. En aquel jardín en ruinas, todavía crecía alguna flor entre los matojos abruptos y el verde espeso de los pinos. En el suelo, tapada por una fina capa de tierra, estaba la cabeza rota de lo que fue en su día la escultura de un ángel alado. Sintió pena al pensar que decenas de recuerdos habrían quedado enterrados y olvidados en aquel terreno donde hacía años había habido vida, risas y lágrimas, ilusión por disfrutar de un nuevo verano... Y fue entonces cuando vio aquellas letras talladas en el tronco de un pino que había sido testigo del amor entre dos jóvenes hacía ya tantos años. El nombre de Enric se encontraba justo encima de un corazón; abajo, en letra más armónica y bonita, el de Teresa.

Anna rompió a llorar. No se había preparado para la avalancha de emociones que iba a suponer ese descubrimiento. A partir de ahora no iba a parar hasta averiguar la verdad de su existencia, aunque hubiera demasiados silencios que entorpecieran su búsqueda. Pese a todo, había algo de lo que estaba totalmente segura: las iniciales que la acompañaban desde su entrada en la Casa de la Misericordia tenían nombre propio e incluso un rostro. Teresa Puig era su madre.

No pudo dejar de pensar en eso el resto del día. Sabía quién era su madre, pero no lo que había ocurrido con ella y por qué la había abandonado. A ello se sumaba una nueva incertidumbre: ¿qué había pasado con Enric Girona? ¿Podría ser él su padre? ¿Por qué se negaba a reconocerla?

La señora Alarcón había salido a dar un paseo por la playa, así que no había nadie en casa. Impotente por no poder hacer nada para averiguar más sobre los Puig, Anna comenzó a vagar por su habitación como alma en pena. No sabía qué hacer y su cabeza no dejaba de darle vueltas al asunto. Recordó lo que le había dicho Paquita sobre el trabajo del señor Alarcón y le entró curiosidad. ¿Realmente tenía algo que ver con la publicidad? Aprovechando la ausencia de la señora, decidió entrar en el despacho de su marido y echar un vistazo a su biblioteca. Nunca había entrado allí porque la señora se lo había prohibido: decía que el señor Alarcón era un hombre muy estricto y ordenado y se daría cuenta si alguien le toqueteaba las cosas.

Era sobrio y oscuro; los porticones de las ventanas estaban cerrados y el escritorio despejado de papeles. Anna pasó el dedo por encima de la mesa de nogal y trató de imaginarse el rostro del señor Alarcón, del que no había visto ninguna fotografía. Luego se dirigió a la biblioteca de atrás, donde se acumulaban varios libros de una misma temática: la publicidad. Curiosamente, el autor de aquellos ensayos y tratados era él: Emilio Alarcón.

Nacido en 1886 en Barcelona, Emilio Alarcón estudió en la Escuela de Comercio de Madrid y se dedica a la publicidad y las técnicas comerciales. Ha escrito ensayos como *La técnica de los negocios*, *El pensamiento en la publicidad* y *El comercio moderno*, entre otros. Ha impartido clases de ventas y campañas de publicidad en la Cámara de Comercio de Barcelona. Crea *Gloria*, la primera revista de publicidad moderna de España, fuertemente influida por las revistas americanas *Printer's Ink* y *Advertising World*.

Anna estaba fascinada. No había leído ningún ensayo de Emilio Alarcón durante su curso de comercio, pero parecía ser un publicista reconocido. ¡Qué magnífica oportunidad había tenido! En aquella enorme biblioteca podría seguir aumentando sus conocimientos de comercio pese a que sabía que no podría llevarlos a la práctica. Sin embargo, estaba harta de la simplicidad de su día a día, de sentirse vacía, prácticamente muerta, sin nada que la ilusionara o la hiciera palpitar de emoción. Aquellos libros, al verlos, la habían hecho sonreír de nuevo. Aunque sabía que no debía hacerlo, no pudo evitar coger uno de ellos y llevárselo a su habitación. Nadie se daría cuenta. ¡Estaba deseando leerlo!

Emilio Alarcón se basaba en las técnicas y métodos comerciales norteamericanos y no dudaba en catalogar la publicidad como una disciplina científica. Él, como Rafael Bori, también hacía hincapié en la importancia de la psicología a la hora de crear anuncios: los sentimientos, las emociones, las experiencias, las costumbres, las tendencias y las modas eran importantes para lograr que el producto triunfara. Anna estaba entusiasmada: aquellos carteles de perfumes, coloretes y maquillajes que colgaban en las paredes y en el mostrador de la droguería Anyí podrían haber sido, precisamente, obra del señor Alarcón. Su fascinación por aquel hombre no había hecho más que empezar.

Tras tres semanas de duro trabajo, Anna ya se había acostumbrado a las exigencias y el mal humor de la señora Alarcón. Pese al cansancio, su cuerpo se había fortalecido y aguantaba mejor los embistes de la rutina. Afortunadamente, los domingos eran solo para ella: podía tomarse un respiro, relajarse y coger fuerzas en la playa o bajo la sombra de un pino, leyendo los trabajos del señor Alarcón. Porque, después del primero, vinieron muchos más. A esas alturas podía afirmar que se trataba de un publicista brillante. Había viajado muchísimo a Nueva York y había aprendido de los mejores. Devoraba sus libros a una velocidad vertiginosa.

Ese domingo, en la playa, Anna recibió una visita inesperada. Escuchó de fondo el agudo y descarado tono de una joven. Su voz le era familiar.

—¡Anna! ¡Anna!

No se lo podía creer: era Pili. Iba corriendo, con los zapatos en la mano y una gran sonrisa. Parecía haber olvidado que por su culpa había perdido el trabajo de su vida. Estaba tan guapa como siempre, fresca y radiante. Parecía feliz.

—Pero ¿qué haces aquí? —preguntó Anna sorprendida—. ¿Cómo me has encontrado?

Le costaba mirar a su amiga a la cara. El tiempo la había ayudado a curar las heridas, pero a menudo recordaba la escena en la droguería que la había precipitado a una vida aborrecible. Todavía le costaba comprender por qué Pili había decidido hacer algo así y ponerla en peligro a ella, con lo buenas amigas que habían sido. Sin embargo, sentía la obligación de perdonarla: no solo por caridad cristiana, sino porque sabía que Pili tenía problemas y que, a menudo, actuaba de forma irracional.

La que había sido su compañera de piso y amiga se tomó unos segundos para coger aire y se sentó con ella en la arena. Sin decir nada, la abrazó fuertemente y le dio un tierno beso en la mejilla.

—Antes de nada, quiero pedirte disculpas. —Tragó saliva—. Ya sé que hice mal y por mi culpa perdiste tu trabajo. Quiero que sepas que he dejado la cocaína, ¿vale?

Anna asintió lentamente y suspiró. Miró a Pili con el ceño fruncido, pero rápidamente lo relajó; no valía la pena seguir torturándose por lo ocurrido, ahora que ya no se podía hacer nada por cambiar las cosas. No podía juzgar a una persona enferma. Así que, si eso había servido para que dejara la droga, había valido la pena.

—¿Me lo juras? —le dijo Anna, y le tendió una mano—. Si es así, todo olvidado.

Pili se la estrechó y volvió a abrazarla.

—Fui a la Casa de la Misericordia —le explicó—. Tu querida sor Julia me contó dónde te encontrabas y aquí estoy. —Señaló el paseo—. José Antonio me ha traído en coche.

Anna giró la cabeza y vio el fantástico coche de José Antonio aparcado en el paseo. Él, tan elegante y sobrio como siempre, permanecía de pie apoyado sobre el capó fumando un cigarrillo.

—Nos ha dejado intimidad —continuó—. No nos hemos separado desde que nos conocimos, ¿sabes? Creo que le gusto de verdad.

—Espero que así sea. —Le acarició la mano—. Ojalá tengas suerte.

—Oye, he ido a la casa de los Alarcón... Menudo chalet, ¿no? Aunque la señora esa es un poco estúpida... Me ha dicho que solías ir a la playa, pero con muy malos modales. ¿Te trata bien?

—Bueno, más o menos. —Se encogió de hombros—. Hago mi trabajo y listo.

—Debes de sentirte muy sola aquí, Anna... —Puso una expresión de pena—. Me siento culpable... ¡Estábamos genial las tres juntas!

—Oye... ¿cómo está Rosa? —dijo bajando la mirada—. Yo tampoco me porté muy bien con ella.

—Le dije que viniera con nosotros, pero no ha querido. —Chasqueó la lengua—. Todavía ama a Manuel, pero él la castiga por tu marcha. La ignora y ella sufre mucho.

Anna se rascó la cabeza y negó con la cabeza.

—La fastidié. —Se dio una palmada en la frente—. Hice daño a uno y a otro... Yo le tengo mucho cariño a Manuel, pero el beso fue un error. No sé por qué lo hice.

—En realidad, toda la culpa es mía. —Pili miró al infinito—. Lo provoqué yo. Si no hubiera sido por el maldito robo, todo habría seguido igual.

—No pienses más en ello. Además, he descubierto quién es mi madre. —Hizo un círculo con el pie en la arena—. Teresa Puig. Tuvo un romance con Enric Girona.

—¡Lo sabía! —exclamó Pili emocionada—. Te lo dije cuando vi esa foto. Y fíjate si estaba convencida, que he estado informándome sobre los Puig. Bueno, yo no, José Antonio. Le pedí ese favor.

143

–¿De verdad? –Su corazón se aceleró de nuevo–. ¿Y qué sabes de ellos?

–Cuando me dijiste que escuchaste a Enric Girona hablar de los Puig... no sé, todo coincidía demasiado, así que cuando te fuiste decidí contárselo a José Antonio y le rogué que me ayudara. Te lo debía.

Pili se levantó, inquieta, y comenzó a andar a su alrededor.

–No es que haya encontrado mucho, pero algo es algo –prosiguió, ansiosa–. Parece que tenían una constructora, la Edificació Puig: se supone que le iba muy bien en Barcelona, pero de repente se trasladó a Madrid. Los Puig dejaron de existir en la sociedad catalana y no se supo más de ellos.

–¿O sea que se fueron a vivir a Madrid?

–Eso parece. –Hizo una pausa–. Lo que no entiendo es por qué Enric Girona no quiso contar la verdad.

–Creo que acabaron mal mi madre y él. Juraría que, incluso, se comprometieron, pero que él era demasiado mujeriego y tonteaba con otras mujeres. Con la señora Agramunt, por ejemplo.

–¿Y si fuera tu padre? –Abrió los ojos como platos–. Ostras, Anna... ¿sabes el día en que naciste?

–El día exacto no lo sé, pero me abandonaron en mayo de 1911.

–O sea que Teresa Puig te concibió, más o menos, en septiembre de 1910.

–Pero estaría en Madrid, ¿no? –Negó repetidamente–. No puede ser Enric Girona. Tiene una hija de dieciséis años... Y antes se casaría con su mujer, digo yo. Además, él vivía en Barcelona. No cuadra.

–No lo sabemos, Anna –resopló–. Todavía queda mucho por resolver... Pero, espera, que no he acabado de contártelo todo: hay un familiar de los Puig, un cura. Todavía vive en la residencia marista. Carlos Puig. Se lo sonsacó José Antonio a Enric.

–Ojalá pudiera ir a hablar con él, pero dudo mucho que la señora Alarcón me deje ir unos días a Barcelona.

–Seguro que si ese cura te ve... –Soltó un suspiro–. Eres su fiel retrato. Seguro que te ayudará.

Anna asintió.

–Cada vez estoy más cerca, pero a la vez más lejos... –Miró hacia abajo–. No va a ser nada fácil, querida Pili. Nada fácil.

Pero sabía quién era su madre. Le había puesto rostro, nombre y apellido. Había sido una muchacha enamoradiza, ilusionada por un hombre que no la valoraba lo suficiente. Enric no la había correspondido. Quizá ella, pensó, había sido fruto de un amor dañino, doloroso. Eso explicaría su abandono.

Preguntándose qué habría sido de Teresa Puig, se quedó mirando el mar con nostalgia. Pili se había quitado el vestido y mostraba un bañador de lana que la cubría hasta el muslo. Luego se le unió José Antonio, que se había puesto un maillot de tirantes y un sombrero de paja para protegerse del sol. Ambos se lanzaron al agua entre carcajadas mientras se besaban románticamente bajo el reflejo del sol y el agua turquesa del mar.

22

Era julio de 1930. Había pasado ya prácticamente un año desde que estaba en la casa de los Alarcón. Un año terriblemente duro y solitario en el que no había tenido la oportunidad de regresar a Barcelona, ni siquiera para poder disfrutar de las Navidades con sor Julia. La señora Alarcón no había querido dejarla marchar, quizá para que sufriera con ella su mirada triste, de frustración, de angustia. Nochebuena había sido, sin duda, el día más triste desde que Anna vivía allí: no iba a tener los abrazos de las monjas de la Casa de la Misericordia, ni iba a poder ver en el rostro de las niñas la inocencia y la dulzura de sus corazones. Nadie le iba a desear felicidad. Y es que el señor Alarcón brillaba por su ausencia en esa casa y la señora, lejos de marcharse a Barcelona con su tía, había preferido quedarse revolcándose en el llanto y la melancolía. En el fondo, Anna sentía pena por ella: tenía un esposo que, en resumidas cuentas, la había abandonado, y su forma de tratarla (a veces despiadada) era signo de un matrimonio abocado al fracaso.

Por suerte, había llegado el verano. Podría volver a disfrutar de su tarde de domingo en la playa, de la plácida brisa con olor a sal del mediterráneo, del paisaje verde y ocre de sus bosques, de la lectura bajo el atardecer a orillas del mar... Desgraciadamente, ya había leído todos los libros del señor Alarcón; alguno, incluso, dos veces. Estaba deseando conocer por fin al creador de aquellos ensayos tan fascinantes. Ahora que entendía un poco más de publicidad, analizaba los anuncios de las revistas tratando de extraer de ellos las estrategias propagandísticas que había aprendido en sus libros. Se había dado cuenta de que, en la mayoría de anuncios de cosmética e higiene (perfumes, aguas de colonia, jabones, dentífricos), la mujer se había convertido en el mayor reclamo. En todos ellos aparecía dibujado el rostro de una joven bella, exótica, que captaba la atención del espectador por encima del producto anunciado. De hecho, la imagen era mucho más grande que el texto, que apenas informaba del producto. Los productos depilatorios, los tintes para el cabello y las cremas faciales que aparecían, por ejemplo, en la *Blanco y Negro* usaban a una mujer como protagonista. La belleza y la juventud eran la garantía para conseguir el éxito, tal como se reflejaba en las imágenes y reportajes semanales que se difundían en dichas revistas sobre las estrellas de cine americano. El mundo estaba cambiando: habían surgido nuevos productos que iban a mejorar los hábitos de higiene femeninos, y la sociedad, en general, se había modernizado y disfrutaba ahora de nuevas actividades de ocio y deporte. Sin embargo, Emilio Alarcón, a diferencia de los demás publicistas que había leído, se basaba en las ideas americanas de Walter Thompson. En Estados Unidos se llevaba la publicidad razonadora o de «los porqués»; es decir, los textos que acompañaban a la imagen debían ser más largos y razonados, que incluyeran argumentos de venta. Era toda una novedad.

Alguien llamó a la puerta. Anna se topó con un hombre alto, moreno, de ojos azul turquesa. Los ojos más bonitos que había visto nunca. Llevaba un traje rayado y sujetaba una maleta en una mano y un cigarrillo en la otra. Tenía una mirada profunda, seductora, que provocó en ella una parálisis casi instantánea. No supo qué decir: tenía una presencia arrolladora, carismática. No le hacía falta hablar.

–¿Así que eres tú con la que hablé por teléfono?

Tenía la voz grave y carraspeaba constantemente por el tabaco. Entró en el recibidor y ni siquiera se presentó. Dio la última calada y tiró la colilla al suelo sin importarle que estuviera ensuciando su propia casa. Soltó la maleta con desgana y acomodó su sombrero en la barandilla de la escalera. Luego, entre resoplidos, procedió a subir al primer piso.

Anna se quedó perpleja: ¡qué hombre más maleducado!, pensó. Llevaba todo un año idealizándolo por todo lo que había escrito. Era un hombre inteligente, intuitivo, práctico, que había conseguido crear su propia agencia de publicidad y vivir de las mejores marcas de cosmética. Y, al final, resultaba que era un auténtico engreído. Recogió la colilla con la mano y se la metió en el bolsillo. Después

147

cogió la maleta y el sombrero y subió para dejarlo todo en la habitación de los señores. Pasó por el comedor y escuchó la conversación de la pareja.

—Hombre, por fin te dignas a venir —le reprochó la señora Alarcón.

Emilio se encendió otro cigarrillo.

—Vives como una reina, ¿eh? —Se aflojó el cinturón—. Una cocinera, una criada... ¡No te quejarás!

—¿Preferirías que lo hiciera yo? ¿Te gustaría verme de rodillas?

—Tengo a otras que se ponen de rodillas. —Rio y abrió las manos—. Uno tiene que desahogarse.

—Tan desagradable como siempre... —Le giró la cara—. No sé para qué vienes si en el fondo me detestas.

—En Madrid no hay playa. —Se encogió de hombros—. Y uno necesita descansar y ordenar las ideas.

—Pues podrías alquilarte otro chalet con alguna de tus fulanas y dejarme tranquila.

—Echo de menos mi despacho. —Dio una calada honda—. Y esta es mi casa.

—No lo es, me la dejó mi padre a mí.

—¿Y quién paga todo lo que hay dentro? —se jactó—. Si no fuera por el dinero que te envío te serviría de bien poco.

La señora Alarcón comenzó a llorar.

—Vamos, no empieces —continuó Emilio—. Tengamos la fiesta en paz.

—¡Eres tú, que me tratas mal! —exclamó la señora entre lágrimas—. ¡No me ves en un año y cuando lo haces me desprecias!

Hubo un silencio.

—Joder, Laura, te he dicho mil veces que rehagas tu vida.

—¡No quiero tener un amante! —gritó—. Ya sé que tú las tienes, y muchas, pero yo no soy capaz de hacer eso. ¡Eres mi marido!

—Solo de cara a los demás. Nuestro matrimonio no tiene sentido...

—¡Tú lo tienes más fácil! —Lo señaló con el dedo—. ¡Eres un hombre! Además, vives en Madrid, alejado de todo esto... Aquí me conoce todo el mundo.

—¡Pues vete a otro lado! —Negó con la cabeza—. Vende la casa y búscate a alguien. Sería lo más fácil para los dos.

148

–¿Y vivir como una querida el resto de mi vida? –Se tapó la cara con las manos–. ¡Qué humillación!

–¿Qué más da lo que opine la gente? –Expulsó el humo con fuerza–. Lo importante es que seas feliz.

–Y por tu culpa no lo he sido en mucho tiempo.

–Oye, oye... –Trató de tocarla, pero ella se deshizo de él–. Nos casamos enamorados, pero éramos jóvenes. Tú no aceptaste mi trabajo, ni que no pudiéramos tener hijos...

La señora Alarcón rompió a llorar más fuerte.

–La única forma de deshacer este matrimonio es dejándote a ti en mal lugar. –Continuó Emilio–. Y no creo que te lo merezcas.

Volvió a intentar tocarla. Ella cedió, destrozada, y siguió llorando sobre su pecho.

Anna no daba crédito a lo que había oído. ¿Cómo podía tratar así a su mujer? Emilio Alarcón era un hombre abierto, inteligente, sus frecuentes viajes a Nueva York habían dejado en él una visión moderna y más tolerante de su sociedad. ¿Por qué le mostraba tan poco respeto? No quiso escuchar más y se encerró en el dormitorio de los señores para deshacer la maleta. En ella había unos cuantos trajes arrugados que tendría que planchar y un cartapacio de cuero con el nombre en mayúsculas de su agencia de publicidad: Media. No pudo resistirse, curiosa, y lo abrió. Había muchos papeles mecanografiados, pero se fijó en uno de ellos escrito a mano: IDEAS JABÓN HENO DE PRAVIA. NUEVO ANUNCIO

Bajo ese título no había nada escrito. Una hoja prácticamente en blanco que el señor Alarcón no había llenado todavía. Ideas para un nuevo anuncio que se insertaría en las revistas *La Esfera, Blanco y Negro, Nuevo Mundo* y *Estampa*. De hecho, en el cartapacio también aparecían recortes de otros anuncios de esas mismas publicaciones. Sobre todo, de la competencia de Gal: Myrurgia.

Justo en ese momento, entró Emilio en la habitación y la cogió por sorpresa.

–¿Qué haces mirando mis cosas? –la reprendió–. ¿Tenemos una criada fisgona? ¿O ladrona?

–Disculpe, señor Alarcón. –Se puso roja–. Es que me ha llamado la atención y...

–No entiendo por qué debería llamártela.

–Es que... verá... –titubeó, nerviosa–. Estuve trabajando en una droguería y siempre me ha interesado el mundo de la cosmética. No se me daba mal vender.

–¿Y entonces qué haces aquí? –Rio–. De todos modos, mi trabajo va más allá de lo que hacías tú en esa droguería.

Anna arrugó el ceño.

–Lo sé. También hice un curso de comercio y aprendí sobre el arte de vender. De hecho, leí a Rafael Bori.

El señor Alarcón arqueó las cejas, sorprendido.

–Vaya, ese es muy buen publicista.

–Gracias a él entendí lo importante que es la psicología para influir en los hábitos de compra. El sexo, la edad, el entorno... todos estos elementos son imprescindibles para conocer al consumidor.

Emilio se quedó callado, escuchándola.

–También leí ensayos suyos –continuó Anna, sin decir de dónde los había sacado–. La ideología, los gustos y el estilo de vida son cruciales para definir al público al que se pretende vender un producto.

–¿Y dices que eres una sirvienta? –preguntó, asombrado–. Disculpa, pero no había conocido a ninguna con tales conocimientos.

–Bueno, no era mi objetivo acabar aquí, si le soy sincera. –Agachó la cabeza–. Me despidieron de la droguería en la que trabajaba por una causa ajena a mí. Mi intención siempre ha sido seguir estudiando y formándome para ser una buena vendedora. Me parece una profesión fascinante la suya.

–Ya muestra usted más respeto por mi trabajo que mi mujer. –Chasqueó la lengua–. Jamás lo ha entendido... Ella hubiera preferido que acabara en la fábrica de corchos de su padre. Decía que no iba a llegar a ningún lado y mira ahora: en Madrid, dirigiendo mi propia agencia y llevando la publicidad de Gal, una de las marcas de cosmética más importantes del país.

¿Así que era eso? El señor Alarcón sentía rencor hacia su esposa porque nunca le había mostrado interés por lo que hacía. Pese a ello, ella no merecía aquel trato de humillación.

–¿Trabaja para Gal? –preguntó, emocionada–. ¡Vendí muchos productos de Gal!

–Pues ahora venderán muchos más. –Esbozó una media sonrisa–. Muchos más que nuestra competidora principal.

–¿Myrurgia? Son también muy buenos, la verdad...

–Sí, pero no tienen a Emilio Alarcón como agente de publicidad.

Ambos comenzaron a reír. A los pocos segundos, apareció la señora en la habitación.

–¿Qué pasa aquí? –Miró a Anna enfadada–. ¿Te pago para que hables o qué?

Anna desvió la mirada, avergonzada. El señor Alarcón torció el gesto y asintió levemente.

–Será mejor que sigas con tu trabajo –dijo al fin.

Un trabajo que se limitaba a limpiar y planchar. Tenía un millón de ideas que a nadie le interesaría escuchar. Se imaginó en Media, plasmando el anuncio de Heno de Pravia que aparecería en todas las revistas y carteles. Luego, suspiró con frustración. «Solo eres una criada, Anna», se repitió a sí misma.

El señor Alarcón la llamó al despacho. Una nebulosa de humo espeso llenaba la habitación. Olía horriblemente a tabaco y Anna tosió al entrar.

–¡Joder! –exclamó él–. ¡He tirado toda la copa por la mesa! Límpialo, anda.

Anna salió y regresó con un trapo y un poco de agua. La mesa estaba llena de coñac. Los papeles se habían mojado y Emilio trataba de secarlos sujetándolos con la punta de los dedos. Nervioso, sacó la cabeza por la ventana mientras murmuraba por lo bajo.

–Menuda mierda todo. Aquí no hay quien se inspire.

Anna se mantuvo callada, pero había estado dándole vueltas a lo del anuncio de Heno de Pravia. Tenía ideas, pero debía guardárselas para sí misma.

–Aún no me has dicho por qué dejaste la droguería –comentó el señor de repente–. Es extraño, ¿no?

–Hubo un problema –dijo secamente–. Nada que ver conmigo. Vendía muy bien.

–¿En qué droguería estabas? ¿En Barcelona?

–En la droguería Anyí.

El hombre asintió y se le acercó lentamente.

—Pues es una de las mejores droguerías de Barcelona —continuó—. El señor Anyí sabe mucho de pastillas para las almorranas. Joder, son buenísimas, te las recomiendo.

—Es un buen vendedor y me enseñó muchas cosas.

El señor Alarcón se la quedó mirando seriamente.

—Sé que has leído mis libros. —Señaló la estantería—. Colocaste uno mal. No están en orden.

Anna se puso colorada y agachó la mirada.

—Es cierto —dijo al fin—. No pude evitarlo. Sé que solo soy una sirvienta, pero me hubiera gustado ser algo más. Y todo lo que dice usted es... es... ¡tan interesante!

El señor Alarcón se quedó en silencio e intentó reprimir una sonrisa.

—¡Es asombroso cómo analiza la publicidad! —continuó Anna, emocionada—. Los anuncios de sal de frutas Eno, la crema Pond's, Listerine... productos americanos que van llegando a España y que abandonan la publicidad ilustrada de antaño, la técnica de los carteles en los que solo predominaba la belleza de la imagen y el arte en sí mismo.

—Exacto —asintió Emilio—. Quiero textos más largos, razonados, que incluyan argumentos de venta. La imagen, evidentemente, es importante, pero no lo es todo. Antes solo se contrataba a buenos ilustradores, ahora hace falta a alguien que piense.

—Hay que dar al público lo que pide, pero también orientarle en lo que quiere.

—Esa frase es mía. —Sonrió. Sus ojos brillaban—. Se acabaron los anuncios espontáneos o intuitivos. A partir de ahora hay que pensar. La publicidad debe ser un arma de combate, que provoque reacciones en el espíritu del hombre.

—Que el anuncio sea valorado por su eficacia, no por su valor artístico —añadió ella.

Hubo un silencio en el despacho. El señor Alarcón la miraba entre preocupado y orgulloso. Anna se percató de que había descuidado su trabajo y su posición, así que enseguida se dirigió hacia la puerta con la mirada gacha. Si la señora volvía a verla hablando con su marido podría acabar despidiéndola.

—La gente desconoce este mundo —comentó Emilio, antes de que se marchara—. Mi mujer nunca ha creído en mi trabajo. Creo que siempre ha sido despreocupada con su imagen para castigarme, para demostrarme que mis anuncios jamás la convencerán a ella. Que mi trabajo no vale para nada.

Anna torció el gesto, incómoda. Aunque hasta entonces había creído que el causante de aquel matrimonio malavenido había sido Emilio, a medida que lo conocía un poco más, comenzaba a creer que la señora Alarcón tampoco había sido una mujer fácil de llevar. Probablemente, ambos se habían portado mal.

–No la culpe por ello. –Negó con la cabeza–. Yo tampoco sabía todo esto hasta que no comencé a estudiar. Me fascinaban los anuncios que aparecían en las revistas, sí, pero jamás habría imaginado, por aquel entonces, que tras todos ellos se escondía un Emilio Alarcón que fuera capaz de llegar hasta mi interior, de leerme la mente, de conocer mis anhelos, mis deseos...

–Por eso cada vez hay más agencias como Media.

–Debe de ser un auténtico placer trabajar en algo así. –Le tembló la voz y le dio la espalda–. He de seguir con lo mío. Que pase un buen día, señor.

–El placer es hablar contigo, señorita.

Se marchó tratando de disimular una sonrisa. Tenía la oportunidad de hablar con un hombre que había escrito decenas de ensayos y tratados sobre un tema que le apasionaba. Aquello la hacía sentir viva, despierta. Emilio Alarcón, por muy maleducado que le hubiera parecido al principio, era el hombre más inteligente que había conocido nunca. Era un genio, un artista, y como tal tenía sus rarezas, pero a ella la había cautivado.

Otro domingo libre. Anna bajó a la playa y se sentó en la arena sin más entretenimiento que el de observar el horizonte del mar en calma y alguna barcaza de pescadores en alta mar. En las rocas, los niños trataban de recoger caracolas y cangrejos cargados con cubos y navajas. Justo hacía dos años que había abandonado el orfanato y había empezado su nueva vida en el Raval. Recordaba muy bien el primer día de trabajo, o cuando Rosa y ella habían visitado el Villa Rosa, junto a Manuel. Había sido una noche fantástica, como lo iba a ser todo ese tiempo con las chicas y en la droguería Anyí. Y gracias a la insistencia de Pili, en cierto modo, había logrado saber el nombre de su madre. Teresa Puig, esa joven de la burguesía catalana, le había dado la vida y luego la había abandonado. ¿Qué habría sido de ella?

En ello pensaba cuando apareció de golpe el señor Alarcón. Llevaba las mangas de la camisa arremangadas, prácticamente desabotonada, y paseaba descalzo sobre la arena rubia y caliente con los zapatos en la mano. El pelo todavía alborotado y la barba sin afeitar. Como siempre, fumando un cigarrillo. Era un hombre atractivo, pensó Anna, observándolo en la distancia, pero poco le importaba eso. Lo admiraba por su profesionalidad, por los conocimientos que había aportado en una disciplina poco estudiada en España. Sabía que era un hombre complicado, impulsivo, con el que era difícil convivir. Tanto él como la señora ya habían protagonizado algún que otro enfrentamiento en casa. No se podían ni ver, así que ambos se mantenían encerrados en sus respectivas habitaciones: él en el despacho y ella en la sala de costura.

Caminaba en dirección a Anna. De vez en cuando, se desviaba del camino para meter los pies en el agua y mojarse la nuca para refrescarse. Por fin la alcanzó; se sentó a su lado, sin decir nada, y se encendió otro cigarrillo.

–Buenas tardes, señor Alarcón –dijo a media voz, sorprendida por el hecho de que no hubiera pasado de largo y le hiciera compañía.

Suspiró y comenzó a hacer círculos con el pie en la arena, como si fuera un niño pequeño. Se restregó la frente, como si le doliera la cabeza, y se tumbó mirando el cielo azul y despejado.

–¿Qué te transmite a ti el jabón Heno de Pravia? –preguntó sin más.

Anna abrió los ojos, descolocada. Tenía al señor de la casa justo a su lado, tumbado, prácticamente rozándose... ¿A qué venía esa pregunta?

–A mí me transmite belleza, juventud, pureza... –respondió sin atreverse a mirarlo a la cara–. Su aroma es intenso, limpio y puro. Creo que potencia el cutis.

Emilio se quedó en silencio unos segundos.

–¿Y qué tipo de anuncio te haría comprar ese producto? ¿Qué te gustaría que te dijeran?

154

Anna no vaciló. No había dejado de pensar en ese maldito anuncio desde que lo había visto plasmado en aquel papel en blanco.

–Me gustaría sentirme bien, que pudiera hacer cualquier actividad sin tener que preocuparme por el efecto del tiempo sobre mi piel... Nunca me sentí tan libre y viva como el día que subí por primera vez a un coche. –Recordó el día que salió con los Rivera–. La velocidad, el aire en mi rostro, el sol sobre mi cabeza... –Suspiró placenteramente–. Mis amigas usaron ese jabón cuando regresaron a casa. Heno de Pravia les deja la piel de la cara limpia y suave después de un largo día bajo el sol y el viento.

El señor Alarcón se puso de pie como un relámpago. Sin despedirse ni decir nada más, se marchó por donde había venido, dejándose los zapatos olvidados sobre la arena.

23

Ya nos hemos instalado en Madrid. Tenemos una casona en la calle Villanueva, cerca del paseo de Recoletos. Es muy señorial y mi madre está encantada. Es un barrio muy tranquilo y de gente de bien. Apenas tiene tráfico, tan solo algunos caballos que salen de los elegantes hoteles de la calle. Me encanta observar desde la ventana el trasiego del mediodía, cuando los cocheros peinan y trenzan el pelo de los animales para dejarlos lo más elegante posibles y llevar a las condesas y marquesas a los salones de té de moda o a hacer compras a la calle Alcalá. También a la carrera de San Jerónimo. Madre está deseando que llegue el domingo para ir al Hipódromo.

El paseo de Recoletos tiene muchos cafés y horchaterías; por ellas rondan muchos ricos industriales y banqueros de ascendencia vasca. De hecho, hemos conocido a los Iriondo, que vivían en una exclusiva urbanización en Bilbao, y que también han tenido que venir aquí por negocios, así que nos ayudarán a integrarnos en la sociedad burguesa madrileña. Es más, incluso nos han enseñado el Salón del Prado, que es el lugar de moda. La población madrileña suele pasar aquí las largas tardes de verano, a lo largo de los árboles y sentados en sillas de hierro forjado. Las mujeres van muy a la moda francesa y si no fuera por los gritos de los vendedores de claveles, cerillas y los aguadores, cualquiera creería estar en algún gran paseo de París. Así que, pese a todo, estoy contenta, igual que padre. Las obras comenzarán en abril del próximo año y se construirá el primer tramo de la llamada Gran Vía, entre la calle Alcalá y la Red de San Luis. Cree que nos va a ir bien.

Joan también ha hecho amigos y está preparando el terreno para abrir su propia consulta. Seguro que tendrá buenos clientes si hace bien su trabajo.

Todavía estoy esperando noticias de Enric. Los Girona vinieron a despedirnos, pero él no. Tiene la nueva dirección, así que no tiene excusas. Si no me escribe pronto, lo perderé para siempre. Madre insiste que sea yo quien dé el paso, pero me parece injusto. Fui humillada y exijo una disculpa. Si no, no podré confiar de nuevo en él.

Espero que todo se solucione pronto.

Teresa

24

Emilio Alarcón la citó en su despacho. Estaba sentado a la mesa rodeado de decenas de papeles y revistas. En el cenicero, dos cigarrillos encendidos. Por fin se había afeitado y llevaba brillantina en el pelo, además de una camisa limpia que Anna había planchado unos días antes. Su pose seria y engreída era la de un tipo seguro y triunfador.

–Siéntate –le ordenó–. ¿Tienes faena?

La pregunta la ofendió. Era evidente que la señora la atosigaba con encargos y faenas desde que se levantaba hasta que se acostaba. No tenía tiempo ni para descansar cinco minutos.

–Siempre tengo algo que hacer –respondió–. La señora me ha pedido que le planche unos vestidos.

–Pues la señora tendrá que esperar. –Se dejó caer en el respaldo–. Esto es mucho más importante.

Sacó una hoja y se la mostró. Era el esbozo de un anuncio de Heno de Pravia. En él aparecía una mujer cargando a su hijo de tan solo unos meses. En letras grandes rezaba lo siguiente: «El bebé está contento porque su mamá lo baña con jabón Heno de Pravia».

–¿Qué te parece? –le preguntó, llevándose la mano al mentón.

Anna se quedó parada y sorprendida por la pregunta.

–¿Quiere saber mi opinión?

Emilio asintió.

–Sí, sí. Quiero saber la opinión de una mujer. Pero no de una mujer cualquiera, sino de alguien con conocimientos sobre publicidad.

Anna sonrió. Que un hombre como Emilio la implicara en uno de sus trabajos le parecía de lo más emocionante.

–¿El anuncio lo ha pensado usted?

–No es mío, es de mi socio. –Se puso de pie y le lanzó la hoja–. Cree que es buena idea eso de exaltar los beneficios del producto sobre la familia, especialmente los niños.

–Si quiere que le sea sincera... –Arrugó el ceño–. No acabo de verlo.

–¿Qué quieres decir? –Dio una calada a los dos cigarrillos a la vez.

–Pues que está muy bien eso de poner a la mujer como la responsable de las tareas domésticas, pero... Hay muchas que no se sienten identificadas. –Pensó en Pili y en Rosa–. ¿Qué pasa con las chicas jóvenes, solteras, que quieren disfrutar de la noche y de la vida moderna de estos años?

–¿Se sentirán ofendidas por mostrar a una mujer con su hijo en brazos?

–Ofendidas no, pero sí excluidas. Es como si... –Chasqueó la lengua–. Como si ser esposa y madre fuera mejor que lo otro, ¿me entiende?

–Pero si ponemos a chicas jóvenes y modernas nos estaremos olvidando de las madres. ¿No se ofenderán entonces ellas?

–¿Y por qué da por hecho que las madres no son modernas ni quieren pasarlo bien? –Apretó los labios–. Hay madres jóvenes que se arreglan y se visten a la moda.

–Pero su prioridad son los hijos –concluyó.

Anna negó con la cabeza insistentemente.

–Claro que siempre velarán por el bienestar de sus hijos, pero estos crecerán y entonces las perderán como consumidoras.

–Creo que te equivocas. –Puso los brazos en jarras–. Después de madres serán abuelas y recomendarán el producto a sus hijas.

–Vale, de acuerdo, en eso tiene razón, pero... –Hizo una pausa–. Entonces no está teniendo en cuenta la época en la que se encuentra ahora.

–Las madres siempre son madres, muchacha...

–Oiga, las mujeres de ahora quieren disfrutar: salen de noche, bailan, imitan a las actrices americanas... ¿Por qué esperar a que sean madres? ¿Por qué no hacerlas ya protagonistas? Luego, cuando tengan hijos, seguirán usando ese jabón para ellas y para sus criaturas.

El señor Alarcón se restregó la frente.

–Siempre nos ha funcionado lo de la familia. –Se encogió de hombros–. Incluso Myrurgia lo hace así.

159

—Y seguramente seguirá funcionando, pero entonces no está cambiando nada. Si le ha contratado Gal es porque espera mucho más de usted. Es un gran publicista, pero... –titubeó–. No importa, no debería meterme. Al fin y al cabo, yo no sé tanto como usted.

—No, dime –insistió–. He dicho que quiero saber tu opinión.

—Pues creo que todos los que trabajan en publicidad son hombres y la mayoría desconocen lo que queremos las mujeres.

—¿Me estás diciendo que no entiendo de mujeres? –Rio–. ¡Válgame Dios! ¡Las chicas caen rendidas a mis pies!

—Las chicas puede que se enamoren de usted, pero no de sus productos. ¿Las mujeres con las que está son como las madres angelicales de sus anuncios?

—La verdad es que no. –Miró al techo, recordándolas–. Un poco frescas, sí.

Emilio rio. Anna frunció el ceño y suspiró. Le disgustaba cuando hacía ese tipo de comentarios. Pero aquel hombre era así, natural y directo, y, a veces, se comportaba como un auténtico narcisista.

—Entonces poco les sirve a ellas la imagen de una madre con su hijo –espetó con decisión–. Pero sí la imagen de mujeres que se sienten libres para hacer lo que quieran.

—Así que los hombres no tenemos ni idea de lo que piensan las mujeres, ¿no?

—Dan por sentado que el objetivo de una mujer es ser esposa y madre. Y puede que sea así para la mayoría, pero creo que hay algo que une a todas, ya sean solteras o casadas... –Tomó aire–. La belleza.

—Así que... –Se sentó de nuevo–. Según tú, en vez de enfocar el anuncio en el bienestar de la familia, es mejor hacerlo en el bienestar de la mujer en sí misma.

—Exacto. –Sonrió–. La cosmética, los tratamientos de belleza... Dan muchísimo dinero. Cada vez abren más centros de estética, como en América.

El señor Alarcón asentía sin dejar de observarla.

—Entonces, ¿qué pondrías tú en el anuncio?

—Leí en uno de sus libros que la industria de la cosmética está en la cuarta posición en ventas detrás de los automóviles, el cine y el alcohol. Todo el mundo quiere tener un coche y, como le comenté el otro día en la playa, cuando me subí en uno me sentí libre, independiente... feliz.

–Vale, vale, no me digas más. –Entornó los ojos y se mordió el labio–. Dos chicas jóvenes, vestidas a la última moda, conduciendo un descapotable, el viento en la cara... y en grande lo siguiente: «El mejor parabrisas es el jabón Heno de Pravia».

Anna asintió, emocionada.

–Y añadiría: «Preserva el cutis de los efectos del tiempo».

–Y luego explicaremos por qué deben comprarlo.

Emilio dio un golpe en la mesa y se sirvió una copa de coñac.

–¿Quieres una? –le ofreció sin dejar de sonreír–. Te lo mereces, señorita... Joder, todavía no sé ni tu nombre.

–Me llamo Anna Expósito.

–Muy bien, Anna Expósito, pues acabas de hacer tu primer anuncio. Y vamos a brindar por ello.

–¿Está bromeando, señor Alarcón? –preguntó Anna–. Yo no soy nadie.

–Me has dado argumentos para que te compre el producto. –Se encogió de hombros–. Me has convencido.

–¿Y qué pasa con el anuncio que ha hecho su socio?

–Ignacio es un hombre y tú una mujer. –Saboreó el alcohol–. Has estado en una droguería vendiendo productos Gal y dices que eras buena. Y me lo creo. Has estudiado y se nota. Veremos cómo funciona el anuncio y si se demuestra eso que has dicho antes de que nosotros no tenemos ni idea de lo que piensan las mujeres.

Anna tragó saliva.

–Pero usted es quien ha viajado a Estados Unidos y sabe lo que queremos...

–No te preocupes, Anna Expósito. –Alzó la copa y brindó–. El que se juega el trabajo soy yo. Tú podrás seguir siendo una criada.

Anna había vuelto a su rutina. Agosto había sido un mes caluroso, agotador. No había vuelto a hablar con el señor Alarcón de publicidad, ni del anuncio en el que había participado. De hecho, apenas podía mirarlo a la cara. Su carácter, a veces amable y a veces grosero y desconsiderado, la desconcertaba. Y, por mucho que le hubieran gustado sus ideas, ella seguía siendo una simple criada. Hasta que llamaron por teléfono. Con el rostro impertérrito, Emilio se acercó a Anna mientras esta frotaba el suelo de rodillas.

–Ven. –Le tendió su mano–. Hemos de hablar con la señora.

Frunció el ceño, confundida, pero hizo lo que le pidió.

–¿Qué es lo que ocurre? –preguntó extrañada.

Emilio siguió andando sin contestar. Entraron en la sala de costura, donde se encontraba la señora sorbiendo lentamente un vaso de agua con una rodaja de limón. La ventana estaba abierta y desde ella se veía el mar y la playa. Al verlos, alzó la ceja y dejó la labor en el sillón.

–Me la llevo –soltó el señor Alarcón, señalando a Anna–. Se viene conmigo.

–¿Cómo? –Anna no entendía nada–. ¿De qué habla?

Emilio ni siquiera la miró: sus ojos estaban puestos en la señora Alarcón, que había palidecido y se restregaba las manos con nerviosismo.

–¿Habéis tenido algo en mi propia casa? –preguntó ofendida–. ¿Ni siquiera respetas eso, Emilio? ¿Con la criada?

–Joder, Laura, que no es eso. –Rio–. No soy tan hijo de puta.

Anna abrió las palmas de la mano esperando una explicación.

–Solo me ayudó con un anuncio –continuó él–. Han hecho unas pruebas con unas mujeres y ha sido un éxito. Quieren llevarlo a cabo.

Anna sonrió y tuvo que reprimir un gritito de alegría.

–¿Y adónde quieres llevarte a la criada? –Se llevó las manos a la cabeza–. Dios mío, Emilio, ¿es que estás loco? ¡Es solo una sirvienta!

–Quiero que venga conmigo a Madrid.

Anna abrió los ojos como platos.

–¿A Madrid? –repitió titubeante.

–Joder, sí, a la capital –resopló–. Quiero que forme parte de Media. He estado pensando todo este tiempo, ¿sabes? Gal hace, mayoritariamente, productos para mujeres. Y ¿quién mejor que ellas para saber lo que quieren? Esta chica –señaló a Anna– me ha hecho darme cuenta de que los hombres no tenemos ni idea de lo que pensáis vosotras.

–¡A buenas horas! –exclamó la señora–. Eso ya te lo podría haber dicho yo.

–Pero tú no sabes de publicidad.

–Podría hacerte un anuncio ahora mismo para venderte a ti: el hombre más cínico, arrogante y mujeriego del mundo –dijo con rabia–. No lo compres o te hará la mujer más desdichada del planeta. ¿Te gusta esto?

–Poco original. –Chasqueó la lengua–. Y, además, mientes. Hago felices a muchas.

La señora Alarcón apretó los puños. Anna observaba la escena en silencio, incómoda. Estaba abochornada.

–Eres insoportable, Emilio.

–Bueno, la semana que viene me largo, así que ya no volverás a verme hasta el próximo verano.

–¡Pues ojalá no vuelvas más! –gritó, a punto de llorar–. ¡No quiero volver a verte!

–Y ahora, señores, empiezan los lloros –dijo él teatralmente–. Pasen y vean.

–Señor Alarcón, por favor... –suplicó Anna–. ¿Por qué no la dejamos tranquila?

–Vale, vale. –Alzó las manos en señal de inocencia–. Siempre empieza ella...

Salieron de la habitación mientras se oía el llanto desesperado de la señora. Anna tragó saliva y se sintió culpable.

–¿Trata así a todas las mujeres? –lo reprendió en voz baja–. Porque si va a hacerme lo mismo a mí en Madrid...

–A ti no te odio, bonita. –Le guiñó un ojo–. O, al menos, no todavía...

Anna puso los brazos en jarras y le advirtió con la mirada.

–Joder, era broma –se defendió él–. Por cierto, ¿cómo te llamabas?

–Anna Expósito –dijo de mala gana.

–Vale, Anna Expósito, empieza a hacer las maletas. –Le dio un codazo–. Nos vamos el lunes que viene.

–Pero antes de irme, necesito unos días para ir a Barcelona.

–Sí, sí... –dijo con indiferencia–. Haz lo que te dé la gana. Eso sí: ahora ya no vas a jugar a ser publicista, lo vas a ser. Espero que pongas en práctica todos esos conocimientos tuyos que has leído en esos libros. No me falles.

Emilio Alarcón se marchó encendiéndose un cigarro. Anna, incapaz de creerse todavía el giro que había dado su vida, salió corriendo de la casa en dirección a la playa. Jadeante y ansiosa, se recostó en la arena para contemplar la hermosa puesta de sol. Le dolían las piernas, pero en ese momento no parecía molestarle. Volvía a empezar de cero, y esta vez, en algo que la apasionaba. En Madrid. Allí podría seguir buscando a su madre, a su familia. El camino estaba marcado; o quizá no y había sido ella quien, poco a poco, había ido aprovechando oportunidades y sopesando opciones. Ella creía en el destino, pero también en la capacidad para doblegarlo a su voluntad. Sonrió relajada y feliz mientras observaba los pintorescos barcos de los pescadores y el color rojizo del sol fundiéndose con el mar. La brisa le alborotaba suavemente el pelo y a su nariz llegaba el olor del humo de la leña y la sal. Se sentía viva.

25

Llegó a Barcelona con la emoción de reencontrarse de nuevo con sor Julia. Estaba ansiosa por contarle todo lo que había acontecido desde la llegada del señor Alarcón y el nuevo destino que la esperaba. Bajando por la Rambla, Anna no pudo evitar sentir un pellizco en el estómago al poner los pies de nuevo en su ciudad natal, en el lugar que la había visto crecer y en las calles que habían sido testigo de su transformación. Era una mujer independiente y segura de sí misma. Había estado un año lejos de allí y ahora iba a tener que abandonarla de nuevo. En la calle había vendedoras de cocas, ociosos y gandules fumando en las puertas de las salas de juego, jornaleros y albañiles en busca de trabajo, obreros vestidos con mono azul comentando la dura jornada del día, hombres anuncio promocionando la sopa Maggi, barrenderos recogiendo colillas del suelo y regando el empedrado del paseo... Iba a echar todo aquello de menos. Pero era valiente y no la asustaba el cambio: cualquier cosa sería mejor que lo que estaba haciendo en Sant Feliu de Guíxols. A partir de ahora tendría la oportunidad de ser lo que siempre había querido ser y de que la valoraran por sus ideas y por su inteligencia. Todavía no se creía que Emilio Alarcón le brindara aquella oportunidad.

Era tarde y había anochecido. Por suerte, a lo largo del paseo se alzaban las farolas acristaladas que proyectaban una luz blanca y constante por toda la calle. A medida que se acercaba al orfanato, vio a varias mujeres sentadas a las puertas de sus casas, escrutando a los paseantes bajo los árboles. Al entrar en la Casa de la Misericordia, sintió alivio y bienestar.

Sor Julia apareció con la espalda más curvada de lo habitual. El tiempo pasaba para todos y ella ya era demasiado mayor como para seguir con las duras tareas que requería el mantenimiento del orfanato. Sintió pena por ella, porque no tendría la oportunidad de pasar sus últimos años con la tranquilidad y sosiego que merecía su edad. ¡Qué injusta era la vida!, pensó Anna, recordando la inactividad de la señora Alarcón, todavía joven para trabajar, pero lo suficientemente rica para que hicieran las tareas por ella.

—¡Anna! —exclamó al verla—. ¡Ya era hora!

Se abrazaron. Anna olió el aroma del jabón de lavanda en el hábito de la monja. Recordó las horas alegres junto a ella en el lavadero, charlando y riendo. Por fin podría mirarla a la cara y explicarle todo lo que había descubierto de su madre y de sus raíces familiares.

—No me han dejado venir antes. —La cogió de la mano—. Aunque la semana que viene me marcho a Madrid.

—¿Qué me dices? —Frunció el ceño—. ¿Con los señores Alarcón?

—Bueno, solo con el señor. Quiere que trabaje para él en su agencia de publicidad. Trabaja para la marca Gal de cosmética.

—¿Agencia de publicidad? —Negó con la cabeza—. Eso suena extraño. Su mujer me dijo, cuando se puso en contacto con nosotras por primera vez, que su marido trabajaba en una fábrica de corchos.

Anna negó con la cabeza. Sabía que la señora Alarcón no se sentía orgullosa del trabajo de su marido, pero no habría imaginado que hasta el punto de mentir sobre eso.

—Bueno, no exactamente... —Chasqueó la lengua—. Su padre sí tenía una fábrica de corchos.

—Ah, quizá lo entendí mal... En fin, pequeña, pero ¿por qué te lleva con él?

—¿Se acuerda del curso de comercio que hice? Allí nos enseñaban a vender. Hoy en día la publicidad es muy importante y este hombre tiene una agencia que se encarga de eso.

—No me has contestado a la pregunta. —Puso los brazos en jarras—. ¿Por qué te ha escogido a ti? ¿Es que no hay hombres que sepan de eso?

—Al parecer, sor Julia, no se me da nada mal. —Se encogió de hombros—. Y necesita a una mujer que lo ayude a crear anuncios dirigidos al público femenino.

La monja alzó una ceja y murmuró por lo bajo.

–No sé, hija mía... Yo no entiendo de estos trabajos que salen ahora, tan modernos...

–Es algo serio y es una oportunidad para mí. Trabajaré en algo que me gusta. Estoy contentísima.

–Pero Madrid está muy lejos... –Suspiró–. ¿Cuándo te veré?

–Me da mucha pena alejarme de usted, pero sé que nos veremos pronto. –Sonrió con dulzura–. El tiempo pasa volando. Y no pienso pasar otras Navidades alejada de la Casa de la Misericordia.

Sor Julia asintió, aunque no las tenía todas con ella.

–Pero escucha, ten cuidado en Madrid. Que no se propasen contigo, muchacha. –Alzó el dedo índice–. Rodéate de gente buena y no te olvides de rezar cada noche.

–No se preocupe, sabe que puedo cuidar de mí misma.

–Siempre nos quedarán las cartas... –Tragó saliva–. Me hubiera gustado tenerte cerca cuando lo de tu madre.

–Ay, sor Julia, jamás me había sentido así... –Se le iluminaron los ojos–. Saber el nombre de quién me dio la vida, su rostro... Quiero pensar que me quiso, pero no me pudo tener. Por eso voy a continuar buscándola, ahora en Madrid. Su familia se trasladó allí.

–No quiero que te hagas daño, Anna. –La miró detenidamente–. Sé feliz en Madrid, con tu trabajo, y trata de no obsesionarte con lo de tu madre. El tiempo ya ha pasado y...

–¡Pero es mi madre! –exclamó, un tanto ofendida–. Todo el mundo quiere conocer sus orígenes, saber el motivo por el cual fueron abandonados...

–Y ¿cómo la vas a encontrar? No tienes ninguna pista más, ¿no?

–Sé que mi madre tenía un tío que todavía vive y es hermano marista. Necesito que me concierte una reunión con él, o no me dejarán entrar. Se llama Carlos Puig.

–¿Un hermano marista? –Negó con la cabeza–. No tengo contacto con ellos, hija. Y total, ¿qué va a saber un hombre que lleva recluido allí toda su vida?

–Se lo pido por favor –insistió–. Ayúdeme en esto, sor Julia, por el cariño que me tiene.

Anna le rogó con la mirada mientras le estrechaba las manos.

–Haré lo que pueda –dijo al fin–. No te lo pudo negar, hija mía.

Anna se recostó en su hombro, en busca de consuelo. Estaba feliz, pero no del todo. Empezaba una nueva vida en Madrid, pero necesitaba hacerlo sin remordimientos.

—Me siento culpable por algo –soltó inesperadamente.

Anna agachó la cabeza y pensó en Rosa. Tenía mala conciencia por haberla traicionado de la forma más ruin. A ella y a Manuel.

—Hice algo de lo que no me siento muy orgullosa. –Torció el gesto–. Me porté mal con unos amigos. Ellos fueron mi apoyo incondicional durante mi estancia en el Raval.

—Conociéndote, no creo que lo hicieras con mala fe. Todos cometemos errores, hija. –Bajó la mirada–. Debes pedir perdón. No te irás tranquila hasta que lo hagas.

—Tengo miedo de empeorarlo.

—Si fuisteis amigas de verdad, ella entenderá tu error. –Le acarició el pelo–. Algún día se dará cuenta.

Llamó a la puerta. Pili la recibió muy ligera de ropa: apenas una pequeña bata de fina seda ocultaba su cuerpo desnudo y delgado. Había perdido peso durante su ausencia. Aunque en principio había dejado la cocaína, seguía manteniendo una obsesión insana por la comida e intuía que su relación con José Antonio podía ser causa o efecto de su apariencia enfermiza.

—¿Qué haces por aquí? –preguntó sorprendida–. ¡Has venido a vernos!

Se dieron un abrazo y luego la condujo al sofá, donde se pusieron al día de todo lo acontecido aquel último año. Miguel Primo de Rivera había muerto hacía unos meses, después de que hubiera sido destituido por el rey a causa de la inestabilidad política y social del país. José Antonio no estaría pasando un buen momento.

—Parecías muy triste en las cartas, Pili. ¿Cómo te encuentras?

—José Antonio se fue a Madrid y ahora solo hablamos por teléfono. Dice que puedo ir cuando quiera, pero no puedo dejar el trabajo. Lo echo muchísimo de menos...

—Bueno, seguro que regresará pronto a Barcelona.

—No sé, Anna, desde que murió su padre está más ausente. Además, dice que tiene trabajo, que los republicanos están tratando de unirse para echar al rey y hacer una república. El Pacto de San Sebastián, o algo así. ¿No lo has oído?

—Mira, en Sant Feliu me paso el día trabajando y apenas tengo tiempo para informarme...

—Bueno, pues quiere formar un nuevo partido político que se parezca al de su padre o qué sé yo. Vamos, que no tiene tiempo para mí.

—Tienes que hacer tu vida, no te obsesiones con él.

Pili dejó escapar un suspiro lleno de nostalgia.

—¡Ha sido un año tan intenso! —Sus ojos brillaron—. Me lo ha dado todo: he sido la mujer más feliz del mundo. Creí que... en fin, que me pediría que lo acompañara a Madrid.

—Es marqués, e hijo de un dictador... Aunque quisiera, quizá no pueda casarse contigo.

Pili asintió, resignada. Justo en ese momento, alguien entró por la puerta. Era Rosa. Su rostro pálido y angelical le provocó a Anna un nudo en la garganta que se transformó rápidamente en un mar de lágrimas. Pili, dándose cuenta de la intimidad que requería el momento, abandonó el salón y las dejó solas.

—¿Qué haces aquí? —preguntó Rosa, sin atreverse a cruzar el umbral del recibidor.

—Me voy a Madrid la semana que viene y quería despedirme.

Hubo un silencio. Rosa ni siquiera le preguntó sobre lo de Madrid. Tenía la mirada gacha y estaba tensa.

—Quería pedirte disculpas —continuó Anna, con un hilo de voz—. No pretendía hacerte daño.

—Pero lo hiciste —soltó al fin—. Sabías lo mucho que le amaba.

—Todo pasó muy rápido... había perdido el trabajo y Manuel llegó y... —Se encogió de hombros—. Pasó. Y me arrepiento muchísimo.

—Me traicionaste. —Sonó muy dura—. Y quedé como una estúpida.

Anna se levantó e intentó acercarse a Rosa, pero esta dio un paso atrás. No tenía intención de perdonarla.

—Manuel no me habla desde entonces —siguió, ahora mirándola a la cara—. Cree que, por mi culpa, tú te alejaste de él. Ya ves, él sí que estaba enamorado de ti.

—Solo quiero recuperar tu amistad, Rosa —le rogó—. Que me perdones por mi error.

—Pues no pienso hacerlo.

Ahora sí cruzó el salón y, dándole la espalda, se dirigió a su habitación, cerrando violentamente la puerta tras ella. Pili salió entonces, con cara de pena, tras escuchar la discusión.

—Está muy ofendida —comentó, negando con la cabeza—. Lleva un añito que no veas.

—Pero ¿es que no ha olvidado a Manuel?

—No. —Abrió la palma de las manos—. Sigue enamorada desde el primer día y el muchacho la ignora. No quiere saber nada de ella.

—Ha pasado un año de todo esto... ¿cómo puede seguir tan fiel a sus sentimientos? ¿Es que no ha conocido a otros hombres?

—Ay, Anna... —La miró fijamente—. Se nota que todavía no has encontrado el amor. Cuando lo hagas te darás cuenta de lo difícil que es respirar y vivir sin él. Tu mundo girará en torno a sus labios, su sonrisa, su piel...

Pili se quedó parada, con la mirada perdida. Estaba pensando en José Antonio y comenzó a temblar. A los pocos segundos rompió a llorar.

—¿Tanto le echas de menos? —preguntó Anna.

Pili asintió y puso la cara en su hombro para consolarse.

—Rosa y yo ya no somos las mismas. —Hipó, terriblemente angustiada—. Ya no nos divertimos por las noches, parecemos dos fantasmas encadenados al pasado. Todo ha cambiado.

Anna torció el gesto. No entendía por qué el simple recuerdo de un amor perdido podía alterar sus vidas de esa manera. Habían sido las reinas de la fiesta, de la alegría y de la juventud. Manuel y José Antonio las habían cambiado y las habían convertido en mártires, en mujeres esclavas de sus emociones, incapaces de mirar la vida con la fortaleza de entonces.

—Todo pasará, estoy segura. —Le acarició la cabeza—. Tenéis que retomar vuestras aficiones, salir como antes, pasarlo bien... Con el tiempo, volveréis a ser vosotras mismas.

—Ojalá tengas razón, Anna. —Fingió una sonrisa—. Solo te deseo que no pases por lo mismo que nosotras, que seas feliz y encuentres al hombre de tus sueños. Que sea para siempre.

Anna resopló. Pili seguía llorando sin parar y Rosa se había encerrado en su habitación. Tenía la sensación de que lo que había vivido hacía un año junto a ellas había sido solo un espejismo. Aquellas no eran las muchachas que había conocido y que le habían transmitido entusiasmo y seguridad, que la habían ayudado a crecer como persona. Ahora se arrastraban como almas en pena, llorando por recuperar el amor de dos hombres que, según temía, nunca las habían correspondido ni con el mismo fervor ni con la misma franqueza.

—Prométeme que os haréis más fuertes —le tembló la voz—. Y que os apoyaréis mutuamente.

Anna se despidió de Pili y, antes de salir por la puerta, esperó unos segundos con la esperanza de que Rosa recapacitara y aceptara su perdón. Pero no fue así. Sor Julia se había equivocado y no todos los actos de disculpa, aunque sinceros, tenían un final feliz. El dolor de su amiga era tan grande que lo único que podía hacerla cambiar de opinión era el paso del tiempo.

Cerró la puerta aguantándose las lágrimas. Allí mismo, sentado en un peldaño de las escaleras, estaba Manuel. Anna cogió aire y se quedó paralizada.

—Las paredes son *mu* finas —dijo él, en voz baja—. Estaba *amorrinao* en el sofá y te he escuchado. Un año sin venir, la Virgen.

—Pensaba que no querrías saber nada de mí.

—Bueno, ya ha pasado mucho tiempo —dijo con indiferencia—. Fue una tontería, ¿verdad?

Anna asintió y lo observó detenidamente. No había pasado el tiempo para él: estaba exactamente igual, incluso llevaba la misma ropa con la que lo había visto la última vez.

—Fue un error y te pido disculpas. —Desvió la mirada—. Te hice daño, creo, y también a Rosa. Por mi culpa ya no le hablas.

Manuel carraspeó y se peinó el pelo con los dedos.

—¿Un error? —Parecía herido—. Creía que te había gustado.

—Fue mi primer beso y creo que no podría haber sido con mejor persona.

Manuel sonrió ligeramente.

—Pero también creo que me precipité —continuó Anna, tratando de no ofenderlo—. No tuve en cuenta tus sentimientos ni los de Rosa.

—*Joé*, niña, no sabía que había sido el primero... —Alzó la cabeza, orgulloso—. Eso ya no me lo quita nadie.

Los dos rieron y se suavizó el tono. Manuel era, en el fondo, un hombre comprensivo.

–Y Rosa no tiene ninguna culpa de nada. Ella te quería y te sigue queriendo de verdad.

–Pero yo a ella no. –Frunció el ceño–. No como ella quiere. Para mí es una amiga.

–Pues quiérela como tal y no la hagas sufrir. –Le puso la mano en el hombro–. Retoma la relación con ella y, con el tiempo, se dará cuenta de que lo vuestro no tiene principio. Algún día, como tú, encontrará a la persona correcta.

Manuel le agarró la mano y la apretó fuertemente.

–Lo haré por ti. –Se puso de pie–. ¿Es una despedida?

–Me voy a Madrid y no sé cuándo volveré. –Le dio un beso en la mejilla–. Cuídame a las chicas, por favor. Espero volver a verte.

Anna dejó atrás a Manuel, que se quedó inmóvil, observando el cuerpo menudo y grácil de la joven hasta que salió del edificio.

Llegó a la casa marista. Los pasillos eran lúgubres y parcamente iluminados por una bombilla de bajo voltaje. A través de los cristales emplomados de las ventanas entraba el color gris acuoso de la última hora de la tarde. Olía a incienso, a almidón y a cítricos. Había un silencio opresivo, aunque de vez en cuando se oía de lejos el rumor de las oraciones que provenían de la capilla. En recepción había un hermano vestido con sotana negra llena de manchones de grasa. De hecho, había perdido el color original de la tela por el desgaste para convertirse en un tono verdoso y polvoriento. Era un hombre bajito y rechoncho, bastante simpático. Tras presentarse y decirle que iba de parte de sor Julia, la condujo hacia la sacristía, donde los curas se vestían para la misa y donde guardaban las vestiduras y enseres que empleaban para la liturgia. Le dijo que esperara. Olía a cera de velas, a santidad, y el suelo de madera crujía bajo los pies. Anna estaba nerviosa por cómo pudiera reaccionar al verla. Carlos Puig entró de repente, llevando consigo un candelabro y un cáliz, que guardó rápidamente en un armario con llave. Era moreno, de frente irregular y labios gruesos y amoratados. No se parecía a su madre. Pero él sí que vio un parecido entre ella y su sobrina, por eso se quedó parado y pálido al verla.

–¡Dios mío! –Se santiguó–. Me recuerdas mucho a alguien, muchacha. ¿Para qué querías verme?

Anna se retorció los dedos, inquieta. No sabía ni siquiera por dónde empezar.

–Si he venido a verlo es porque creo que su sobrina, Teresa Puig, es mi madre.

El hombre abrió los ojos como platos y se puso la mano en la frente.

–Pero ¡cómo te atreves! –Negó con la cabeza–. ¿De dónde te sacas tú eso?

–Nuestro parecido físico es evidente. –Tragó saliva–. Alguien me abandonó con una tela en la que aparecían las iniciales T. P. Mis indagaciones me llevan a su sobrina.

–Estás muy equivocada, señorita, mi sobrina jamás se casó con nadie y no abandonaría a ninguna criatura. Era una mujer decente.

–No sé lo que pasó, hermano Puig, por eso he venido aquí. Solo quiero saber dónde puedo encontrarla para preguntárselo a ella.

–Pues siento no poder ayudarla porque hace muchos años que no sé nada de ella. –Puso cara de tristeza–. Y aunque lo supiera, no se lo diría. Usted no es de mi familia.

Anna bajó la mirada y chasqueó la lengua.

–Escuche, sé que los Puig se fueron a Madrid por alguna razón. ¿Tuvo algo que ver Teresa?

–No, se fueron a Madrid por trabajo. –Se puso nostálgico–. Mi cuñada Elena, que en paz descanse, me escribía cartas explicándome lo bien que les iban las cosas. Cuando murió, mi hermano se quedó tan triste y solo...

–¿Y el señor Puig no le cuenta nada de su hija?

–Mi hermano vive en un asilo en Leganés y hace años que no sé nada de él. –Desvió la mirada–. Le escribo, pero nadie responde. Mi familia ha quedado en nada.

–Pero ¿dónde está Teresa? –preguntó desesperada–. ¡Quiero encontrar a mi madre!

–No diga que es su madre, señorita. –La apuntó violentamente con el dedo–. Mi sobrina era pura y buena, jamás hubiera concebido un hijo fuera del matrimonio.

–Habla como si estuviera muerta –dijo con voz rota–. Y no lo sabe.

–Es cierto, pero para mí es como si lo estuviera. Hace tanto tiempo que la perdí de vista que le rezo como si ya no estuviera entre los vivos.

–Si estuviera muerta, alguien se lo habría comunicado –espetó, fuera de sí–. Tiene que estar viva, en alguna parte. ¿En Madrid?

–Puede... no sé. –Se encogió de hombros–. Pero si ha querido desaparecer, probablemente no la encontrará jamás.

La miró fijamente. Esta vez con ternura. En el fondo, aunque se empeñara en desmentirlo, sabía que aquel parecido no era fortuito.

–¿Tenía algún hermano o alguien con el que pueda hablar? –insistió ella.

Carlos Puig se mordió el labio con remordimiento, luego negó repetidas veces.

–Es mejor que deje de buscar –concluyó con pena–. No conseguirá a una madre a estas alturas.

Aquellas palabras le cayeron como un jarro de agua fría. No había razón para que fuera tan cruel con ella.

–Yo no elegí nacer –replicó, dolida–. Tengo derecho a conocer mis orígenes y el porqué de mi abandono.

–Le aconsejo que lo deje y rehaga su vida sin pensar en el pasado.

Anna apretó los puños y frunció el ceño.

–Teresa Puig es mi madre –afirmó con decisión–. Y no voy a parar hasta encontrarla.

SEGUNDA PARTE
Madrid

26

Madrid y Barcelona no eran, en el fondo, tan diferentes como pensaba. La capital tenía, eso sí, un encanto diferente por sus palacetes de gusto francés y los rascacielos al estilo de Nueva York que se estaban construyendo en las grandes arterias de la ciudad. El tráfico era un caos: los tranvías, ómnibus y automóviles de todo tipo circulaban por las grandes avenidas dirigidos por policías con uniforme y silbato. Se respiraba un aire de modernidad agradable que contrastaba con el día a día en los barrios populares: charlatanes, aguadores, caleseros y vendedores ambulantes trataban de ganarse la vida como podían mientras sobrevivían en chabolas y casas bajas sin agua corriente ni electricidad. La mayoría, inmigrantes de todas partes de España, había conformado su vida en los arrabales sin accesos de la capital. Sin embargo, la gente de bien disfrutaba de sus paseos por Recoletos y el Retiro, o incluso visitaban el Museo Nacional del Prado.

El señor Alarcón la dejó en la calle Alcalá. Iba a vivir en una pensión, justo al lado de la Puerta del Sol y a pocos minutos de la Gran Vía, donde se encontraba la oficina de Media. Bajó del coche y se despidió hasta el día siguiente. Miró a su alrededor y, pese a no conocer el lugar, sintió que se trataba de un entorno acogedor, aunque bullicioso; la esencia del Madrid castizo, pero también viajero y moderno. Todos los edificios lucían en sus tejados y azoteas paneles de publicidad de jabones, purgantes y relojes. Sonrió al pensar que su trabajo, a partir de ahora, iba a consistir precisamente en eso, en estudiar todos aquellos carteles que rivalizarían con las grandes marcas de cosmética del país. Todavía no se lo acababa de creer.

El ruido de la obra se hacía insoportable. Cerca de la pensión y justo al lado de la iglesia de las Calatravas se estaba construyendo el

Edificio de la Unión y el Fénix Español. Más allá se encontraba la Compañía Peninsular de Teléfonos, la Real Casa de la Aduana y el Casino de Madrid.

Con la maleta a cuestas, Anna se plantó frente a la pensión Alcalá. La puerta, abierta de par en par, daba acceso a un vestíbulo en semipenumbra y a una escalinata de madera de nogal que conducía a las habitaciones. En el mostrador, un hombre anciano leía la portada del *ABC* a la espera de algún cliente. Justo al lado había una pequeña sala con sillones donde los clientes podían descansar, hojear unas revistas y hacer tiempo para la hora de la comida, que se servía en un salón contiguo y que tenía pinta de fonda antigua.

Subió a la habitación, sencilla y confortable, y deshizo la maleta. Bajó después al comedor, hambrienta, para que le hicieran algo de comer. Era ya tarde, pero no le negaron unos huevos fritos con chorizo. Luego se dirigió al saloncito y se sentó en un sillón para descansar un rato. Justo enfrente, un joven la miraba de manera insistente por encima de las páginas de su periódico. En este se señalaba el éxito del Graf Zeppelin, que había dado la vuelta al mundo y cruzado el Atlántico.

–¿Se imagina volando en zepelín? –preguntó él.

El chico tenía el pelo rizado y los ojos verdes. Iba de *sport*, pero impecablemente vestido, planchado y limpio. El pelo lo tenía engrasado con brillantina. Era joven, aunque pretendía aparentar más años.

–No me acabo de fiar del todo, la verdad.

–Vaya, usted no es de aquí, ¿verdad? –inquirió–. Tiene acento catalán, ¿me equivoco?

–Efectivamente. Hace unos minutos que he puesto los pies en Madrid. Mi primera vez.

–Y ¿qué le ha parecido? –Dobló el periódico y concentró su atención en ella–. ¿No se siente ahogada?

–¿Ahogada? –Negó con la cabeza–. ¿Por qué lo dice?

–Hombre, ochocientas mil personas divididas entre el casco antiguo y la periferia... Necesitamos aire. Menos mal que tienen pensado hacer más viviendas.

–No es diferente en Barcelona.

–Y ¿a qué ha venido a la capital? –Se puso la mano en la barbilla–. No quiero parecer entrometido, señorita, pero es que aquí uno se aburre mucho y no todo el mundo quiere conversar.

–No se preocupe, a mí no me importa; de hecho, estoy ansiosa por conocer gente. No estoy acostumbrada a estar sola.

–Me llamo Pedro. –Le dio la mano–. Siempre es emocionante conocer a un nuevo huésped en esta pensión.

–Pero ¿es que vive usted aquí? –carraspeó–. Yo soy Anna, encantada.

–Me sale más barato que pagarme una vivienda y hacerme la comida. –Se encogió de hombros–. Y se vive mejor, la verdad.

–Es lo que voy a hacer yo a partir de ahora, vivir aquí. Trabajo en la Gran Vía, en la agencia Media. ¿Le suena?

–La verdad es que no. ¿Taquigráfica o recepcionista?

Anna rio.

–Pues, aunque le parezca extraño, ninguna de las dos cosas. –Tomó aire–. Soy publicista.

Todavía le venía un poco grande aquel título, pero le hacía ilusión decirlo. Había pasado de ser prácticamente una esclava de la señora Alarcón a convertirse en un miembro más de una agencia de publicidad.

–Vaya, vaya... –asintió repetidamente–. Eso no se ve a menudo. Debe de ser usted muy buena.

–Tutéame, por favor. Y no sé si soy buena o no, pero parece que a mi jefe le parezco útil. Pero no me has dicho en qué trabajas tú.

–Trabajo en un bar –dijo sin darle importancia–. Por la noche, de camarero. Nada del otro mundo.

–Y ¿qué bar es ese? ¿Está cerca? Porque no me vendría mal salir un poco por la noche y conocer gente nueva.

Pedro tragó saliva y se removió inquieto en la silla.

–Hay muchos por esta calle, el mío no es muy divertido –respondió azorado–. En fin, Anna, creo que me voy a echar una siestecita. Espero compartir contigo más momentos como este.

Se levantó. No parecía cómodo hablando de lo suyo. Quizá, pensó Anna, le había mentido, pero tampoco le importaba tratándose de un desconocido.

–Espera, espera –dijo–. ¿Me puedes decir cómo puedo llegar a Leganés?

–¿A Leganés? –preguntó extrañado–. ¿Acabas de llegar a Madrid y quieres visitar Leganés?

–No es eso, es que tengo un familiar en el asilo.

–Ah. –Torció el gesto–. Vaya... Pues tienes que coger un tranvía en la plaza Mayor, en dirección a la carretera de Carabanchel.

–Muchas gracias, Pedro.

–Hasta más ver.

Anna se fue inmediatamente a la plaza Mayor, que estaba a pocos minutos andando desde la pensión. Alrededor de la imponente estatua de Felipe III, jóvenes y soldados de permiso, mujeres con carritos y algunos sacerdotes con sotanas paraban en los comercios, en los tenderetes de los artesanos o en las tabernas y cafés. Muchos curiosos se arremolinaban alrededor de un fotógrafo ambulante ataviado con un guardapolvo que hacía fotografías por pocos céntimos. Un poco más allá, un mozo de cuerda con acento gallego se ofrecía para transportar baúles y maletas allí donde hiciera falta; también se veían aguadores, traperos y vendedores de flores.

Antes de coger el tranvía, Anna paseó por el jardín central, en el que había árboles, fuentes y parterres, y observó sorprendida los pórticos de aquella planta rectangular edificada en el siglo XVII, que había sido testigo de corridas de toros, autos de fe e incluso ejecuciones públicas. Pese al tiempo, continuaba siendo el foco de atracción tanto de la vida comercial como de la vida social, lugar de paso obligatorio para compradores, turistas y paseantes.

Cogió el tranvía: recorrió la Puerta de Toledo, el paseo de los Ocho Hilos, cruzó el Manzanares y recorrió la carretera de Carabanchel hasta llegar, por fin, a Leganés y al manicomio de Santa Isabel, que se había construido sobre un viejo caserón nobiliario a finales del siglo XIX. Era un lugar árido, carente de arbolado, de aspecto antiguo y triste. No parecía ser el mejor lugar para albergar a gente enferma y desvalida. De hecho, al entrar en el edificio de estilo neomudéjar, Anna no pudo pasar por alto las grietas, desconchados, suciedad y deterioro general de los pasillos y las estancias. Si Antoni Puig había sido un hombre rico, ¿cómo podía haber acabado en un lugar así?, se preguntó.

En recepción la recibió una de las monjas de la Caridad. Vestía hábito azul y llevaba una de esas cofias de grandes volantes que le daban un aspecto distante y frío.

–Vengo a ver al señor Antoni Puig.

–¿Antoni Puig? –preguntó sorprendida–. Vaya, hacía mucho tiempo que no venía nadie a visitarle. ¿Y usted quién es?

–Soy una sobrina suya –mintió–. Su hija me comentó que se encontraba aquí.

–¿Su hija? –Alzó las cejas–. No sé nada de ninguna hija, pero sí de su hijo. Lleva más de diez años sin pasarse por aquí.

Así que tenía un hermano y Carlos Puig se lo había ocultado. ¿Por qué?

–Vaya... –titubeó–. Debe de estar ocupado con su trabajo, supongo.

–No sé, ni que viviera a mil kilómetros de aquí. –Negó con la cabeza–. Sé que es un gran médico y su consulta es muy popular, pero...

Así que era médico, pensó Anna, y tenía una consulta en Madrid. Sin embargo, ya había dejado claro que no sabía nada sobre Teresa Puig. ¿Qué habría sido de ella?

–Hubiera sido diferente si su tía viviera –continuó–. No creo que hubieran dejado al señor Puig tan abandonado.

–Una verdadera pena, la verdad. –Bajó la vista–. Con lo que fueron mis tíos...

–Pues sí, señorita, pero no son los primeros ni los últimos que pierden su patrimonio por una mala gestión.

Así que se habían arruinado. Sin embargo, al hijo parecía irle bien. ¿Por qué, entonces, tenía a su padre viviendo allí?

–Bueno, venga, que la llevo a verlo –continuó, saliendo de recepción–. Creo que está en el patio tomando un poco el sol.

Anna sintió un remolino en el estómago al tomar conciencia de lo que estaba haciendo. El señor Puig negaría que fuera su sobrina y revelaría su farsa. ¿Cómo no había pensado en ello? Pero ya no había vuelta atrás. La monja seguía su camino hacia el patio, cruzando pasillos inertes y fríos, salones con sillas y sillones antiguos en los que descansaban ancianos inmóviles a la espera de alguna visita. Había un silencio imponente que le puso los pelos de punta.

Salieron al patio. En el suelo había arena y estaba salpicado de macetas con flores que compensaban un poco la ausencia de árboles. Las monjas empujaban las pesadas sillas de ruedas hacia las zonas de sol y dejaban allí a los pacientes sin otro entretenimiento que el de oír el canto de los pájaros y las campanas de la iglesia más cercana.

—Allí está —señaló la monja.

Antoni Puig tenía la mirada perdida y parecía sumido en una sobria quietud. Su rostro estaba pálido e inexpresivo. Los dejaron solos. Él seguía sin mirarla y sin hablar. Anna intuyó, rápidamente, que probablemente estaría enfermo. Sintió pena. Aquel hombre era su abuelo y por sus venas corría la misma sangre. Le dolió el estómago al pensarlo y tuvo que respirar hondo. Los nietos y los abuelos compartían un vínculo especial y ellos se lo habían perdido. ¿Cómo habría sido su vida si las cosas hubieran sido diferentes? Tenía una familia que había desaparecido, que había quedado en nada.

—Buenos días, señor Puig.

Se agachó para ponerse a la altura de sus ojos. Él no respondió, pero comenzó a ponerse nervioso. Su mano temblaba y la alargaba con intenciones de tocarla. Sus ojos, ahora brillantes, parecían querer salírsele de las órbitas. Impotente y afligido, empezó a emitir sonidos extraños con la garganta. Quería hablar.

—Teres-teres... —trató de decir, a duras penas.

—¿Teresa?

Asintió. Le cayó una lágrima por la mejilla y Anna se la secó. Sintió un nudo en la garganta al oír el nombre de su madre. El señor Puig también la había reconocido: pensaba que era su hija.

—¿Dónde está Teresa? —preguntó Anna, desesperada—. ¿Vive aquí, en Madrid?

El hombre hizo otro esfuerzo por hablar, pero era incapaz de hacerlo. Los músculos se lo impedían. Finalmente, la señaló con el dedo. Insistía en que Teresa era ella.

—Yo no soy Teresa —negó—. Pero la estoy buscando y necesito ayuda.

El señor Puig abrió la boca: la saliva le resbalaba por la barbilla y esbozó una mueca patética que le provocó una náusea de angustia. Anna se sintió mal por lo que estaba haciendo, por presionar a un hombre enfermo. No iba a sacar nada en claro de aquella visita, así que tendría que marcharse y tratar de buscar en otra parte. Sin embargo, justo cuando había perdido toda esperanza, Antoni Puig volvió a hablar.

—Jo-jo... an —soltó con dificultad.

—¿Joan?

El hombre palideció.

—¿Quién es Joan? —insistió, nerviosa.

Antoni Puig se mostró agitado: cada vez salía más saliva de su boca y todo su cuerpo comenzó a convulsionarse de forma violenta. Se dio cuenta de que no era saliva, sino espuma. El hombre parecía estar ahogándose, así que llamó rápidamente a las monjas. Estas, preocupadas, se lo llevaron al interior del edificio. Anna se quedó dándole vueltas a lo que había ocurrido, asustada, y rezó para que no le pasara nada al señor Puig. Al fin y al cabo, era su abuelo y no quería hacerle daño. Su presencia, después de diez años sin ver un rostro conocido, le había provocado el recuerdo inmediato de su hija, a la que parecía no haber visto en años. Además, había hablado de un tal Joan. ¿Quién sería y qué relación podría tener con su madre?

A los pocos minutos, apareció la monja que la había atendido al principio.

—¿Se encuentra bien? —preguntó Anna.

—Sí, sí. —Hizo un gesto como si nada—. Le suele ocurrir cuando se pone muy nervioso.

—¿Qué enfermedad tiene?

—Bueno, parece ser que tuvo un derrame cerebral. Tiene problemas para moverse y comunicarse, ya lo ve.

—Creo que su hija Teresa hace mucho tiempo que no viene por aquí.

—Ya se lo he dicho antes, señorita, que nadie de su familia viene a ver a este pobre hombre. La verdad es que ni siquiera sabía que tenía una hija. Fue su hijo el que se ocupó de todo.

—Ha hablado de Joan.

—Pues eso, que echa mucho de menos a su hijo. —Abrió las manos—. A ver si tiene una charla con él y lo convence para que venga.

Anna asintió. Así que se trataba del heredero de los Puig: Joan Puig. ¿Qué clase de hijo abandona así a su propio padre? La visita no había sido en vano. Ahora sabía que tenía un tío, que era médico y que vivía en Madrid. Otra pista que la acercaba más a su madre, esa mujer que parecía haber desaparecido del mapa.

27

15 de octubre de 1909

He recibido una carta de Enric. Por fin mis oraciones han sido escuchadas. Dice que va a venir a verme a Madrid para retomar nuestra relación. Me pide perdón por su mala actitud en Sant Pol y por haberme dejado plantada para irse con Isabel Agramunt. Se muestra arrepentido y dispuesto a cambiar y a mejorar las cosas. Creo que me ama de verdad. Pero ahora lo importante es que no se entere de nuestra situación económica. Madre está haciendo un gran esfuerzo por ahorrar, incluso ha tenido que prescindir de parte del servicio por no poder costearlo. Eso me preocupa, y mucho, porque en teoría habíamos solucionado el tema del dinero viniendo a Madrid. Pero parece que no es tan fácil. Padre tiene que seguir pagando muchas cosas que dejó en Barcelona que le pueden ocasionar problemas. Sin embargo, cuando vengan los Girona tendremos que aparentar seguir gozando de todos los lujos de los que disponíamos en Barcelona y madre no escatimará en servicio, ni en banquetes. Me siento mal por ello. Estoy engañando a Enric y no es justo para él, aunque también creo que, si me quiere de verdad, no le importará el nivel económico de mi familia. Estoy deseando verlo.

Por otro lado, mi hermano no deja de dar problemas. Sigue con sus trapicheos y no acaba de decidirse con lo de la consulta. No tiene ganas de trabajar: es un vago. Estoy muy enfadada con él porque en casa necesitamos el dinero y él debería colaborar con la familia en momentos de dificultad. Es un irresponsable. Además, parece que está saliendo con una vedete que no goza, precisamente, de buena fama. Espero que recapacite pronto.

Teresa

28

La Gran Vía de Madrid, convertida en el centro económico de la capital, era una de las calles más modernas de la ciudad. Había grandes escaparates acristalados, almacenes, edificios de oficinas de diferentes estilos arquitectónicos, bancos, tiendas de moda, joyerías y hoteles. Allí se ubicaban los cines más lujosos y de mayor aforo de Madrid, además de empresas nacionales y extranjeras relacionadas con la industria cinematográfica (productoras, distribuidoras, revistas...) y cafeterías, bares y restaurantes ambientados al más puro estilo hollywoodiense, como el Pidoux, con sus cócteles, taburetes altos y cierto aire de plató cinematográfico. Un escenario dedicado al espectáculo, a la música, a las letras, al arte, al ocio y al consumismo. Una avenida a la altura de otras ciudades europeas, incluso de la mismísima Nueva York.

Anna no podía dejar de mirar, impactada por todo aquel dispendio de lujo afrancesado, las cúpulas y esculturas que coronaban los edificios, los chaflanes con letreros y anuncios luminosos, las marquesinas de Kodak, de Chrysler, de electrodomésticos de la General Electric... También los hoteles como el Roma y el Florida, los grandes almacenes Madrid-París, las salas de fiesta glamurosas... Se cruzó con multitud de gente diferente: oficinistas, chicas arregladas para ir a los cines Callao, mujeres uniformadas de azul que se dirigían al edificio de la Compañía Telefónica, dependientas a la carrera por llegar a tiempo a sus puestos de trabajo... Era una ciudad que crecía sin límites, llena de habitantes solitarios e itinerantes que abarrotaban las calles.

Entró en el alto edificio de piedra donde se encontraba la agencia Media. El vestíbulo transmitía calidez y buen gusto, con paredes de marmolina y techos altos. Muy amablemente, el portero la condujo a la tercera planta con el ascensor. Llamó a la puerta y abrió una muchacha alta, de figura esbelta, joven. Muy a la moda, aunque iba pintada y vestida con demasiado brillo para ser tan temprano. Su porte no era distinguido, ni tenía maneras delicadas: al ver a Anna, torció el gesto y recargó su peso en la cadera derecha como si tuviera que lidiar con alguien al que no se le esperaba ni se deseaba.

—Soy Anna Expósito —se presentó—. Vengo a trabajar.

—Ah, ¿eres tú? —La miró de arriba abajo—. Pasa, pasa.

Abrió la puerta y sintió sus ojos clavados en su espalda. La oficina era una sala más bien grande, diáfana, con tres mesas de madera oscura, anuncios de revistas enmarcados en las paredes, calendarios y relojes con la hora de Nueva York y otras ciudades europeas. Era sobrio, pero con tintes de modernidad: había dos máquinas de escribir, un teléfono y una calculadora Dalton. Anclado al fondo, un enorme archivador de metal con varios cajones y un ventilador eléctrico.

—Espera que aviso a Emilio —añadió.

Sus tacones resonaron por la estancia mientras se dirigía hacia una habitación en cuya puerta aparecía el nombre de Emilio Alarcón. Entró en ella pero salió enseguida y se sentó a una mesa donde estaba el teléfono y varios sobres, sellos y tarjetas de dirección. Anna intuyó que se trataba de la secretaria.

—¿Cómo te llamas? —le preguntó, ansiosa por entablar conversación.

—Maribel —respondió secamente, con cara de pocos amigos.

Era rubia teñida. Tenía el pelo corto y unos labios gruesos, seductores. Más que guapa, llamaba la atención por su forma de contonear las caderas y el corto de su falda. Quizá, pensó Anna, era una de las amantes del señor Alarcón.

—¿Llevas mucho tiempo trabajando aquí?

—Solo un año. —Se miró las uñas y se quitó una pielecita con los dientes—. Antes era camarera, pero Emilio me dio la oportunidad de estar aquí. Mucho mejor, la verdad.

Sus dudas se despejaron. Estaba claro que se había encaprichado de ella y la había metido en Media para contemplar su cara bonita.

—No sé usar muy bien la máquina esta. —Señaló con desprecio la máquina de escribir—. Pero voy aprendiendo poco a poco. ¿Y tú? ¿Vienes a echarme una mano?

Anna arrugó la frente. ¿Es que no le habían explicado para qué había ido?

—Bueno, vengo para aportar ideas a la publicidad.

—Ah —dijo secamente—. ¿En serio? ¿Tú?

—¿Qué problema hay? ¿No te parece bien?

—Pero eres una mujer. —Abrió las palmas de la mano—. ¿Qué ideas puedes aportar? Emilio e Ignacio son los cerebros de la empresa.

—Pues ya ves que yo también puedo serlo. —Dejó escapar un suspiro—. ¿No crees que una mujer sea capaz de hacerlo?

—La verdad es que no, cariño. —Frunció el ceño y la miró duramente—. Te digo una cosa, guapa. Emilio es mío y no voy a permitir que me sustituya por una mojigata como tú.

—Oye, yo no...

—Ándate con ojo —la interrumpió—. Me ha costado mucho estar aquí y no pienso perderlo.

—¡Que yo no tengo nada con Emilio! —exclamó sobrepasada—. Vengo a trabajar de verdad, no a coquetear con nadie.

El señor Alarcón salió por fin del despacho acompañado por otro hombre. Era moreno, tenía una nariz ganchuda y unos labios finos, casi inexistentes. Su cara asimétrica y unos dientes irregulares y amarillentos por el tabaco lo hacían poco atractivo.

—Te presento a mi socio: Ignacio Rojas —dijo Emilio, con el cigarro en la boca—. Seréis compañeros a partir de ahora.

Ignacio le estrechó la mano y sonrió. Las mangas de su camisa estaban manchadas de tinta y detrás de la oreja guardaba un lápiz de la marca alemana Faber-Castell.

—Es el director artístico de Media —continuó Emilio—. Uno de los mejores que hay en España.

—Bueno, ya será menos... —Se ruborizó, orgulloso—. Así que vamos a trabajar juntos, señorita Expósito.

—Mejor llámame Anna —le indicó amablemente—. Será un placer para mí aprender con el mejor.

—Sí, venga, pero dejaos de adulaciones —soltó Emilio, dirigiéndose hacia una mesa—. Y enséñale cómo trabajamos.

La mesa de Ignacio era lisa, con soportes para permitir la inclinación. En ella había un sinfín de instrumentos y herramientas para dibujar: plumas, pinceles, cartulinas, tinta china, tiralíneas, regla, compás, plantillas para rotular, disolventes y témperas... Olía muy fuerte a aceite y aguarrás. El trabajo de Ignacio no era sencillo: realizar un boceto, luego entintarlo, controlar los grosores de los contornos, el detalle de las texturas, el efecto de la luz en las formas dibujadas, tratar de dar movimiento a los personajes...

–Primero formamos la idea –comentó Ignacio–. Y si el jefe está de acuerdo, procedo a plasmarla en papel. Después, concertamos una reunión con el departamento de ventas de Gal y, si les parece bien, enviamos el anuncio a las revistas comerciales.

–Ajá –asintió Anna–. Tal como pasó con el último anuncio.

–Sí... –repuso de mala gana–. Ya veremos cómo se lo tomará la gente.

–¿Por qué lo dices? –Arrugó el ceño–. ¿Crees que no tendrá éxito?

–No sé, creo que hemos arriesgado demasiado.

–No tengas celos, anda. –El señor Alarcón le apretó el hombro–. Que lo que te jode es que la chica lo haya hecho mejor que tú.

Le guiñó un ojo y rio. Ignacio, sin embargo, no parecía estar de broma.

–Bah, no me preocupa para nada. –Apretó los labios–. Llevo muchos años dedicándome a esto y no va a ser mejor que yo una criada.

–¡Hala, venga! –exclamó Emilio–. Ahí te has pasado, Ignacio.

Anna no daba crédito a la falta de respeto de quien iba a ser su compañero a partir de ese momento. ¿Cómo era posible que la tratara de esa manera?

–Yo no dudo de tu profesionalidad, ni pretendo ser mejor que tú –respondió ella.

–¿Unas chicas conduciendo? –Puso los ojos en blanco–. ¿A quién se le ocurre? ¡Es un maldito jabón! Desde siempre se ha intentado convencer a las madres de lo mejor para sus hijos.

–Pues quizá es hora de enfocarlo de otra forma. –Se puso los brazos en jarras, desafiante–. El señor Alarcón estuvo de acuerdo.

–El señor Alarcón parece que pierde el oremus cuando regresa a su casa. –Sacudió la cabeza–. No estaba centrado y dejó que...

–¿Dejó qué? –respondió Anna–. ¿Que una criada lo sedujera y manipulara? ¿Está diciendo que su jefe no tiene capacidad de decisión?

Emilio Alarcón, pese a la intensidad de la discusión, soltó una carcajada.

—A ver, a ver... —Dio una calada a su cigarrillo—. No nos pongamos nerviosos. No quiero que os llevéis mal, leche. La chica es
buena, Ignacio, hazme caso. Creo que tiene ideas innovadoras.

—¿Y va a decidir por mí a partir de ahora?

—¡Que no, joder! —Se puso tenso—. Tenéis que trabajar en equipo
y yo seré quien tome la última decisión. Navegáis en el mismo barco y
tenéis que llevaros bien, ¿vale?

—Pero no me llame «la chica», señor Alarcón —espetó Anna en-
furruñada—. Porque al señor Rojas no lo llama «el chico». Tengo un
nombre, ¿de acuerdo?

—Madre mía... —Se palmeó la frente—. Que sí, señorita Expósito,
que tiene nombre. Perdone usted.

Lo dijo con retintín. El ambiente estaba tenso: Ignacio se quedó
mirando al suelo y Anna hacia el techo. Maribel, con un lápiz en la
boca, no dejaba de taconear insistentemente hasta que se atrevió a
hablar:

—¿Así que tuviste algo con esta este verano?

El señor Alarcón levantó las manos al techo, desesperado, y le
tocó el culo con fuerza.

—¿Crees que te cambiaría por ella? —Rio—. Con lo guapetona que
eres tú, cariño...

Maribel se sonrojó y miró a Anna con recochineo, orgullosa de
las palabras del jefe. Luego, más relajada, se sentó en su silla y comenzó a teclear en su máquina de escribir. El señor Alarcón, cuida-
doso de que no le escuchara la secretaria, se acercó a Anna.

—No te ofendas —susurró con seriedad—. Que tú también eres muy
guapa.

Anna levantó las cejas asombrada por la capacidad que tenía
aquel hombre de ofender a las mujeres cada vez que abría la boca.
No tuvo tiempo de replicarle, pues le dio la espalda rápidamente y se
encerró en su despacho mientras Ignacio se aguantaba la risa.

—Total, que tenemos que ponernos a trabajar ya —comentó este,
apoyándose sobre una mesa e instando a Anna a sentarse—. Agua de
colonia añeja.

—¿Agua de colonia añeja? —resopló ella—. Espera, espera... No
puedo ponerme a trabajar contigo así, sin dejar clara nuestra relación.
¿Estás dispuesto a respetarme?

—Mira, Annita, yo no quiero cabrear al jefe. Además, que yo soy socio de Media y tú no. No pienso ponerme a tu altura.

—¡Pero que yo no quiero problemas! —exclamó, perdiendo los nervios—. Yo sí te tengo respeto. Quiero que dejes de lado el hecho de que yo sea una mujer. Soy una trabajadora más de esta empresa.

—Pues como trabajadora de esta empresa céntrate en lo que vamos a hacer ahora. —Le dio papel y lápiz—. Agua de colonia añeja. ¿La has olido?

Anna negó. Había visto a Pili ponerse agua de colonia en las piernas después de una noche de baile o una tarde de compras, incluso en los muslos y caderas para adelgazarlos, pero no recordaba de qué marca era. Por suerte, Ignacio sacó un frasco de uno de los cajones de la mesa. Era sencillo, con tapón de rosca, y se veía a través del cristal un líquido dorado. No era cara, así que se lo podía permitir cualquiera. Se puso un poco en la muñeca y la olió.

—Tiene un frescor herbal fuerte, intenso... —comentó y volvió a oler—. Un poco cítrico. Huele a limpio y reparador.

—Eso es —asintió Ignacio—. Lleva un noventa por ciento de alcohol y el alcohol cura y desinfecta.

Anna arrugó la frente.

—¿No oyes a la gente de la calle? —continuó Ignacio, sonriendo con ironía—. Muchos lo usan como remedio eficaz para los catarros. Debemos reflejar eso: lo bueno que es para la salud, para evitar enfermedades y gripes.

Anna negó con la cabeza.

—No creo que sea lo mejor.

Ignacio torció el gesto y se cruzó de brazos.

—A ver, por qué, Annita.

—Me llamo Anna. —Suspiró con agotamiento—. Hay muchos jarabes para curar los catarros. Eficaces de verdad. ¿No crees que deberíamos enfocarlo a la belleza?

—¿La belleza? —Rio—. ¿Qué tiene de belleza la colonia esta? Es barata, fuerte; las mujeres prefieren usar otros perfumes mejores.

—No, pero no me refiero a equipararlo a un perfume, sino al cuidado femenino. —Se quedó en silencio, pensando—. Tienes razón en lo de que transmite salud y bienestar, pero creo más conveniente dirigirlo al cuidado de la imagen de la mujer.

—A ver, a ver... —Se restregó los ojos—. ¿Tú te pondrías esa colonia en la cara o algo?

—No, en la cara no, pero sí en las piernas, en la barriga, en los muslos...

—Para eso están las cremas hidratantes.

—Mira, ahora ya no basta con tener una cara bonita. —Se puso de pie—. El mundo exige cada vez más a las mujeres: deben tener un cuerpo esbelto, armónico, que sea saludable, ágil y delgado. Muchas hacen dietas, gimnasia, incluso toman purgantes para adelgazar.

—Creo que estás exagerando.

—¿Estoy exagerando? —Lo miró seriamente—. ¿Has visto a las chicas de Hollywood? Es más: ¿cómo dibujas tú a las mujeres de tus anuncios? ¿Gordas y bajitas o flacas y esbeltas?

Ignacio carraspeó y trató de quitarle importancia.

—Solo son anuncios.

—Las mujeres quieren ser como ellas porque tienen éxito. Lo que dibujas es importante. Muchas viven obsesionadas por la moda y por el cuidado de su cuerpo.

—Pongamos por caso que tienes razón... ¿Qué propones tú?

—Hablar de recompensa de bienestar por el esfuerzo físico realizado, de eliminación de grasa corporal, de nueva belleza...

—Entonces nos estamos centrando solo en aquellas mujeres que quieren adelgazar. —Negó con la cabeza—. En cambio, si hablamos de salud y de evitar catarros... Todas querrán comprarla.

—Las mujeres bailan, se divierten, salen de compras... Cuando llegan a casa, ¿qué mejor que echarse un poco de agua de colonia en el cuerpo para sentirse mejor? Y si, además, adelgaza...

Ignacio negó con la cabeza insistentemente.

—No me parece bien. —Se encogió de hombros—. Seguiremos mi idea. Tú misma me has dado la razón con lo de la salud.

Anna resopló y apretó los puños.

—¡Es salud de otro tipo! —alzó la voz—. De todos modos, la última palabra la tiene el señor Alarcón. Y tenemos que ponernos de acuerdo.

—Vamos a ver, «Annita», que el que lleva años trabajando en esto soy yo. ¿Sabré yo más que tú?

—Pues si supieras más que yo, no estaría aquí ahora mismo, ayudándote —se jactó—. ¿No crees?

–Quizá es porque Emilio te prometió un trabajo después de meterte en la cama, ¿no?

Anna abrió la boca, ofendida, pero trató de calmarse y acabar con aquella discusión que no iba a traer nada bueno. Estaba claro que Ignacio no quería verla allí, ni trabajar con ella, que no dejaría de molestarla hasta conseguir derrotarla. Sin embargo, no lo iba a permitir. Sabía que era buena y que valía para eso, así que tendría que aceptar que, como mujer, se encontraba en una posición vulnerable en comparación con sus compañeros masculinos, y que tendría que ser fuerte y valiente. Trataría de hacer oídos sordos a los insultos y ganar a Ignacio con sus ideas y su trabajo.

–Que decida Maribel –dijo ella al fin–. Ella es imparcial. Veamos qué es lo que prefiere: un antídoto contra el catarro o un producto para adelgazar.

–De acuerdo.

Maribel llegó contoneándose, con una sonrisa boba en el rostro a la espera de que Ignacio hablara. Sus tacones resonaban en el suelo. Era, sin duda, una mujer explosiva y seductora. Ignacio le entregó el frasco de colonia.

–Huele esto –le ordenó–. ¿Qué te parece?

–Es muy fuerte. –Hizo una mueca de asco–. Prefiero Chanel.

–¿Te lo echarías por todo el cuerpo? –continuó.

–¡No, por Dios! –exclamó, arrugando los labios–. ¿Estás loco? Emilio ni siquiera se acercaría a mí.

–Pero si estuvieras resfriada y te viniera bien para curarlo...

–Bueno, entonces vale –asintió al fin–. Si es por salud, lo haría.

Ignacio sonrió y miró a Anna con cara de triunfo. Se tocó el pelo, orgulloso, y esperó a que Anna defendiera su postura.

–¿Y si te dijera que elimina la grasa corporal? –le preguntó a Maribel–. ¿Y si cada vez que te pusieras esa colonia en los muslos, las caderas y la barriga te ayudara a mantener un cuerpo más esbelto y más saludable? ¿Y si cada vez que llegaras de bailar, esa colonia te ayudara a sentir las piernas más descansadas y más tersas?

Maribel abrió los ojos como platos.

–¿Cuánto vale este frasco?

–No llega a dos pesetas.

–¡Dios mío! –espetó, cogiendo la colonia–. Esta misma tarde me pienso comprar unos cuantos.

Ignacio alzó las cejas y se mostró preocupado.

–Pero ¡qué dices! ¿No decías que no te gustaba?

–Tú no sabes lo que es ir con tacones todo el santo día –le espetó cansada–. Me duelen los pies y las piernas. ¿Y si encima adelgaza? ¡Por dos pesetas es una ganga!

–¡Emilio no querrá acercarse a ti! –exclamó él desesperado–. Tu cuerpo olerá a colonia barata.

–Bueno, pero estaré más delgada. –Sonrió, imaginándose–. Así que le gustaré más.

Ignacio se llevó la mano a la frente, incrédulo. Anna había ganado una batalla, pero no la guerra.

HIGIENE MODERNA

Aire libre, baños, bailes, deportes y colonia añeja. Su perfume es juventud y bienestar. Huele a flores y a frutas. Posee toda la fuerza alcohólica –90°– que reclaman los nervios fatigados y la piel sanamente bruñida por el sol.
Conserva y aumenta la esbeltez y la flexibilidad del cuerpo de la mujer moderna, con esa elegancia característica de nuestra época.

29

El señor Alarcón aparcó el coche en la plaza de la Moncloa. La fábrica Gal se encontraba allí, en el paseo de San Bernardino, al final de la calle Princesa. Habían ido todos los miembros de la agencia Media, incluida Maribel. Ya era octubre y el otoño ya se notaba en Madrid. Hacía un viento fuerte; los árboles habían empezado a perder las hojas y estas revoloteaban en las calles violentamente. El cielo estaba gris, poblado de nubes, y en el horizonte se oían truenos que anunciaban la inminente llegada de la lluvia. De hecho, el aire estaba cargado de humedad y muchos transeúntes, ante las primeras gotas de agua, comenzaron a refugiarse en los cafés y los bares para tomar una bebida caliente. Anna adoraba el otoño; tendría que acostumbrarse al frío, pero le encantaba el color que traía aquella estación, más difusa e imprecisa que la del verano: el ocre y amarillo de las ramas de los árboles la hacían sentirse arrullada y protegida, también melancólica por lo que había dejado atrás en Barcelona. Echaba de menos a sor Julia, pero en Madrid había encontrado una nueva forma de vida con la que se sentía más satisfecha. Aunque solo llevaba un mes trabajando para Media, se había acostumbrado a un trabajo estimulante que absorbía prácticamente todas las horas del día y a una vida social más bien escasa. No había tenido tiempo para hacer amigos, así que su círculo de convivencia en la capital se reducía a las charlas banales con Pedro en la pensión. Había hecho de ella su casa y no vivía del todo mal. Sin embargo, tenía un enemigo: Ignacio Rojas. No estaba cómoda a su lado y se palpaba una tensión amenazante. Anna había ganado la batalla con el anuncio de la colonia añeja y el señor Alarcón la había felicitado, lo que había provocado, una vez más, los celos y la envidia de quien se creía el mejor publicista de Madrid.

Así pues, con el sonido de fondo de los tacones de Maribel, llegaron a las puertas de la fábrica, donde los esperaba el mismísimo Salvador Echeandía Gal, el dueño de la marca. Un hombre de sesenta y dos años, de pelo blanco, cejas espesas, ojeras marcadas y nariz ancha. Le habían concedido hacía poco la Medalla de Oro del Trabajo. Era, incluso, proveedor de la familia real española y había abierto delegaciones en París y Argentina.

Antes de conducirlos a su despacho, les hizo un recorrido por la enorme fábrica de estilo neomudéjar que comprendía los laboratorios, oficina, talleres y vivienda del gerente. A lo largo de los cuatro pisos, visitaron el conjunto de sus instalaciones: la frasquería, los almacenes, los salones de trabajo y el taller donde se elaboraba la jabonería. En general, había buena ventilación, higiene y luz.

Anna observó al conjunto de trabajadores: había tanto hombres como mujeres, pero sus tareas estaban diferenciadas. Los hombres se dedicaban a la cocción de la pasta y fabricación de jabones, así como a la destilación y preparación del agua de colonia. Eso implicaba el uso de materia prima peligrosa, por los productos químicos, y un esfuerzo físico considerable. Mientras que las mujeres se dedicaban a las labores de limpieza y empaquetado: el etiquetado, el precinto del frasco, el sellado, el empapelado y la colocación en estuches tanto de las pastillas de jabón de tocador como de los polvos de arroz.

—Mis trabajadores están felices, ¿no los veis? —dijo el empresario vasco, orgulloso—. Trabajan ocho horas diarias y cobran seis pesetas. Las mujeres, tres, y las aprendices, dos. Además, tienen todos servicio médico gratuito y las madres, paga previa y posterior al parto, así como una sala especial y acomodada para las lactantes.

Todos asintieron, dándole la razón. Sin duda, aquellas mujeres podían sentirse afortunadas de trabajar en un lugar como ese. No obstante, Anna no pudo obviar que cobraban la mitad que sus compañeros varones y se lo aplicó a sí misma. El señor Alarcón le estaba pagando un total de diez pesetas a la semana. ¿Cuánto estaría cobrando Ignacio? Claro que él era socio de Media y llevaba ya muchos años en el sector... Anna lo consideró de distinta manera: ¿cuánto se estaría ahorrando Emilio en pagar a una mujer como ella y no a un hombre que hiciera su mismo trabajo?

Observaron el proceso de fabricación del jabón. El envoltorio del Heno de Pravia tenía el color verde del heno recién cortado y el amarillo dorado del heno secado al sol. Además, aparecían unas ramas de olivo en referencia al aceite que se utilizaba en su composición. Así pues, el aceite de oliva se mezclaba con lejía disuelta en agua y otros aditivos para mejorar el color, la textura y el aroma del jabón. Después, esa mezcla se vertía en moldes y se dejaba endurecer para después cortarlo en barras y proceder al empaquetado.

Echeandía también les enseñó la producción del agua de colonia añeja. Enormes cubos de metal almacenaban litros y litros de agua con flores, plantas y frutas que formarían parte del aroma de la colonia. Tras unas horas de maceración, se procedía a la destilación para separar el agua de la esencia y obtener así el líquido perfumado.

Llegaron al despacho del señor Echeandía. Tomaron asiento y su secretaria les sirvió unas tazas de café y un plato de churros recién hechos. Maribel sacó su bloc de notas y un bolígrafo para apuntar todo lo que se iba a hablar en la reunión.

–¿Así que eres la nueva chica de Media? –le dijo a Anna sonriendo–. La verdad es que ha sido un buen fichaje.

–Yo siempre tengo a las mejores chicas. –Emilio alzó las cejas, seductor–. Mire qué secretaria tengo, señor Echeandía. No me dirá que no elijo bien.

Los hombres lanzaron una sonora carcajada. Maribel estaba encantada de recibir piropos y se le subieron los colores a las mejillas. Sin embargo, Anna no podía entender por qué el señor Alarcón se empeñaba en ridiculizar a sus trabajadoras en cuanto tenía ocasión.

–Maribel es una excelente secretaria –soltó Anna–. Muy organizada y responsable.

–Sí... ya... –El señor Alarcón se encendió un cigarrillo–. Bueno, ¿cómo van las ventas de agua de colonia?

–Inmejorables –repuso el empresario, satisfecho–. De hecho, en pocas semanas hemos notado un incremento de las ventas. En los comercios nos comunican que las mujeres los compran de dos en dos.

Anna esbozó una gran sonrisa.

–Esta vez se ha superado, señor Rojas –continuó, dándole una palmada en la espalda a Ignacio.

–Muchas gracias, señor Echeandía. –Ignacio se recostó en la silla y miró a Anna de reojo–. Los tiempos cambian y hay que adaptarse a la nueva vida moderna.

–Ha sido un acierto, sin duda.

Anna no se podía creer lo que estaba oyendo. Ignacio se estaba llevando el mérito del anuncio cuando la idea había sido de ella. Además, el señor Echeandía ni siquiera había agradecido el éxito a los dos, sino solo a Ignacio. ¿Es que ella no pintaba nada en esa agencia?

–Pues me alegro del aumento de las ventas –comentó Anna–. Ya se lo dije al señor Rojas, que debíamos hacer que el agua de colonia fuera un complemento para la mujer deportista y preocupada por la salud y belleza de su físico. Y ha dado resultado. Incluso Maribel participó en el experimento y nos ayudó a tomar la decisión.

El señor Alarcón le dirigió una mirada seria, incitándola a callarse.

–Bueno, el trabajo ha sido, como siempre, gracias a la participación de todos –añadió–. Por eso somos la mejor agencia del mercado.

–Ya veo que esta señorita ha sido una gran ayuda para el señor Rojas –sonrió el señor Echeandía–. Siempre digo que, sin las mujeres, nada en el mundo funcionaría. Pero, en fin, dejemos de lado el asunto de la colonia y vayamos al próximo producto: jabón de afeitar Gal.

Anna cogió el frasco y lo olió. Tenía notas de sándalo y musgo. Llevaba, entre sus ingredientes, glicerina, lanolina, alantoína y bisabolol, que mejoraban el deslizamiento de la navaja y la lubricación de la piel.

–Yo es el que uso. –Emilio se encogió de hombros–. A mí me encanta: tiene una espuma suave y va de maravilla.

–¿Tú también la usas, Anna? –preguntó Ignacio con picardía.

Todos rieron. Quería humillarla delante del señor Echeandía y dejar más que claro que en el terreno de los hombres, a diferencia de los anuncios anteriores, ella no gozaba de la misma experiencia. Ignacio tenía las de ganar.

–No, de momento. –Fingió una sonrisa–. Pero son muchas las esposas que compran para sus maridos. ¿No creen?

–¿Plantea entonces, señorita, qué la protagonista sea una mujer? –preguntó Echeandía.

–¿Y por qué no? –Abrió las manos–. Podemos plasmar que es el mejor producto para el afeitado y que sus mujeres lo saben y por eso lo compran.

–Pues si le digo la verdad, señorita, cuando era joven me lo compraba yo, porque mi madre no sabía cuál era el mejor. No todos los hombres están casados.

–El mejor podría ser el que garantice el éxito social: las mujeres quieren que sus maridos disfruten de cierto poder y que tengan autoestima.

–Y ¿qué pasa con los que no pueden optar a ese éxito social? Los trabajadores comunes, obreros... También se afeitan, pese a que no tengan una ajetreada vida social. Queremos llegar a todos los hombres.

Ignacio asintió y aprovechó el golpe para intervenir:

–Los hombres buscamos eficacia, rapidez y asequibilidad –dijo con calma–. La crema de afeitar no tiene un fin estético.

–Sí lo tiene –replicó Anna–. Hace unos años se llevaban las barbas pobladas. Ahora bien rasuradas. Es una cuestión de moda y el afeitado hace a los hombres más atractivos.

–Sigues viéndolo desde el punto de vista femenino –resopló Ignacio–. Para un hombre, afeitarse es una incomodidad, algo molesto. ¿O es que a las mujeres os gusta depilaros las piernas?

Maribel negó con la cabeza y rio.

–¡Es terrible! –exclamó la secretaria–. La cera es muy dolorosa, pero la chica que me lo hace es muy rápida y casi ni me entero.

–Un ejemplo práctico –comentó Ignacio, señalándola–. Ella busca que sea rápido y que quede bien, pero no disfruta con el acto.

Anna enmudeció. Debía reconocer que Ignacio había sido muy hábil y que su discurso tenía cierta coherencia. Rápidamente se arrepintió de haber hablado más de la cuenta, sobre todo de un producto que desconocía, y más aún delante del señor Echeandía.

–Va bien por ahí, señor Rojas –asintió el empresario–. Trabájelo. Y usted, señorita, es mejor que deje las cosas de hombres para los hombres.

Ignacio rio y se encendió un cigarrillo como símbolo de la batalla ganada. Anna tragó saliva y miró al señor Alarcón, que parecía disgustado con ella. Le iba a caer una buena bronca.

Y así fue. Al salir de la fábrica en dirección al coche, Emilio le echó en cara su comportamiento.

—A ver, chica, que no tienes que demostrar nada a nadie y menos al señor Echeandía, ¿te queda claro?

—Defendía lo mío, eso es todo.

—Ignacio lleva más tiempo que tú, no quieras pasar por encima de él cuando acabas de empezar.

—No es eso, señor Alarcón, pero él sabe perfectamente que el éxito de la campaña me corresponde a mí también y en ningún momento ha compartido el mérito.

—Annita, Annita... —soltó Ignacio—. ¿Crees que el señor Echeandía quiere saber que una novata como tú ha tenido la idea? Confía en mi experiencia.

—Has querido humillarme delante de él, como si fuera una simple ayudante.

—¿Es que no lo eres? —se burló—. ¿O te crees mejor que yo cuando no llevas ni un mes trabajando para la agencia?

Anna arrugó la frente y apretó los puños. Todos cruzaron la carretera en busca del coche, tratando de esquivar el tráfico.

—Tienes que ser más humilde, Annita —continuó Ignacio, mirándola por encima del hombro—. No querrás pasar también por encima del jefe, ¿no?

—Bueno, déjala, Ignacio, que la muchacha solo quiere una palmadita en la espalda. —Paró de golpe y la miró—. Eres buena, ya te lo dije. Y gracias a tu ayuda, la colonia añeja ha triunfado. Pero recuerda que, si no hubiera sido así, ahora mismo quizá estarías de vuelta en Barcelona. No esperes que te regale el oído cada vez que cumplas bien con tu trabajo porque es lo que espero de todos mis trabajadores.

Aquellas duras palabras le cayeron como un jarro de agua fría. El señor Anyí siempre había sido muy amable con ella y le había reconocido sus dotes de ventas, pero Emilio no iba a ser tan magnánimo ni considerado. Tendría que aceptar que sus logros quedaran para su disfrute propio, jamás expuestos en público. Pero sí los de Ignacio, porque era un hombre experimentado y se le consideraba la cabeza pensante de Media, al menos ante los ojos del señor Echeandía.

—A mí Emilio me recompensa de otra manera. —Maribel soltó una risilla tonta—. Nunca en público.

El señor Alarcón le abrió la puerta de atrás del coche y le azotó el culo mientras se acomodaba en el asiento. Los dos se lanzaron miradas de coqueteo. Anna dejó escapar un suspiro y se quedó todo el trayecto en silencio hasta que llegaron a las oficinas de la Gran Vía. En cuanto llegaron, Maribel se fue directa al baño para retocarse. Anna la acompañó y observó el esfuerzo de la secretaria por borrar de su rostro cualquier estrago del fuerte viento de la mañana. Sacó del bolso un carmín, un lápiz negro de ojos y los polvos de arroz.

—Oye, Maribel, deberíamos hablar... —La chica alzó la vista desde el espejo, pero continuó con su ritual de embellecimiento sin prestarle demasiada atención—. Creo que entre mujeres deberíamos ayudarnos, ¿no te parece?

—¿Ayudarnos a qué?

—A que los hombres valoren nuestro trabajo.

—Emilio me valora mucho. —Se aplicó el colorete con los dedos—. No sabía ni lo que era una máquina de escribir y aun así me contrató como secretaria.

—Ya... —Desvió la mirada—. Pero ¿no tienes la sensación de que delante de los demás nos tratan como si fuéramos idiotas?

—Los hombres son así. —Hizo un gesto quitándole importancia—. No te lo tomes tan a pecho. Además, siempre serán más listos que nosotras.

—¿En serio lo piensas? —Sacudió la cabeza—. Puede que estén más preparados, pero no tienen más capacidades que nosotras.

—Claro que sí, Anna, por eso son ellos los que tienen las empresas y el dinero.

—No quieren que las mujeres demostremos al mundo lo que valemos, por eso nos esconden y menosprecian nuestras ideas. Para ellos somos una amenaza. Ningún hombre quiere quedar por debajo de una mujer.

—¡Qué radical eres! —Rio—. Pues el señor Alarcón habla muchas veces de ti, ¿sabes? Dice que hizo bien trayéndote a Madrid, que enseguida supo que lo harías bien.

Anna se quedó parada y sorprendida.

–¿De verdad? –Se quedó en silencio–. ¿Y por qué no me lo dice más a menudo?

–Porque no hace falta. –Se encogió de hombros–. Que tú necesites oírlo no significa que él tenga la obligación de decirlo. Si estás en Media es porque vales, de lo contrario no estarías aquí. Como yo.

Anna se ruborizó. Maribel tenía, a veces, más lógica y sentido común que ella. Sin embargo, aunque Emilio estuviera, en el fondo, satisfecho con su trabajo, su máxima preocupación era Ignacio.

–¿Y qué me dices de Ignacio?

–Ignacio es caso aparte. –Suspiró–. No he hablado mucho con él, así que no sé cómo piensa. Pero siempre que te ganes a Emilio estarás a salvo.

–¿A salvo? –preguntó frunciendo el ceño–. ¡Qué expresión tan terrible!

–Las mujeres sobrevivimos en un mundo de hombres. –Se puso séria–. Somos unas afortunadas de estar donde estamos. Y con Emilio tengo todo lo que necesito. Él es el jefe y quien toma las decisiones en la agencia.

Por un instante, a Anna le pareció estar ante otra Maribel; no la mujer superficial, seductora y sumisa de la oficina, sino otra mucho más sabia y sensata, como si la primera fuera un simple papel que la ayudaba a mantener su posición, a tener una vida plácida y despreocupada.

–Pero a mí no me hagas mucho caso –siguió, poniéndose ahora un toque de perfume–. Solo soy una secretaria.

Maribel le guiñó un ojo y salió del baño contoneando sus caderas de forma sensual. En la mesa la esperaba Ignacio, con el lápiz en la boca, mordiéndolo. En su mano sujetaba un frasco de jabón Gal. Enseguida se pusieron a trabajar.

JABÓN GAL PARA LA BARBA

Cinco minutos. No más necesita usted para afeitarse bien y sin molestias cuando la barba está jabonada con jabón Gal.

Esa espuma que brota en el acto, espesa enseguida y dura sin secarse lo que dure su afeitado. Es una espuma especial, untuosa y abundante. La hoja se maneja diestramente, sin dificultad; se desliza suave, sin un tropiezo.

Con menos atención que antes, el resultado es mucho mejor: y al cabo de esos breves minutos, por obra de esa espuma que es el elemento principal del afeitado, tiene usted la satisfacción de verse en el espejo la cara limpia y notar el cutis libre de escozor, suave como el de un niño.

30

El sábado se desencadenó una gran tormenta: truenos ensordecedores, relámpagos, viento fuerte y lluvia a cántaros. Ya había anochecido y Anna estaba cansada de permanecer en la habitación de la pensión. En Barcelona, pensó, seguro que habría salido de fiesta con las chicas. Sin embargo, no conocía a nadie en Madrid y la única con la que había hecho buenas migas, Maribel, vivía a merced del señor Alarcón y no solía salir de noche. Así que, con intención de lavarse los dientes y meterse ya en la cama, se dirigió al baño de la primera planta y se topó con Pedro, que justo salía de él. Se había afeitado y olía a colonia: bien acicalado para irse a trabajar. Se saludaron y se despidieron hasta el día siguiente. Ya en el baño, Anna se lavó los dientes con dentífrico Dens, también de la marca Gal, y luego hizo uso del inodoro. Al tirar de la cadena, el agua comenzó a borbotear demasiado y se desbordó de la taza, mojando todo el suelo. La cisterna no dejaba de hacer ruidos extraños así que Anna la abrió para comprobar que no hubiera un atasco, producido quizá por el agua de la tormenta. No, todo estaba bien. Pero vio algo detrás del retrete: un paquetito de tela muy pequeño. Lo cogió para ver de qué se trataba y qué hacía allí. Eran unos cuantos en aquella pensión, quizá más de quince, y puede que alguien lo hubiera perdido. Abrió la tela lentamente y se encontró con un polvo blanco sospechoso. Había visto eso antes o, al menos, algo parecido: la cocaína que esnifaba Pili tenía la misma pinta. ¿Quién lo habría dejado allí? ¿Era droga de verdad?

Pedro había sido el último en salir. ¿Era suya? Y si fuera así, ¿por qué lo dejaría allí en vez de guardarlo en su habitación? Salió del baño con el paquete escondido en su blusa y llamó al conserje para que limpiara el suelo encharcado del baño. Luego, se dirigió a la habitación de Pedro, que se encontraba en la primera planta. Rezó para que todavía no se hubiera marchado y llamó a la puerta con insistencia. Efectivamente, todavía estaba allí. Justo se había puesto la chaqueta y el sombrero, así que se disponía a salir.

—¿Qué haces aquí? —dijo sorprendido—. He de irme a trabajar.

—¿Puedo pasar? —preguntó temblorosa.

Pedro asintió, confundido, y esperó ansioso la explicación de Anna. La habitación de Pedro era exactamente igual que la suya, aunque en aquella olía a una mezcla de tabaco y colonia Varón Dandy.

—Madre mía, qué misteriosa pareces —comentó él, a media voz.

—¿Es esto tuyo? —Sacó el paquete y se lo mostró—. Creo que es droga. Estaba en el baño, escondida.

Pedro palideció y carraspeó con nerviosismo. Anna comprendió, por su reacción, que él tenía algo que ver.

—¿Cómo lo has encontrado? —Negó con la cabeza—. No deberías haberla tocado.

—El suelo del baño está empapado de agua y tenía que avisar al conserje. ¿Preferías que lo descubriera él?

Pedro se llevó la mano a la cabeza.

—No me gusta estar en una pensión en la que se trapichea con drogas —continuó ella, decepcionada—. ¿Para quién era?

—No digas nada, por favor —le suplicó—. O llamarán a la policía.

—¿La estás vendiendo en la pensión? —Arrugó la frente—. ¿No dices que ya tienes trabajo?

Pedro estaba sudando y se quitó el abrigo. Luego la agarró de las manos y volvió a rogarle que no lo delatara.

—No lo haré; no soy una chivata —espetó ella al fin—. Pero no me parece bien que te lucres con este tipo de cosas. La droga no es buena. He visto a una buena amiga sufrir por ello. La cocaína es...

—No es cocaína —la interrumpió—. Es heroína.

—¿Heroína? —Arqueó una ceja—. Creía que la droga de moda era la cocaína.

—Son diferentes. La heroína es un derivado del opio y de la morfina. Muchos desgraciados la prefieren para paliar el dolor. Pero no solo el dolor físico, sino el del alma, que es el peor. Ya no se vende en las farmacias si no es con receta médica. Saben que es altamente adictiva.

205

–¡Madre mía! –exclamó Anna–. Dime que tú no la consumes, por favor.

–No –respondió con rapidez–. Solo la vendo. Y te aseguro que lo hago por necesidad.

–Pero eres camarero y puedes permitirte vivir aquí, ¿no?

Pedro se quedó en silencio.

–No exactamente –dijo al fin, bajando los ojos–. Soy transformista.

–¿Transformista? –Anna no se lo podía creer–. ¿De esos que se visten de mujer?

–Sí, sí. –Soltó un suspiro–. Hago espectáculo por las noches. Pero no te creas que pagan bien: somos muchos los que vivimos de esto y hay competencia. Además, mi familia es pobre y me comprometí a pagarle los estudios a mi hermano pequeño.

–Así que recurres a la venta de heroína.

–Yo y la mayoría de los que trabajamos en el American Club.

Anna trató de imaginarse a Pedro vestido de mujer, pero le parecía imposible. Siempre llevaba ropas muy elegantes y masculinas. Aunque había oído hablar de los transformistas, jamás había visto actuar a ninguno. Sabía, por lo que decían las chicas, que se trataba de un género erótico y pícaro, muy típico en los teatros de variedades del barrio chino y del Paralelo. Aunque había visto de todo durante su estancia en el Raval, no acababa de comprender el gusto por aquel tipo de espectáculos. Le costaba aceptar que un hombre pudiera vestirse como una mujer y que le aplaudieran por ello. Aunque creía ser moderna y tolerante en algunas cosas, en otras sentía que la educación que había recibido de las monjas se imponía demasiado. No le parecía normal.

–En Madrid, desde que Rivera promulgó el Código Penal del 28, tenemos que actuar a escondidas. No está bien visto, moralmente. Dicen que es una costumbre viciosa. –Rio–. Pues que se lo digan al rey, que cuando era joven solía frecuentar esos lugares y adoraba las actuaciones de los transformistas. Ernesto Foliers, por ejemplo, uno de los más famosos y que imitaba como nadie a Raquel Meller y Paquita Escribano.

Trató de disimular su disgusto. Pedro era su amigo y no iba a dejar de serlo por eso. Sin embargo, la desconcertaba. ¿Cómo era capaz de sentirse orgulloso por hacer algo así? ¿Es que no le avergonzaba?

—Y ¿qué pasaría si te pillaran? —preguntó.

—Pues que podría acabar en la cárcel o tendría que pagar una multa muy cara. Por eso hacemos las actuaciones en el sótano, no en la planta de arriba del local.

—¿Y te gusta lo que haces? —Tragó saliva—. Quiero decir... no sé, pintarte y vestirte como una mujer...

Pedro soltó una carcajada.

—¡Lo adoro, chica! —Ladeó la cabeza femeninamente—. Es divertido. ¿Es que nunca has visto uno de esos espectáculos?

Anna negó con la cabeza.

—¿Y por qué no te vienes? —dijo más animado—. La entrada es libre. Solo tienes que consumir un poco. Te lo pasarás bien.

—No sé... es que creo que no me va a gustar...

—¿Sientes rechazo? —Volvió a reír—. Es normal, la verdad... Pero, oye, eres una chica moderna, ¿no?

—Eso creía yo...

—Venga, quiero que lo veas. —Le guiñó un ojo—. Si no te gusta, te vas. No me pienso enfadar contigo.

Se tomó unos minutos para pensarlo. Estaba ansiosa por salir, por descubrir la vida nocturna madrileña y recordar los viejos tiempos con sus amigas en el Raval. A lo mejor cambiaba de opinión sobre el transformismo.

—Está bien —dijo al fin—. Me arreglo y vamos.

Estaba tan aturdida por lo que le acababa de confesar Pedro que se le olvidó el hallazgo de la droga. Subió a su habitación y se puso uno de los vestidos negros que tenía para salir de fiesta y que hacía tantísimo tiempo que no utilizaba. Estaba un poco arrugado e incluso olía a naftalina. De todos modos, Anna se vio estupenda, tan moderna y con los labios pintados de carmín, dispuesta a pasarlo bien y a ser la *flapper* que había dejado de lado por un tiempo.

Los dos se dirigieron al American Club. En Madrid se vivía de noche, pensó Anna; había todo tipo de establecimientos de alterne y jolgorio, teatros, cafés, espectáculos y tascas abarrotadas de un público alegre y noctámbulo. Chulos, flamencos, jóvenes provincianos y dandis cosmopolitas. Personas que corrían de un lado a otro, callejuelas oscuras y siniestras, avenidas llenas de neones... Todo un espectro de energía y contrastes. Se adentraron en el bar, que estaba decorado con lámparas verdes en forma de campana, muebles de madera sin tratar y suelo con mosaicos. La barra, forrada de cuero negro, estaba a rebosar de gente tomando sofisticados cócteles, desde el Bloody Mary hasta el de champán con puré de fresas. Otros, sin embargo, preferían la cerveza o una buena ginebra de importación con hielo y limón.

La luz era tenue y se podía conversar a gusto; de fondo, un saxofonista negro tocaba una alegre melodía de jazz.

–¿Qué quieres tomar? –preguntó Pedro–. Hemos de ir abajo y no hay barra.

–Sorpréndeme.

A los pocos minutos, Pedro regresó con una copa que tenía ginebra, limón y champán. Tras darle el primer sorbo, y sujetándolo fuertemente, bajaron por unas escaleras medio escondidas que había tras la barra y se metieron de lleno en la penumbra y el esperpento más absoluto: en el escenario ya había un transformista haciendo su número, un tanto grotesco, mientras era jaleado por un público mayormente masculino. Los gestos seductores y femeninos del artista, vestido de vedete, con falda y zapatos de tacón, provocaban un efecto excitante y divertido. De entre todos los hombres de la sala, Pedro se dirigió expresamente a uno de ellos: un joven con aire de bailarín de tango, con el cabello empastado y los ojos pintados con grafito. Su rostro barbilampiño y suave le hacía parecer todavía un crío. Pedro lo saludó con un beso en la mejilla y luego presentó a Anna.

–Vive también en la pensión –le comentó–. Es de confianza.

El muchacho, más tranquilo, le estrechó la mano y apuró la colilla de su pitillo antes de beber de su doble vermut con aceitunas. Vestía con pantalón crema, americana gris y camisa de seda.

–Yo soy Luis. Encantado.

–Bueno, chatis, os dejo ya que tengo que vestirme –dijo Pedro–. Nos vemos después de la función. Pásatelo genial, nena.

Algo había cambiado en Pedro. Anna no sabía si era el ambiente o su inminente transformación en mujer, pero parecía liberado, aliviado, como si allí fuera realmente él. Su tono de voz y sus gestos eran distintos, mucho más femeninos. Incluso su comportamiento, tan alejado del posado regio y distante que asumía en la pensión. Quizá el Pedro que había conocido hasta ahora tan solo era una falsa careta que se ponía para protegerse. Intuía que Luis y él eran más que amigos. Sus miradas de complicidad, aunque no intercambiaran palabras, decían mucho. Había visto a algunos homosexuales en los cafés que frecuentaba con sus amigas en Barcelona. Al principio, no lo aceptaba. Las monjas jamás habían hablado de ello, pero sabía que no estaba bien visto a ojos de Dios, que incluso era un delito. Trataba de entender por qué la naturaleza los había hecho de esa condición y nunca obtenía respuesta. Sin embargo, Rosa y Pili decían que tenían el mismo derecho que los demás a enamorarse. Ellos no habían escogido ser así, ni lo hacían por vicio, como había oído en más de una ocasión. Eran así y merecían tener su propia vida. Ser libres.

Anna se sentó en una silla, junto a Luis, a la espera de que saliera Pedro. Los hombres no dejaban de beber y fumar; muchos iban acompañados de mujeres que se sentaban en sus regazos, enseñando muslo y escote. Anna, sedienta, se acabó el cóctel en un periquete. El bueno de Luis, dispuesto a satisfacerla en todo, subió a por otro. Al poco tiempo, alguien anunció la salida triunfal de la Cheli al pequeño y humilde escenario. Pedro iba excesivamente pintado, con una peineta encajada sobre una peluca morena y un vestido de cupletista que llevaba plumas, mantones, pedrerías y tisúes. Torció el gesto al verlo de esa guisa. No se podía creer que su amigo, el mismo que había visto hacía unas horas, pareciera ahora una auténtica mujer. Imitaba a la Chelito: bailaba incluso mejor que ella, de forma agresiva, provocadora, como si estuviera en trance. Se pegaba cachetazos, se ponía delante del público y lo retaba con la mirada, reía y se contoneaba de forma más femenina que las mismas mujeres. No cantaba mal del todo, aunque la voz tampoco era tan importante; sí lo era su expresividad, la emoción interna tan honda que mostraba a los demás, la forma generosa, sin límites, que tenía de comunicar su arte a todos los que estaban allí. A medida que avanzaba la actuación, Anna se olvidó de que la persona que había detrás de todo ese maquillaje era un hombre, Pedro. Estaba haciendo una actuación maravillosa, como si fuera un auténtico profesional. Estaba disfrutando porque aquello era puro arte. Y lo que era más importante de todo: Pedro era feliz con lo que hacía, se notaba en su rostro, por eso el público no tardó en arrancarse a aplaudir y corear el nombre de la Cheli una y otra vez. Luis, de pie y con los ojos vidriosos, observaba a Pedro con devoción y una admiración infinita. Anna vio puro amor y deseo.

—¡Es impresionante! —exclamó—. No me imaginaba que Pedro pudiera hacer algo así...

—Es un artista —comentó Luis, orgulloso—. Lástima que pocos puedan verlo actuar. Él se merecería viajar por el mundo y mostrar su arte.

—Desde luego que sí. En Barcelona correría otra suerte. Allí valoran más este tipo de espectáculo. En el barrio chino campan a sus anchas.

—No creo, después de lo del Código Penal. —Torció el gesto—. Quizá en Barcelona sean más laxos con la ley, pero pueden terminar de la misma forma. Sobre todo, la gente como nosotros, ¿sabes?

Anna supo enseguida a qué se refería. Eran homosexuales y debían esconder su amor en público. La religión, la sociedad en sí, lo consideraba un acto antinatural. Ella creía en Dios, pero se veía incapaz de condenar a Luis y a Pedro por el simple hecho de amarse. Eran buenas personas.

—Lo entiendo. —Se quedó sin palabras—. Supongo que debéis guardar silencio.

Luis asintió.

—¿Te imaginas esconder al amor de tu vida para siempre? ¿Disimular tu condición cada minuto del día? —Suspiró—. No somos libres. Y nunca lo seremos.

—Nunca se sabe. La gente cambia. Las mujeres consiguieron el voto en Estados Unidos hace unos años. ¿Quién lo iba a decir? Puede que en un futuro se reconozcan vuestros derechos.

—Sí, y nos dejen casarnos —soltó una carcajada—. No me hagas reír, cariño.

Después de Pedro, pasaron dos o tres transformistas más. Ya era tarde y el público iba perdiendo interés y fuerza, así que muchos comenzaron a desfilar hacia la salida dejando a su paso vasos y botellas de alcohol vacías. La última actuación de la noche era la de una mujer que trataba de imitar a Concha Piquer. La Bella Lulú, la llamaron. Tenía unos cuarenta y tantos, de aspecto triste y más bien gorda, y vestía un traje ya descolorido, incluso con un roto en la malla. Ni cantaba ni bailaba bien.

–Pobrecilla, ya nadie la quiere ver –dijo Luis, esbozando una mueca de pena–. Hace unos años todo el mundo la adoraba y ahora mendiga actuaciones a cambio de... –Carraspeó–. A cambio de otras cosas.

Anna arrugó la frente, sin saber a qué se refería. Pensó en la cantidad de cupletistas y vedetes que se habrían quedado sin trabajo con el paso de los años. Que en su día fueron grandes y bellas artistas reconocidas por el público y que, por culpa de la flacidez de sus carnes y la aparición de arrugas en su rostro, se habían quedado sin nada. Nadie quería ver a una mujer vieja.

–Pedro no la puede ni ver –continuó–. Siempre está hablando del pasado, la mayoría mentiras, que si ha estado con el rey y con no sé quién más... Bah, una vieja loca.

Anna sintió pena por ella. Nadie merecía tener un final tan humillante cuando había bebido las mieles del éxito. Pero el mundo del espectáculo era cruel y arrogante, siempre en busca de carne fresca.

La Bella Lulú bajó del escenario sin recibir ningún aplauso fervoroso. Antes de sentarse en la silla junto a Luis y Anna, recorrió las mesas vacías en busca de alguna copa inacabada. Tenía la sombra de ojos corrida y el pintalabios, comido; estaba ansiosa por beber, así que Anna le entregó su copa, todavía llena de ginebra. Se la bebió de un trago y esperó ansiosa, mirando hacia las escaleras, como si esperara la llegada de alguien. Y así fue: Pedro llegó con sus ropas habituales, sin rastro de maquillaje y el pelo mojado por el sudor y la peluca. Venía contoneándose, orgulloso y satisfecho por el trabajo bien hecho, con aires de superioridad y prepotencia al encontrarse con la Bella Lulú. Llevaba algo en la mano y se lo tiró en las faldas con todo el desprecio del que fue capaz. La mujer, desesperada, abrió la bolsa y sacó, como por arte de magia, un encendedor y una cuchara. Lo que le había dado Pedro era heroína y ahora estaba tratando de inhalar sus gases con la nariz para que le hiciera efecto.

Anna abrió la boca, sorprendida, y trató de mirar hacia otro lado. Le parecía un acto atroz y terriblemente desagradable. ¿Así que pagaban su actuación con drogas?

–¡Yo soy la gran Lulú! –gritó de repente la vedete–. ¡Lo sigo siendo!

Tenía el rostro desencajado y mostraba una sonrisa patética que hacía que la escena fuera todavía más espantosa.

–¡Que estuve con el rey! –siguió con sus delirios–. ¡Y con muchos hombres importantes!

–No te lo crees ni tú, Lulú –espetó Pedro, riendo–. Con la fama de fulana que tienes.

–No le digas eso, Pedro –lo recriminó Anna–. No está bien.

–Tú no la conoces. –Apretó los labios–. Es una harpía. Cuando era famosa se portó muy mal con mucha gente. Me lo han contado.

Luis puso la mano en el muslo de Pedro. Ya solo quedaban ellos cuatro y algún transformista más metiéndose rayas de cocaína en otras mesas. No les importó mostrar su amor en ese momento: se dieron un beso profundo en los labios y Luis se puso sobre el regazo de su pareja, agarrándole el cuello con la mano. Sentía que el ambiente se había enrarecido, que había subido de tono, y que ella ya no pintaba nada más allí. Quería marcharse a casa, pero no se atrevía a hacerlo sola a esas horas de la noche por lo que pudiera pasar.

–¡La Bella Lulú fue la mejor vedete de toda España! –volvió a gritar la mujer–. ¡Ninguna podrá igualarme jamás!

Estaba recostada sobre la silla, con los ojos entornados, en una imagen dantesca. Al cabo de unos minutos, como si la euforia del principio se hubiera desvanecido, comenzó a llorar. Las lágrimas, coloreadas de negro por la pintura, le bajaban por el cuello. Pese a todo, parecía tranquila y había bajado la voz.

–Todos los hombres son unos mentirosos... –Hipó–. Les entregué mi cuerpo y mi alma para nada.

–¡Uy! –exclamó Pedro–. Ahora te contará lo de sus tres grandes amores... Siempre es la misma historia.

–Antonio nunca me quiso de verdad... –comentó la Bella Lulú–. Tenía veinte años y me creí a pies juntillas sus falsas palabras de amor. Luego vino el señorito Puig –soltó con retintín–. Un médico tan formal y elegante, de buena familia, pero incapaz de comprometerse y serme fiel... Y, por último, Javier: un matrimonio abocado al fracaso y a la infidelidad.

212

Su voz se apagó en un grito doloroso y fuera de sí. Anna arrugó la frente al oír el apellido Puig.

–¿Has dicho Puig? –le preguntó–. ¿Un médico?

La mujer asintió.

–Joan Puig. –Se limpió las lágrimas con la manga–. Creí que querría casarse conmigo y podríamos quedarnos con el palacete de Recoletos, pero me engañó. Mentiras y más mentiras.

–¿Y recuerdas a su hermana Teresa?

–Oh, sí, era una niña muy dulce... Solo la vi una vez y creo que iba con su prometido, un banquero catalán, creo.

A Anna se le aceleró el corazón. Había descartado por completo que Enric Girona pudiera ser su padre, pero este había vuelto a la vida de Teresa en Madrid. El mundo era un pañuelo, pensó, y gracias a esa vedete podría continuar con su propósito, ahora con el gran desconocido Joan Puig. ¿Conseguiría de una vez por todas descubrir el paradero de su madre?

25 de octubre de 1909

Por fin llegó Enric. Vino con sus padres, así que mi madre hizo todo lo que había previsto: contrató a un par de camareras más y encargó cortinas y alfombras refinadas para que pareciera que nos iba muy bien en Madrid. Y se lo creyeron: los Girona no dejaron de alabar el nuevo trabajo de padre y de repetir lo afortunados que éramos de vivir en la capital. Madre, incluso, les contó que nos habíamos codeado con los Borbones en una ocasión, pese a que jamás habíamos visto ni al rey ni a la reina.

Enric se mantuvo distante al principio, igual que yo. Pero por suerte, mi hermano Joan nos echó un cable y nos llevó a Sol para distraernos y romper la tensión que había entre nosotros. Desde mi llegada a Madrid apenas había salido de casa, así que Sol me pareció de lo más emocionante: por sus calles transcurrían todo tipo de personajes, vendedores, vividores, bohemios y prostitutas; además, a su alrededor había numerosos salones de variedades y cabarets en los que bailaban las cupletistas y vedetes más famosas del momento.

Hicimos un recorrido por las calles Sevilla y Peligros hasta la calle Alcalá. Allí entramos en el Salón de Actualidades, donde Joan dijo que bailaba su querida artista de cabaret. Todavía no la había conocido. La Bella Lulú es una joven esbelta, de largas piernas y rostro bonito. Se codea con otras artistas de renombre: Pastora Imperio, Candelaria Medina, Amalia Muñoz... pero, desgraciadamente, no tiene ni la elegancia de ellas ni el mismo reconocimiento. Eso sí, baila espléndidamente bien y se mueve con mucha gracia y sensualidad. Los hombres parecían intimidados por su erotismo y picardía. En algunos momentos, rozaba la grosería y el mal gusto.

En aquel salón actuaban todo tipo de artistas, tonadilleras, transformistas y cupletistas que cantaban canciones de lo más pegadizas.

Entre el público, según Joan, había hombres casados tratando de echar una canita al aire, así como solteros que se llevaban a las bailarinas a casa a cambio de una peseta. También señoritos, oficiales del ejército e incluso algún que otro político. No me gustó el ambiente, así que me arrepentí enseguida de haber ido. Y encima tuve que aguantar que Enric prestara atención a las jovencísimas artistas que lucían sus voluptuosos cuerpos semidesnudos en el escenario. Una vergüenza. Así son los hombres.

Menos mal que Joan nos dejó unos momentos a solas y Enric y yo pudimos hablar durante un rato. No perdimos el tiempo en reproches, sino que aprovechamos para darnos todo el cariño que la distancia nos había arrebatado. Besos y más besos que no escondimos al mundo. Estoy más enamorada que nunca.

Teresa

32

Llegó a Media y se dirigió a su mesa. Ignacio estaba esperándola con un cigarrillo en la boca y un bote de Fixol en la mano. Se trataba de un fijador de pelo para hombre: Anna torció el gesto al comprobar que tendría que trabajar con otro producto masculino. El señor Alarcón salió de su despacho al poco rato y se sentó con ellos mientras Maribel subía unos cafés humeantes de la cafetería de la calle de abajo. Una estufa eléctrica calentaba la estancia, pero desde los amplios ventanales que daban a la Gran Vía se colaba una ligera brisa gélida.

—Este café está asqueroso —soltó Emilio después de un sorbo—. Maribel, la próxima vez diles que te añadan un chorrito de coñac, anda.

Ella asintió y le retiró la taza. El señor Alarcón carraspeó, se aflojó la corbata y encendió un cigarrillo.

—Echeandía me ha dicho que las ventas del jabón de afeitado van estupendamente bien. —Miró a Ignacio—. Enhorabuena por el trabajo. —Luego miró a Anna y se sonrojó—. Joder, y a ti también, Anna Expósito.

Esta sonrió y se alegró de que el señor Alarcón fuera más considerado con ella. Eso le subía el ánimo. Sin embargo, Ignacio no parecía conforme.

—Si hubiera sido por ella, quizá Gal estaría ya en bancarrota —soltó con arrogancia—. Pero yo le hice cambiar de idea.

—Venga, Ignacio, no empecemos... —Emilio abrió las palmas—. Creía que ya habíamos superado esta clase de rencillas. Si es que parecéis unos críos, joder.

—Pues yo estoy convencida de que hubiera triunfado. —Anna levantó el mentón—. Era arriesgado, pero podría haber funcionado.

–¿El qué? ¿El éxito social? –Ignacio negó con la cabeza–. Que no, que los hombres buscamos practicidad. Ya lo has visto.

–A ver, centraos en el nuevo producto –zanjó el señor Alarcón–. El Fixol.

–Pues lo de siempre, Emilio, hablar de la inalterabilidad del peinado a lo largo del día, de practicar deporte, de viajar en automóvil... sin temor a despeinarse.

–¡Qué buena frase! –exclamó Emilio entusiasmado–. «Sin temor a despeinarse». Me gusta.

–Podríamos dibujar la cabeza de un hombre de cabello liso y perfectamente engominado. Añadir lo de que es el fijador perfecto, que mantiene inalterable el peinado, que no mancha y que tiene un discreto olor a violeta. Que a los hombres no les gusta oler demasiado a flores.

–Me parece bien –asintió Emilio–. Ponte con ello.

Se levantó. Anna ni siquiera había abierto la boca. Arrugó la frente y se pronunció.

–¿Y ya está? ¿Eso es todo?

–¿Qué es lo que quieres, hija? –Se encogió de hombros–. Es un fijador de pelo. Es lo que los hombres buscan.

–Pero es demasiado sencillo, no sé... Es lo esperado. ¿No deberíamos ser mejores que la competencia?

–Hay productos con los que es mejor no arriesgar. Ya viste la opinión de Echeandía.

–Pero él no es publicista. –Se cruzó de brazos–. Nosotros sí, así que deberíamos ofrecerle algo mejor.

Ignacio rio mientras aplaudía lentamente.

–Es alucinante, Annita... Pero ¿quién te crees que eres? –Hizo una mueca de incredulidad–. ¿Quieres pasar por encima del señor Echeandía? Deberías callarte la boca y aprender de los que saben.

–Ese anuncio podría hacerlo cualquiera. –Apretó los labios–. Nos pagan para innovar. Y usted –señaló a Emilio– es el mejor publicista de este país. He leído sus libros y sé que es capaz de algo mejor.

El señor Alarcón alzó las cejas y se llevó la mano al mentón.

–Solo por lo que has dicho te voy a escuchar. Ignacio, aprende de la muchacha. –Rio–. Venga, dime qué es lo que harías tú.

–Destacar la presencia en sociedad del consumidor. Y también su simpatía personal, su corrección e impecabilidad... El Fixol causa buena impresión.

–¡Otra vez con el éxito social! –exclamó Ignacio, llevándose la mano a la frente–. ¿No entiendes que no es adecuado? Las demás marcas hacen hincapié en la comodidad y sencillez del producto. Ya te he dicho que el hombre no es como la mujer.

–¿El hombre no quiere estar bien peinado y bien acicalado? ¿No quiere causar buena impresión entre sus amistades o que los productos que utiliza sean signo de distinción?

–No, no y no –suspiró agobiado–. Quieren que su pelo aguante todo el día perfectamente peinado. Eso es todo.

–Pues creo que no es todo. Los hombres de hoy en día se preocupan por su aspecto y por la imagen que muestran a su entorno. También les gusta el cine y admiran a los actores que aparecen en escena: galanes y de tipo aristocrático. Ellos representan el nuevo modelo varonil. «El fijador para el hombre de sociedad.» Esa sería mi idea.

–¿Y los trabajadores? –le preguntó Ignacio–. No son hombres de sociedad.

–En los anuncios de mujeres también aparecen figuras inalcanzables y aun así compramos sus productos. Por ejemplo, la crema depilatoria Taky. Aparece Greta Garbo diciendo «Antes me hacía depilar, pero hoy uso Taky, que es infinitamente más agradable, más rápido y más seguro». Sabemos que no podemos ser actrices triunfadoras, pero comprar esos productos nos acerca más a ellas. Los hombres igual, ¿no creéis?

Alarcón se quedó pensativo y asintió ligeramente.

–Puede que tengas razón.

Anna abrió más los ojos y esbozó una mueca de triunfo.

–No te hagas ilusiones todavía, Anna Expósito –le advirtió–. Dices que Taky usó a Greta Garbo, ¿no? Pues haré lo que tú dices si Fixol también tiene a un actor de cine. Consíguelo.

–¿Un actor de cine? –Tragó saliva–. ¿Que yo lo consiga?

Ignacio no pudo reprimir una carcajada. Emilio, sin embargo, lo decía en serio.

–Quiero un actor de Hollywood –precisó, encendiéndose otro cigarrillo–. Que se preste a hacer el anuncio. Entonces tendrá sentido lo que dices y te haré caso.

—Uy, Annita... creo que se te complica el trabajo. —Ignacio no podía parar de reír— A ver de dónde sacas ahora un actor de Hollywood.

—Pero si yo no tengo contactos... —suspiró Anna—. Seguro que Echeandía podría conseguirlo.

—No es su trabajo —espetó el señor Alarcón—. Si quieres triunfar, consíguelo. Y si no, el anuncio será de Ignacio. Tú misma.

Se encerró en su despacho. Ignacio tenía una sonrisa de triunfo en el rostro, pues estaba convencido de que ya había ganado. Anna se arrepintió de su propuesta: sabía que le sería imposible cumplir con el deseo de Emilio y que la idea de Ignacio era la más sencilla y práctica. Iba a fracasar otra vez.

—Vete a Los Ángeles —comentó Ignacio con tono de burla—. Y tráete a Chaplin, a ver si quiere aparecer en el anuncio de Fixol.

Volvió a reír. Maribel se acercó a la mesa y le puso la mano en el hombro a Anna.

—Oye, que he leído en la sección de Cinelandia de la *Blanco y Negro* que viene Pablo Moreno a Madrid el mes que viene —dijo, tratando de ayudarla—. Creo que viene a promocionar una película en los cines Callao.

Había leído sobre Pablo Moreno. Era un actor español que había triunfado en Hollywood. Con catorce años, había emigrado a Massachusetts y comenzado a trabajar en los teatros de la zona, hasta convertirse en uno de los rostros más populares de los seriales norteamericanos. Y había hecho películas de gran éxito, incluso una con Greta Garbo.

—*Ello*, se titula —continuó—. Actúa con Clara Bow. Él nació en Madrid, así que pasará aquí las Navidades. O eso leí en la entrevista que le hicieron.

—Pablo Moreno... —Recordó las fotografías que había visto de él: era el perfecto dandi, de pelo negro y ojos oscuros, un hombre seductor—. ¡Qué bien quedaría en el anuncio! Sin embargo, quiero pasar las Navidades en Barcelona. Se lo prometí a una persona muy especial.

—Vaya, entonces nos quedamos sin anuncio. —Hizo una mueca de pena—. Ignacio se sale con la suya. Otra vez. ¿Y por qué no te quedas en Madrid con nosotros? Emilio y yo podríamos invitarte a cenar y esas cosas.

–No sé, estaría faltando a mi palabra. Además, quiero estar con ella y con mi gente.

–Pues es la oportunidad de tu vida. –Se encogió de hombros–. Se acabó el glamur de Fixol. Se acabó el sueño de Media.

–Ya, Maribel, ¿te piensas que un hombre como él querría salir en un anuncio de fijapelo? –Ignacio negó con la cabeza–. ¡O confías mucho en la persuasión de tu amiga o es que estás completamente loca!

–Anna es una profesional y podría conseguirlo.

–¿Una profesional? –Soltó una carcajada–. ¡No me hagas reír, anda!

Anna apretó los puños, enfadada. No podía darle el gusto a Ignacio de que se quedara con el anuncio. Debía intentarlo, hacer todo lo que estuviera en su mano para conseguirlo. Y si eso conllevaba pasar las Navidades en Madrid y no al lado de sor Julia... La iba a echar de menos, pero si quería llegar a ser alguien en el mundo de la publicidad, debía luchar por ello aunque significara renunciar a lo que más quería.

–Está bien. Me quedaré aquí. Convenceré a Pablo Moreno.

–¿Y qué pretendes hacer para acercarte a él? –La miró fijamente–. ¿Lo mismo que hiciste para acabar en Media?

–No te pases, Ignacio –le recriminó Maribel–. Ella está aquí porque lo vale.

–Ya, claro, y tú también, ¿no? –Se reclinó en la silla–. Si es que a Emilio las mujeres le hacen perder la cabeza...

–Eres un estúpido. –Lo señaló con el dedo–. Ojalá Anna gane esta partida. Conseguirá a Pablo Moreno y te dejará a la altura del betún.

Anna asintió sin creérselo demasiado, pero no le quedaba otra que alzar la cabeza delante de Ignacio y hacer todo lo posible por derrotarlo.

–Fixol tendrá a un actor de Hollywood –afirmó al fin.

Se dirigió al paseo de Recoletos, cerca del Retiro bajando desde la Puerta de Alcalá. Era un atardecer luminoso y el paseo se había llenado de familias que paraban en los cafés a tomar un chocolate con churros o unos picatostes con café. Corría un aire fresco de la sierra de Guadarrama que recordaba a la brisa marina de Barcelona. Las persianas de las casas estaban echadas y reinaba tal silencio que, de no ser por los porteros que formaban tertulia con otros vecinos y conocidos a pie de calle, habrían parecido edificios deshabitados. Era un barrio cómodo, apacible y en cierto modo pueblerino si se comparaba con la Gran Vía y la Puerta del Sol. Entre sus calles, el tiempo parecía transcurrir más despacio y el ambiente era mucho más tranquilo. De hecho, Anna se sentó en un banco de una plaza para descansar a la sombra de un castaño y disfrutar del suave murmullo del agua de una fuente. De fondo se oían los dulces acordes de un piano de procedencia indefinida. De vez en cuando, aquel silencio placentero era truncado por algún vehículo que pasaba; la fragancia de la magnolia y la madreselva desaparecía entonces para dejar paso al desagradable olor de los tubos de escape. De camino de nuevo hacia la calle Villanueva, se topó con el famoso Café Gijón: uno de los cafés más populares y frecuentado por intelectuales como Gerardo Diego, Alberti o García Lorca. Tenía frío, así que decidió entrar y pedir un chocolate negro. Sus tres grandes ventanales, que daban al precioso paseo de Recoletos, guardaban un sinfín de mesas de mármol negro y asientos con fundas granate y varios cuadros de importantes pintores en sus paredes. Se imaginó allí mismo a su admirada Celia Gámez, que actuaba en el teatro Romea de Madrid y solía visitar aquel café, aquella joven argentina que cantaba los chotis, los tangos y los pasodobles como nadie y que incluso Alfonso XIII se había prendado de ella... Algún día, se dijo, tendría que ir a verla. Anna sonrió cuando le sirvieron y se sintió importante. Se le hacía extraño que la atendieran en un lugar al que acudían personas tan ilustres como Valle Inclán o Pío Baroja, ambos de la generación del 98.

Cuando se acabó el chocolate, se dirigió a la barra para pagar y le preguntó al camarero si conocía la consulta de Joan Puig.

–No tengo ni idea, señorita –respondió, ocupado–. Por suerte estoy sano como un roble y no necesito ir a un matasanos. Pero el señor Cajal quizá la pueda ayudar.

Le señaló un anciano que había en una de las mesas. Tenía el pelo blanco y el rostro arrugado. Estaba bebiendo una copita de anís y escribía alguna nota en una pequeña libreta de tapa dura. Había dicho el señor Cajal: ¿se referiría al premio Nobel de Medicina?

221

Se acercó con timidez, con miedo a molestarle. Sin embargo, el hombre alzó la cabeza y le dirigió una sonrisa afable.

—Disculpe, señor, ¿podría hacerle una consulta?

—Dime, niña, ¿qué duda quieres que te resuelva un viejo loco como yo? –Rio. Le temblaban un poco las manos y su letra era prácticamente ilegible.

—¿Sabe dónde se encuentra la consulta médica del señor Joan Puig?

Él alzó las cejas y se rascó la poblada barba blanca.

—No me digas que vas a someterte al diagnóstico de ese Puig, –Negó con la cabeza–. Aunque ya esté retirado y sea, en el fondo, un hombre de letras, casi que preferiría echarte un vistazo yo mismo. ¿Qué te duele?

—Oh, no me duele nada... Solo quería hacerle una visita. –Tragó saliva–. ¿No es bueno en su trabajo?

—Sin duda tiene el título de medicina, pero a cualquiera podría hacerle pensar que lo ganó en alguna apuesta en un casino. No es un buen médico, niña, pero tiene siempre muchos clientes.

—¿No es eso un contrasentido? –Arrugó el ceño.

—Sí. –Se encogió de hombros–. En su consulta de la calle Villanueva siempre hay muchos hombres entrando y saliendo. A veces, los mismos semana tras semana. Extraño, ¿no te parece?

—¿Y qué es lo que pasa en esa consulta?

—No seré yo quien juzgue lo que pasa allí dentro... –Le dio un trago a la copa–. Además, no me gusta reconocer que ya soy un anciano con pocas cosas que hacer y que dedico mi tiempo a observar los soportales de las casas...

—Gracias por la información, señor Cajal.

—No se merecen. Pero vuélvetelo a pensar, eso de ir a la consulta de Puig. Quizá no salgas de allí. –Soltó una carcajada y volvió a coger el bolígrafo para retomar sus anotaciones.

Anna abandonó el café y se dirigió a la calle Villanueva, que estaba justo al lado del paseo de Recoletos. Estaba nerviosa por lo que iba a hacer, y más después de saber que en esa consulta sucedían cosas inapropiadas, aunque todavía desconocía el qué. Su intención era hablar con Joan Puig y que este le contara algo sobre su madre. Esa era su única misión: descubrir el paradero de Teresa y reencontrarse con ella lo más pronto posible.

Por fin vio una placa donde se anunciaba la consulta del doctor Puig, en una inmensa casona de estilo neoclásico con una imponente fachada con columnas griegas e inmensas vidrieras. A Anna se le aceleró el corazón: si la cabaretera no la había engañado, aquella casa también había sido de su madre. Se imaginó a Teresa observándola tras la ventana, dirigiéndole miradas de ternura y cariño, como alguna vez había hecho sor Julia desde la cocina del orfanato mientras ella tendía la ropa. Era lo más cerca que había estado del amor materno. Conocía su rostro y eso le aliviaba el corazón, pero no el sonido de su voz y si este sería capaz de traspasar el muro de pánico que en ocasiones la envolvía. Si la vida sería, al fin y al cabo, mucho más fácil a su lado.

Llamó al timbre y le abrió una muchacha de uniforme, probablemente la criada. Esta, sin preguntarle nada, la condujo hasta un salón y la hizo esperar en el sillón.

–Aguarde aquí, señorita. En cuanto pueda la atenderá el señor Puig.

Anna arrugó la frente, pues la muchacha ni siquiera le había preguntado los motivos por los que estaba allí, ni si tenía cita para la consulta. Como preveía que la espera iba a ser larga, aprovechó para ir al baño, que se encontraba en la primera planta, según le había dicho la criada, lo que le permitiría echar un vistazo por el que había sido –o era, pues no lo sabía– el hogar de su madre. Las escaleras de suelo de mármol italiano daban acceso a un puñado de estancias, todas elegantemente amuebladas con piezas de madera noble y sillones de piel. El baño era magnífico, con una especie de alicatado romano, una bañera hundida en el suelo y un bidé enorme. Las habitaciones parecían haber sido reformadas, salvo una. Era un dormitorio que parecía que no habían tocado en años: los marcos de los cuadros se desconchaban, el bronce del cabecero de la cama se veía ennegrecido y la alfombra persa del suelo, deshilachada. También había un tocador. Por suerte, no había nadie más en la casa, o al menos no en la planta de arriba, así que decidió entrar en aquella habitación, que intuyó femenina por su calidez y su equilibrio. Cerró la puerta tras ella. Había baúles de ropa a los pies de la cama y no pudo resistirse a abrirlos. Aunque no lo sabía con certeza, su corazón le decía que aquel había sido el dormitorio de su madre. Y así le pareció al comprobar la cantidad de vestidos que había allí, todos de extraordinaria calidad y buen gusto. De hecho, uno de ellos lo había visto en la fotografía del Lion d'Or. Lo recordaba perfectamente. Anna tuvo que reprimir el lloro al tomar conciencia de que aquellas prendas habían formado parte de la vida de su madre, que habían rozado su piel y todavía conservaban su aroma. Las olió y tocó con desesperación, como si pudiera con ello captar toda la esencia de Teresa y recuperar así los años perdidos. Notó algo en un bolsillo y lo sacó.

33

Alzó la vista y se encontró con un hombre que la observaba ceñudo.

–¿Qué haces fisgoneando en mi casa? –espetó enfadado.

Anna soltó un gritito y dejó caer el vestido que sujetaba. Rápidamente percibió un cambio en el rostro del hombre, la misma mueca de sorpresa que había visto en Enric Girona, en Carles Puig y en su abuelo Antoni. Su gran parecido con Teresa lo había sobrecogido y se había quedado mudo. Se trataba de Joan Puig. Llevaba el pelo corto, negro y tupido, y su piel todavía lucía el bronceado del verano. Vestía un elegante traje gris hecho a medida y se intuía bajo la ropa un cuerpo ágil y fuerte. Estaba tenso y no podía cerrar la boca ante el asombro de ver a Anna en una habitación que había pertenecido a su hermana. Era como si el tiempo no hubiera pasado y la joven Teresa continuara entre aquellas paredes que guardaban sus más íntimos secretos.

–¿Qué haces aquí? –preguntó, ya más calmado–. Eres... eres... –No pudo continuar. Tragó saliva e intentó reponerse.

–Quiero hablar con usted, señor Puig –dijo Anna con voz temblorosa.

–¿Por qué has abierto ese baúl? –Lo señaló con el dedo–. Era de mi hermana.

–Lo sé. –Cabeceó–. No debería estar aquí. Lo siento.

Hizo un esfuerzo por ver algo de su madre en el rostro de aquel hombre, pero nada le recordaba a ella. Había pasado mucho tiempo desde la fotografía en el Lion d'Or, así que los años probablemente habían hecho estragos en su físico. Teresa debía de tener unos cuarenta años y su hermano pocos más que ella.

–¿Quién te manda? –insistió Joan–. ¿Es ese maldito inspector?

Anna torció el gesto, confundida.

–No sé de qué me habla. No me manda nadie.

—Dile a tu jefe que no va a encontrar nada aquí. —La miró de arriba abajo—. Menuda treta eso de coger a alguien que se parezca a mi hermana... ¿Qué se pensaba? ¿Qué iba a caer con eso?

Ella no sabía de qué hablaba, ni por qué temía que un inspector pudiera tener interés en su consulta, pero estaba claro que algo escondía.

—Le recuerdo a su hermana porque soy su hija —soltó.

Joan Puig rio; luego, tras recapacitar sobre aquellas palabras, se puso serio y se acercó a ella con actitud hostil. Anna reculó unos pasos hasta que notó su espalda pegada a la pared.

—Eso es imposible. —La agarró de la barbilla y la sostuvo fuertemente—. Mi hermana no tuvo ningún hijo.

—Me abandonaron en Barcelona —adujo ella, zafándose de él—. En 1911.

—No es cierto. —Negó con la cabeza—. Jamás estuvo casada.

Anna tenía miedo. Joan Puig era agresivo y temía que pudiera pegarle o hacerle algo peor. No acababa de creerla y tenía un temperamento irascible.

—Me estás tomando el pelo —continuó él, respirando agitadamente—. Estabas buscando algo que pudiera comprometerme y ahora me sales con esas. Mi hermana no tiene nada que ver con esto.

—No sé qué es lo que esconde y no me importa. Lo único que quiero saber es dónde está Teresa Puig.

Joan se rascó la cabeza, impaciente, y dio un puñetazo en la pared. Anna comenzó a temblar, sin dejar de mirar hacia la puerta. Joan Puig no la iba a dejar marchar así como así.

—¿Qué pasó con su hermana? —insistió ella—. ¿Por qué nadie me sabe decir dónde está?

—¿Nadie? —Arrugó la frente—. ¿Es que has preguntado a alguien más?

Anna apartó la mirada. Él se puso más nervioso y la agarró del brazo con brusquedad.

—¿Estás husmeando en mi familia? —Le echó el aliento en la cara—. No deberías ser tan alcahueta. No conseguirás un duro de nosotros, ¿entiendes?

—No quiero dinero —sollozó, asustada—. Solo quiero conocer a mi madre...

Se dejó caer al suelo y lloró como no lo había hecho en mucho tiempo. Estaba acorralada por su tío en la habitación donde había dormido su propia madre y no tenía intención de facilitarle la búsqueda. Se sentía impotente por no encontrar respuestas, por ser un estorbo en la familia Puig, que la negaba una y otra vez pese a la evidencia de su parecido. ¿Qué más podía hacer?

—Estás loca, muchacha —sentenció Joan, separándose de ella—. Es mejor que te marches.

Había algo de corazón en él. Su llanto desconsolado le había provocado cierta compasión. Quizá, en el fondo, se lo creyera. Anna corrió escaleras abajo, abandonando todos los recuerdos de su madre y aquellos vestidos que habían rozado su piel y que todavía guardaban un ligero aroma a su perfume favorito. Salió de la casa con las lágrimas en la cara y el corazón acelerado. Metió la mano en un bolsillo y sacó lo que había encontrado en uno de ellos: la fotografía de un joven soldado de ojos almendrados y buena apariencia. De pelo corto y ondulado, llevaba un uniforme, bombachos, mochila y cantimplora. Giró la fotografía y encontró un breve escrito:

«Para la chica más guapa de la calle de Toledo. Gracias por cuidarme y hacer que las horas pasen volando a tu lado. Mauro.»

Tenía que ir a la calle de Toledo y encontrar a ese soldado llamado Mauro. ¿Y si su madre se había casado con él? ¿Y si era su verdadero padre? Preguntó por esa dirección y le dijeron que debía coger un tranvía. Impaciente y ansiosa por avanzar en su investigación, ni siquiera pensó ya en lo que había vivido con Joan Puig. ¿Por qué tenía él el baúl de ropa de su madre? ¿Por qué tenía miedo de la policía? Demasiadas incógnitas que, por el momento, quedarían sin resolver. Pero había conseguido encontrar otra pista: su madre había vivido en la calle de Toledo y confiaba en que siguiera por allí. Aunque la familia Puig se había arruinado, a Joan Puig parecían irle bien las cosas. Incluso se había quedado con el palacete de Recoletos. ¿Qué había sucedido entonces?

Comparándola con la Gran Vía, la calle de Toledo reflejaba el Madrid más tradicional: no había anuncios lumínicos que deslumbraran a los transeúntes, ni cines, ni cafés, ni grandes almacenes, ni automóviles lujosos... No quedaba nada de cosmopolita en ese pedacito de la capital. Sus aceras estaban a rebosar de tenderetes que ofrecían todo tipo de baratijas, abalorios y quincalla. También frutas, verduras, hortalizas, horchata y té. Anna tuvo que sortear un sinfín de obstáculos en el suelo: pilas de cántaros, vasijas y cacharros de todo tipo que no cabían en las mesas de madera de los puestos. Los comerciantes pregonaban ofertas y descuentos, y acosaban al público ondeando telas de todos los colores y señalando las gorras, chaquetas y zamarras que colgaban en los percheros. Las tabernas estaban llenas de gente humilde, así como también las sastrerías y los bazares.

No sabía por dónde empezar a buscar. Tenía que encontrar a alguien que pudiera recordar a aquel soldado cuando era joven. Y temía que no iba a ser fácil. Anna recorrió todas las tabernas enseñando la fotografía de Mauro. Sin embargo, nadie parecía haberlo conocido. A punto de tirar la toalla, descubrió una tienda de tabacos y puros en cuyo letrero decía que llevaban allí desde 1899. Se acercó al gastado mostrador de madera, donde se encontraba el dueño reponiendo los estantes vacíos de cajetillas, tabaco de liar, cerillas y papel de fumar. Olía a mezclas de tabaco rubio y de picar. El hombre tendría más de sesenta años, así que era probable que hubiera coincidido con el soldado en el pasado. Y así fue. Al enseñarle la fotografía resquebrajada y descolorida, asintió sin vacilar.

—Sí, sí que es Mauro, el hijo de la Consuelo.

—¿Lo conoce? —Anna esbozó una sonrisa de oreja a oreja—. ¿Me podría decir dónde vive?

—Uy, dudo mucho que lo encuentres aquí, muchacha. —Carraspeó—. Hace muchos años que no lo veo. Ni a él ni a su madre.

—¿Adónde se fueron? —preguntó ella precipitadamente—. ¿Sabe si él se casó?

—Ni idea. —Hizo un gesto de indiferencia—. Sé que volvió de la guerra de Marruecos como un héroe. Lo hirieron y, en cuanto pudo andar, se marchó de nuevo. Su madre se quedó muy sola, pero al cabo de unos años dejó su casa y no sé adónde fue a parar.

—¿Recuerda a una tal Teresa Puig?

—Sé que el joven andaba con una chiquilla. Había rumores. Aquí siempre se cotillea, pero no sabría decirle cómo se llamaba ni cómo era. Ya ni me acuerdo. ¿Y para qué lo buscas?

—Es un antiguo conocido de mi familia –dijo sin más–. Necesito saber dónde vivía. ¿Conoce a alguien que sepa decirme algo sobre su paradero?

El hombre salió de la tienda y le señaló un edificio antiguo de tres plantas que había justo al lado.

—La del segundo lleva aquí toda la vida. Seguro que sabe más que yo.

Anna le dio las gracias y se dirigió hacia allí sin pensárselo dos veces. Subió a la segunda planta, tal y como le había dicho el tabaquero. Llamó al timbre y salió una mujer ya anciana con una gruesa bata para combatir el frío. De fondo se veía un piso humilde y se desprendía el calor agradable de una estufa de queroseno. Preguntó por Mauro y alzó las cejas.

—¿El chico ese que estuvo en la guerra de Marruecos? –Asintió–. Mauro Aguilar. Tiene el apellido de la madre porque era madre soltera.

—¿Sabe qué fue de Mauro y por qué se marchó?

—Uy, uy... –Frunció los labios–. ¿No me digas que te ha dejado preñada? ¡A una jovencita!

Anna se puso roja y negó insistentemente.

—No es eso, mujer... –Tosió–. Es que soy familia de los Puig. ¿Se acuerda de Teresa Puig?

—Ay, Teresita, esa niña tan linda y simpática. –Miró a Anna atentamente–. Pues sí que te pareces mucho a ella a su edad. ¿Eres su hija?

—Sí. Estoy buscándola. ¿Sabe usted dónde puede estar?

—Se marchó de aquí sin decir nada a nadie. –Soltó un suspiro–. Pobre mujer, la señora Puig, que tuvo que cuidar de su marido enfermo ella sola. Siempre he creído que el señor Puig enfermó por culpa de los disgustos que le daban sus hijos. El niño que ni siquiera pasaba por casa y la otra que se largó con el soldadito.

—O sea que se fue con Mauro.

—Eso pensamos todos, porque el muchacho también se fue el mismo día y habían tonteado un tiempo. –Señaló el techo–. La Teresita pasaba más tiempo en casa de los Aguilar que en la suya. Decía que le hacía de enfermera.

—Puede que se enamoraran.

La mujer la miró fijamente y se llevó la mano al mentón.

229

—Así que puede que seas hija también del soldadito, ¿no? –Chasqueó la lengua–. Pues no te sé decir nada de ellos dos.

Anna torció el gesto y sintió una punzada en el corazón.

—¿No dejaron rastro? ¿Ni una mísera pista?

—Ninguno ha vuelto por aquí. –Se apretó la bata contra el pecho–. Claro, como ahora la Consu es rica...

—Está hablando de la madre de Mauro, ¿verdad?

—Sí, sí. –Alzó la barbilla–. La sombrerera que no tenía ni para comprarse una docena de huevos. Y ya ves ahora, que tiene su propia boutique.

Anna abrió los ojos, confundida.

—¿Una mujer soltera y humilde que se hace dueña de una boutique?

—Hay gato encerrado, muchacha. –Levantó el dedo índice–. Se fue de aquí con muchos aires de marquesa y al poco tiempo se hizo la tienda. Tengo entendido que vive en la Castellana.

—¿Y dónde está la tienda?

—¿No me digas que no has oído hablar de la sombrerería de Consuelo Aguilar? –Rio–. Es muy popular en Madrid. Diseña sombreros a la última moda, pero son bastante caros. Está en la calle Preciados.

Anna sonrió. Otro lugar que tendría que visitar pronto, pensó. Sin embargo, no acababa de entender la buena suerte de aquella señora, que se había hecho un nombre como sombrerera de la noche a la mañana y aparentemente sin tener un duro.

—Yo también me pregunto qué es lo que hizo para conseguirlo –añadió la mujer–. No sé si es que enamoró a un rico o qué. Aunque no es muy agraciada, la pobre. Está claro que el hijo salió al padre, quienquiera que sea.

Anna se despidió de la señora y se marchó a la pensión con desánimo. Aunque tenía otra pista más, ninguno de sus descubrimientos la acercaba a su madre. Mauro había tenido una relación con ella, pero no sabía hasta qué punto debía seguir por ese camino. Quizá fuera un esfuerzo baldío. Sin embargo, tampoco tenía otra alternativa.

Durante la cena apenas pudo probar bocado. Solía cenar con Pedro y este se percató enseguida de que estaba más distante y triste de lo habitual.

—¿Qué te ocurre? —preguntó mientras sorbía la sopa con elegancia—. Te conozco y no estás fina.

—Demasiadas cosas. —Sopló con desgana y dejó la cuchara a un lado—. Hay cosas que no sabes sobre mí.

—Pues ya va siendo hora de que me lo cuentes, chica. Tú lo sabes todo. —Rio—. Hasta mis secretos más íntimos.

—Ya, pero es que ni siquiera sé quién soy... —Arrugó la frente—. Estoy en Madrid por trabajo, pero también por algo más.

—Me tienes en ascuas. —Se llevó la mano al mentón, intrigado—. Cuéntame. Somos amigos. Seguro que no es para tanto.

—Estoy buscando a mi madre. Ya te conté que era una expósita y que me abandonaron en un orfanato de Barcelona. —Hizo una mueca de nostalgia al recordar a sor Julia—. Las pistas me llevan a Madrid. Estuvo viviendo aquí.

—¡Acabáramos! —soltó él, emocionado—. Me parece muy épico, Anna. Me encantan estas historias. Te puedo ayudar en lo que sea.

—No sé si podrías, Pedro... Hoy precisamente he ido a ver al hermano de mi madre. Mi supuesto tío, vaya. —Negó con la cabeza—. Un energúmeno. No quiere decirme nada sobre ella.

—O sea que está desaparecida. ¿No sabe dónde está o no quiere que lo sepas?

Anna se encogió de hombros y jugueteó con las migas de pan de la mesa.

—Creo que lo segundo —respondió—. Al menos tendría alguna posibilidad de encontrarla. Algo gordo tuvo que pasar con ella. Era de buena familia, pero se arruinaron. Luego se quedó embarazada de mí, pero parece ser que me tuvo sin haberse casado.

—Puede que tu padre no te quisiera. —Se tapó la boca con la mano—. Perdona, cariño, no quería decir eso...

—No me importa, Pedro. Puede que mi padre fuera un soldado y tuviera un breve romance con mi madre. Quizá ella se vio sola con una criatura y decidió dejarme.

—Es lo más probable.

—La cuestión es que gracias a la vedete esa... ¿la Bella Lulú se llamaba? —Asintió con la cabeza—. Me ayudó en mi investigación.

—¿En qué te pudo ayudar esa vieja loca? —repuso él y soltó una carcajada—. ¡Pero si estaba metida de heroína hasta las trancas!

231

–Habló de Joan Puig, el hermano de mi madre.

Pedro comenzó a temblar y palideció. Aunque trató de disimular, Anna se dio cuenta de que aquel nombre lo había alterado.

–¡No me jodas! –exclamó, tapándose la cara con las manos–. No me jodas, chica.

–¿Qué pasa? –Alzó las cejas, sorprendida–. ¿Es que sabes quién es?

Pedro comenzó a resoplar, agobiado. Se tocó la cabeza varias veces, incapaz de decir nada.

–¡Oye! –insistió Anna–. ¿De qué conoces tú a Joan Puig?

–Es mejor que no hablemos de esto.

Pedro se levantó como un relámpago y se dirigió a la puerta del comedor.

–¡Eh, Pedro! –llamó Anna–. ¿Qué es lo que pasa?

–Olvídate de ese tipo –espetó sin mirarla a los ojos–. Hazme caso.

Subió las escaleras de dos en dos y se encerró en su habitación. Anna se quedó parada en el umbral, ansiosa por saber la respuesta.

34

5 de julio de 1910

Hoy me he atrevido, después de más de medio año, a plasmar en papel lo que nos ha ocurrido en todo este tiempo. Padre se arruinó. Debía muchísimo dinero a los bancos de Barcelona y nos quedamos sin nada. Nos quitaron nuestras propiedades e incluso el proyecto de la Gran Vía. Ya no confían en Edificaciones Puig. Estamos en la ruina. Tuvimos que abandonar el palacete de Recoletos y alquilar un piso en la calle de Toledo donde ni siquiera tenemos agua corriente. Nunca me había sentido tan humillada en mi vida. Nadie nos quiso ayudar, ni siquiera los Girona. Enric me había pedido matrimonio el día antes de que todo saltara por los aires y, en cuanto regresó a Barcelona y se enteró de lo ocurrido, me escribió diciendo que lo nuestro había sido un error y que anulaba cualquier compromiso que hubiera con los Puig. Nunca me había amado de verdad. Ahora estoy serena y fría, pero los primeros meses fueron una auténtica tortura. No tenía ganas de vivir y me habría lanzado por el balcón si hubiera tenido más agallas y si mi madre no hubiera dependido tanto de mí para seguir adelante. Y padre está cada vez más enfermo...

En fin, ahora vivimos de la caridad de mi hermano. Sigue con sus trapicheos, pero gracias a eso nos mantiene. Madre mira hacia otro lado y padre le insulta, pese a que después acepta su sucio dinero. Joan se ríe de todos nosotros, a veces ni siquiera viene a dormir a casa porque se pasa los días de fiesta en fiesta. Sin embargo, no deja de decir que algún día podrá recuperar el palacete de Recoletos y que entonces nos arrepentiremos de haberlo tratado tan mal. Creo que ha perdido la cabeza.

Por suerte, hay gente muy buena. La Consu y su hijo, los vecinos de arriba, son muy amables y generosos, y no han dejado de ayudarnos desde que nos mudamos. Ella es sombrerera y no gana mucho;

su hijo Mauro acaba de llegar de la guerra de Marruecos, lo hirieron en una batalla y tiene la pierna bastante mal. Hemos hecho buenas migas y pasamos buenos ratos juntos jugando a las cartas. En cuanto a la calle Toledo, ya me he acostumbrado a ella. En el fondo, no está tan mal. Aquí la gente es muy humilde: cigarreras, modistas, lavanderas, jornaleros, aprendices de oficio... Solemos ir a misa a la iglesia de San Isidro, comprar en el mercado de la Cebada y coger agua en la Fuentecilla del León. Al no tener criadas, lo tenemos que hacer nosotros y, aunque a madre le avergüenza, yo ya me he acostumbrado. Nadie nos juzga porque no conocen nuestros orígenes y, en general, todo el mundo es muy amable. Eso sí, estoy un poco harta de comer siempre lo mismo: garbanzos duros con tocino y patatas con bacalao. Echo de menos la cocina francesa. Pero si hay algo positivo es que, poco a poco, estoy olvidando a Enric.

Teresa

35

Solo quedaba un día para el estreno de la película de Pablo Moreno en los cines Callao. Anna estaba nerviosa por si podría o no acercarse al actor y proponerle el trabajo. Y si lo conseguía, temía que este se negara a protagonizarlo. Las palabras de Ignacio retumbaban una y otra vez en su cabeza: ¿cómo iba a acceder a algo tan poco glamuroso un actor de Hollywood?

Una vez más recorrió la Gran Vía hasta las oficinas de Media. Ya se había acostumbrado a su ajetreo y, ahora que se acercaba la Navidad, adoraba ver los escaparates de las tiendas adornados con ángeles y luces coloridas como la de Viajes Carco, la tienda Kodak, los aparatos de radio Westinghouse, los pianos y gramófonos de la Aeolian Company, los discos de la Rekord y los concesionarios de automóviles como Fiat y Studebaker.

Llegó a la oficina y se encontró a Ignacio y Emilio hablando en la mesa, fumando cigarrillos y bebiendo cafés que olían a coñac.

–Miedo me da lo de Nueva York –empezó el señor Alarcón–. Ya ha pasado más de un año de lo de la Bolsa y cualquiera que tenga dos dedos de frente sabe perfectamente lo que se avecina.

–El caos se avecina, Emilio. –Ignacio puso cara de preocupación–. Esto tendrá consecuencias a todos los niveles. No te extrañe que nos llegue a nosotros.

–Y tanto que sí. La General Motors y Radio Corporation, por ejemplo, nunca habían tenido tan bajo el valor de sus acciones. Están cayendo a una velocidad dramática.

Ignacio asintió y sorbió de su café.

–Los bancos han dado una ayuda de un billón de dólares para salvar la situación, pero el *New York Times* ya ha dicho que eso no va a parar el golpe. Hoover, en cambio, tiene fe en la prosperidad del país. ¡Ja! No se lo cree ni él.

—¿Creéis que puede afectar a España? —preguntó Anna tras dejar el abrigo en el colgador y poner las manos en la estufa—. Estamos muy lejos. ¿Qué podría pasar?

—Los bancos, Annita, los bancos —respondió Ignacio—. Los prestamistas han aumentado el interés a un cuarenta y un cincuenta por ciento. La gente no va a poder pagar, se arruinarán. Las empresas también.

—De hecho, en Alemania ya se está viendo —comentó Emilio—. Han quebrado ochocientas cuarenta empresas. La gente se suicida, como James Biordan, presidente de la County Trust Company. Y otros tantos que se han vuelto locos porque lo han perdido todo.

—O sea, que podría afectar al consumo aquí —concluyó ella.

—Puede —continuó Ignacio—. Aunque como Gal tendrá a Pablo Moreno... —Y rio.

Anna frunció el ceño.

—Quizá sí —soltó de mala gana—. Mañana es el estreno y haré todo lo posible.

—Ponte lencería bonita. —Emilio también rio—. Creo que la necesitarás.

Maribel se unió de repente a la conversación y le dirigió una mirada de reproche a su amante. Por primera vez, Emilio pareció arrepentido.

—No os metáis con ella. Al menos se implica y quiere que Media sea un éxito. —Se acercó a Anna y le puso las manos sobre los hombros—. Esta tarde vamos a ir a los Madrid-París a por el vestido. ¿Qué te parece?

—Me parece bien —sonrió—. Pero creo que no voy a optar por un vestido.

—¿Falda, entonces? —Negó con la cabeza—. No, cariño, piénsalo bien: yo te veo con un vestido tipo camisa, sin cintura ni adornos, que realce el busto. Luego unos buenos collares encima. Y de negro, que te dará sobriedad, elegancia y personalidad.

—No, Maribel. —Esbozó una mueca de expectación—. Una amiga me dijo una vez que si quería llamar la atención, lo mejor era ponerme unos pantalones al estilo Chanel. Y eso es lo que voy a hacer, querida.

Después del trabajo, Maribel y Anna se dirigieron a los grandes almacenes Madrid-París, en la misma Gran Vía. En el interior había una pequeña orquesta tocando canciones de moda mientras numerosas dependientas discurrían de un lado a otro del vestíbulo cargando con perchas, cajas y maniquíes. Había un total de siete plantas en las que se distribuían juguetes, perfumes, bisutería, confección y objetos de regalo. En la tercera planta, donde se encontraba la sección de modas, había un lujoso salón de té que ofrecía repostería francesa de lo más chic. Arriba del todo se había instalado la emisora Unión Radio y por eso había sido necesario colocar dos antenas de treinta y seis metros de altura sobre la terraza del edificio.

–Tú estás loca –dijo Maribel, echando un vistazo a los escasos pantalones que había en un perchero–. Puede que te critiquen. No está bien visto.

–¿Quién me va a criticar si no me conoce nadie? –Hizo un gesto de indiferencia–. Las actrices de Hollywood los llevan. Quiero que Pablo Moreno vea que Media es una agencia moderna y que está por encima del régimen conservador de este país.

–Ojalá tengas razón, cariño, y no te vea como a una fulana o una extravagante que está chalada.

–Él debe de estar acostumbrado a rodearse de mujeres modernas. –Cogió unos pantalones negros y un suéter ajustado del mismo color–. ¿No te parece elegante? Es sobrio y austero. Nada de frivolidad. Quiero que vea que voy en serio.

–Y te faltará un sombrero.

Anna se quedó en silencio unos segundos.

–Quiero que me acompañes a una boutique, Maribel –le tembló la voz–. De una sombrerera muy famosa: Consuelo Aguilar. ¿Te suena?

–¡Claro que me suena! –exclamó entusiasmada–. Ya veo que Emilio te paga bien, ¿eh? Son caros y exclusivos. Un buen *cloché* negro te quedará de fábula.

Anna cambió el semblante. Estaba nerviosa por lo que pudiera decirle aquella mujer. Tenía miedo a que la cruda realidad se desvelara: que alguien pudiera confirmarle la muerte de su madre o un destino demasiado cruel que la alejara todavía más de ella. No le quedaban muchos pasos más para descubrirlo.

Compró el atuendo que llevaría en el estreno y las dos se encaminaron hacia la sombrerería. Las luces y carteles navideños inundaban la enigmática Puerta del Sol y la calle Preciados. Era un placer pasear por las calles iluminadas mientras se oía de fondo a los niños cantando villancicos. Sin embargo, un hormigueo angustiante le revolvió el estómago cuando llegaron a la preciosa fachada de la boutique. En el impresionante rótulo de madera y latón, aparecía en grande el nombre de Consuelo Aguilar, y en su escaparate había una hilera de sombreros en cajas de colores y papel de seda. Maribel entró decidida; el interior tenía techos altos con bonitas molduras modernistas, una escalera de caracol y cenefas de azulejos. En las estanterías estaban sus famosos *clochés*: algunos hechos de fieltro, otros de seda, de terciopelo de Lyon e incluso de paja.

Un par de dependientas atendían a unas clientas, cargando con alfileres y cintas. Una mujer mayor, la supuesta Consuelo Aguilar, lo observaba todo desde la distancia con una sonrisa amable. Era delgada, de complexión frágil y menuda, no muy agraciada.

—Buenas tardes, señoritas —las saludó—. ¿En qué puedo ayudarlas?

Aunque trataba de mostrarse elegante, en el fondo tenía maneras rudas, como si aquel mundo de lujo y sofisticación no fuera con ella. Iba muy a la moda, eso sí, con un turbante exótico en la cabeza.

—Mi amiga necesita un buen sombrero —se arrancó Maribel—. Mañana va al estreno de Callao.

—Oh, ¿la de Pablo Moreno? —asintió—. ¡Qué suerte que pueda ir!

Anna no se atrevió a mirarla a la cara. No sabía cómo entablar conversación con ella y preguntarle sobre su madre sin dejarse en evidencia. Por suerte, Maribel había tomado la voz cantante y, junto a Consuelo Aguilar, habían comenzado a probarle sombreros que hicieran juego con el modelito que se había comprado en los grandes almacenes. De hecho, se decidieron por uno sencillo: era negro, con una llamativa flor blanca que le daba un toque original y que pegaría a la perfección con sus zapatos de tacón bicolor. Pagó y cogió la caja.

—Seguro que luce preciosa mañana, señorita. Un sombrero realza la belleza de cualquier mujer.

Anna sonrió parcamente y se decidió a hablar. Las demás clientas seguían ocupadas probándose sombreros y no estaban pendientes de lo que se pudiera decir.

—He estado en la calle de Toledo —soltó de golpe—. Usted vivió allí, ¿verdad?

La señora Aguilar frunció el ceño y se quedó callada.

—Convivió con los Puig durante un tiempo —añadió la joven.

Maribel alzó las cejas sin saber por qué su amiga estaba diciendo todo aquello. La sombrerera tragó saliva y comenzó a frotarse las manos con nerviosismo.

—¿Quién eres? —La miró con detenimiento—. ¿Qué es lo que quieres?

—Soy familiar de los Puig. Estoy buscando a Teresa, que creo que se fugó con su hijo Mauro en 1911.

Consuelo Aguilar miró a un lado y otro para cerciorarse que nadie oyera aquello. Luego, se dirigió hacia la salida.

—No sé de qué me habla, señorita —carraspeó—. La invito a que se marche, por favor.

—Solo pido que me diga algo. —Sonó desesperada—. Algo sobre Teresa Puig. ¿Sigue con su hijo? ¿Se separaron?

—No voy a decirle nada. Y déjeme que dude de su relación con los Puig. Nadie tuvo descendencia.

—¿Cómo lo sabe? —Sus manos temblaron—. ¿Y qué me dice de Joan Puig?

Consuelo desvió la mirada y volvió a señalar la puerta.

—Por su bien, espero que no le vaya con ese cuento al señor Puig.

—¿Por qué? ¿Lo conoce? —preguntó atropelladamente—. ¿Tiene relación con él?

Maribel cogió a Anna del brazo y la conminó a marcharse.

—Haga caso a su amiga y váyanse —dijo la sombrerera, mostrándose ahora fría y serena—. No hay nada que buscar.

—¡No puedo conformarme con esto! —exclamó Anna, alzando demasiado la voz y llamando la atención de las demás personas—. ¡Quiero saber la verdad!

La señora Aguilar abrió la puerta y la empujó hacia la calle.

—No me haga llamar a la policía, señorita.

Anna recapacitó finalmente, gracias también a la persuasión de Maribel, y abandonó la tienda cabizbaja. No había conseguido sonsacarle nada, pero había algo que la inquietaba: esa mujer sabía demasiado sobre los Puig, así que quizá siguiera manteniendo relación con ellos, al menos con Joan Puig. ¿Qué había entre ellos? ¿Por qué nadie quería decirle nada sobre Teresa?

Maribel la agarró del brazo y la llevó a una cafetería. Allí, con el calor de un buen chocolate caliente, Anna le contó su historia.

Por fin había llegado el gran día. Se vistió y se maquilló de forma sencilla, nada de parecer una *flapper* descocada y poco seria. Debía aparentar profesionalidad. Salió de la pensión con la esperanza de coincidir con Pedro. Sin embargo, este hacía días que la evitaba. De hecho, ni siquiera cenaba en la pensión para no tener que hablar con ella después de su última conversación. Algo gordo pasaba con Joan Puig y no se atrevía a contárselo.

La Gran Vía estaba llena de cines, de edificios lujosos y atrayentes, de salones palaciegos con luces de neón y de grandes carteles. Pero los cines Callao tenían algo especial. En una de sus esquinas había un torreón con un faro luminoso que anunciaba la entrada del cine y que se avistaba desde la Puerta del Sol y la calle de San Bernardo. Su enorme fachada estaba decorada con grandes carteles publicitarios y tres esculturas situadas sobre la cornisa de la planta baja. En verano, se disponía una pantalla en la azotea para disfrutar del aire fresco de los días calurosos y las bonitas vistas de Madrid.

Los escalones que daban acceso al vestíbulo estaban a rebosar, igual que las taquillas que había a los lados. Las colas eran interminables. Por suerte, Anna había comprado la entrada con antelación, así que entró en el imponente edificio de techos pintados al óleo, molduras de escayola y lámparas modernistas. También había dos ascensores que llevaban a los espectadores a las plantas de arriba y a la azotea. Se dirigió al café que había en la planta principal para hacer tiempo: al poco rato, vio entrar a un hombre acompañado por un tumulto de gente que apenas le dejaba andar un paso. Las mujeres, que eran mayoría, se afanaban por tocarle el brazo, la espalda o el pecho sin ningún recato o miramiento. Era Pablo Moreno. Pese al agobio de la situación, el actor parecía disfrutar de la expectación que desprendía a su paso y del furor que causaba a sus más fervientes admiradoras. Debía reconocer que entendía la reacción del público. Pablo Moreno tenía pinta de seductor innato: alto, moreno, de facciones griegas y equilibradas. La personificación del amante ideal y arquetipo del *latin lover* tan de moda en América. Era un hombre carismático, sofisticado y con talento, además de gozar de una presencia física imponente. Anna trató de acercarse a él, pero le fue imposible si no quería llevarse por delante a unas cuantas. Tendría que esperar hasta después de la película, si tenía suerte.

Entró en la sala. Tenía una capacidad para más de mil espectadores entre los palcos y el patio de butacas. Las paredes eran de color gris y la tapicería de las butacas, violeta. La pantalla estaba tapada por un telón rojo burdeos y bajo el escenario había una orquesta que tocaba cuando la película lo requería. Pablo Moreno estaba en el palco principal, recibiendo todavía los halagos del público, incluso tras la apertura del telón. A los pocos minutos empezó la película. *Ello* trataba de una humilde dependienta de unos grandes almacenes –Clara Bow– que se enamora de un rico y distinguido joven, protagonizado por Pablo Moreno. La chica, de lo más sensual y atractiva, acababa conquistándolo gracias a sus ardientes y pasionales miradas.

Pablo Moreno estaba magistral. La mudez de la cinta era suplida por gestos, expresiones y miradas seductoras, decorados exóticos y belleza irreal. Historias llenas de fuerza, de amores intensos y erotismo. Un mar de mariposas le recorrió el estómago al tomar conciencia de que el mismo actor de Hollywood que aparecía en pantalla se encontraba a escasos metros de ella. Recordó las palabras de Ignacio y se dio cuenta de la estupidez que iba a cometer. ¿Por qué un tipo como él querría aparecer en un anuncio tan banal y poco glamuroso? Allí triunfaba y tenía a todo el mundo a sus pies. Sin embargo, no podía fallar a Media ni al señor Alarcón. Tendría que intentarlo.

La película terminó entre sonoros aplausos y vítores dirigidos al palco donde se encontraba Pablo. Luego, los acomodadores abrieron las puertas de la sala para que el público se fuera marchando. Sin embargo, la gente se quedó a la espera de la salida del actor para seguir aclamándolo. Este salió con una ancha sonrisa en la boca y se dirigió al lavabo de hombres que se encontraba en el pasillo, pero se detuvo y dijo a la gente:

–¿También queréis acompañarme aquí?

Todo el mundo rio la ocurrencia y esperaron pacientes a que terminara de hacer sus necesidades. No obstante, Anna no tenía previsto quedarse de brazos cruzados. Sabía que le iba a ser imposible entablar una conversación con él con tanto bullicio y que, entonces, perdería la oportunidad de su vida. Zafándose de la multitud a codazos, logró llegar hasta la puerta del lavabo y, ante el asombro de los espectadores, se metió en él sin importarle que se tratara de un espacio solo para hombres. Había una fila de urinarios blancos, uno detrás de otro. Afortunadamente para ella, únicamente estaba el actor. Pablo Moreno se subió la cremallera del pantalón al mismo tiempo que se topaba con la cara sonrojada de Anna, que desvió la mirada al instante.

–¡Esto es increíble! –masculló enfadado–. ¡Ya no se respeta ni esto!

–Disculpe, caballero, yo...

–No se le cae la cara de vergüenza, ¿señorita? –continuó él, incrédulo–. ¡No dejar a uno ni mear tranquilo!

–Es que no tenía otra forma de hablar con usted. –Agachó la cabeza–. Lo siento.

–¿Hablar de qué?

–Mire, trabajo para la agencia de publicidad Media –explicó atropelladamente–. Estamos buscando a un actor que quiera protagonizar un anuncio de la empresa Gal. Para un fijapelo.

Pablo Moreno soltó una risita y se dirigió hacia la puerta.

–¿Y así pretende que lo haga? ¿Acosándome?

–Fíjese a lo que estoy dispuesta por conseguirlo. –Ella miró a su alrededor e hizo una mueca de disgusto–. Es la primera vez que entro en un sitio así y miedo me da la reacción de todas esas mujeres histéricas que le están esperando fuera.

–Será mejor que salgamos ya o pensarán cosas peores.

Cogió la manilla de la puerta. Anna lo agarró del brazo para impedírselo.

–Por favor, señor Moreno, escúcheme –le suplicó–. No es la primera vez que alguien de Hollywood hace publicidad española. La gente le reconocerá muchísimo más y hará más taquilla.

—La que venderá más es usted. —Negó con la cabeza—. A mí no me beneficia en nada. Soy un hombre famoso y no puedo perder el tiempo en estas tonterías.

—Da por hecho que lo será siempre —soltó ella de repente—. Pero el cine sonoro está ganando posiciones. Incluso aquí, en Madrid, el verano pasado ya se proyectó *El cantor de jazz*, el primer film sonoro americano. A la gente le encantó y he oído decir que muchos de los actores y actrices del cine mudo se están quedando sin trabajo precisamente por eso. No se actúa del mismo modo.

—¿Está tratando de decir que me quedaré sin trabajo? —replicó enfadado—. Otra falta de respeto más, señorita. Su agencia debería tener más cuidado.

—Estoy diciendo una realidad, señor Moreno: que en Hollywood se está cambiando, pero en España no. Aquí se tardará mucho más en hacer cine sonoro porque la inversión es menor. Tendría trabajo y a todo el mundo le encantará tener a un actor que ha trabajado en las mejores películas americanas. Y si sale en mi anuncio...

—Y si salgo en su anuncio me daré a conocer, ¿no?

Anna asintió con esperanza. No había mentido en ningún momento y su alegato no podía ser más coherente. En realidad, se lo estaba poniendo en bandeja. Sin embargo, el actor no quería escucharla ni entrar en razones. Quizá, lo de entrar abruptamente en el lavabo había sido una metedura de pata. No le había caído en gracia y ahora iba a sufrir las consecuencias.

—Ya puede ir descartando esa idea, señorita —dijo implacable—. Y deje de hacer el ridículo.

Era Navidad. Y Anna estaba decidida a salir de dudas con lo de Joan Puig esa misma mañana, así que no iba a dejar en paz a Pedro hasta que le confiara toda la verdad. Antes de desayunar, Anna se plantó ante la puerta de su habitación. Pedro salió con el cepillo de dientes en la mano, dispuesto a lavarse en el baño. Palideció al verla e intuyó que no sería fácil desprenderse de ella. Anna, decidida, lo empujó de nuevo hacia su habitación y cerró la puerta con fuerza.

—No te dejaré salir hasta que me lo cuentes todo. —Se cruzó de brazos, impidiendo la salida—. Tú mismo.

Pedro esbozó una mueca de desesperación y se sentó en el borde de la cama, todavía por hacer. Luego, lentamente, abrió la ventana para ventilar la estancia.

—Sea lo que sea... —continuó ella— lo mantendré en secreto. De eso no debes preocuparte.

—Si no es eso, Anna... —Torció el gesto—. Es que eres más terca que una mula y sé que no pararás hasta sonsacarle algo al señor Puig y...

—¿Y qué pasa con él? —Abrió la palma de las manos—. Sé que esconde algo.

—¿Por qué crees que la Bella Lulú está enganchada a la heroína? —Hizo una pausa—. Fue cuando estuvo con él. Él la vendía.

—Vale, vendía droga... Pues cómo tú, ¿no?

Pedro rio y negó con la cabeza.

—No lo entiendes, cariño. —La miró con dulzura—. Él es quien me la pasa a mí para que la venda. Bueno, a mí y a todo Madrid. Es el rey de la heroína.

—¡No puede ser! —exclamó sorprendida—. ¿No estarás exagerando? Es médico. Tiene una consulta en la calle Villanueva.

—Su consulta es un farol. Es su centro de operaciones. Desde allí distribuye la droga.

—Pero eso, ahora, está prohibido. ¿Por qué no lo detienen?

Pedro se tumbó en la cama y encendió un cigarrillo. El humo, tan temprano, le mareó.

—Yo ni siquiera he estado en esa casa. Soy el último mono. Si sé quién es Joan Puig es por la Bella Lulú, que habla más de la cuenta. —Se restregó los ojos—. A ver si lo entiendes... Parece ser que él se hizo rico vendiendo recetas de opio y morfina hace mucho tiempo. Luego, no sé cómo, acabó metiendo heroína en Madrid. Desconozco si la policía va detrás de él o no, pero puede que los soborne también.

Anna resopló. Ahora resultaba que su tío era traficante. Aquello complicaba más su búsqueda. ¿Cómo una familia de renombre como los Puig había tenido un final tan trágico? Empezaba a entenderlo. Aunque sus padres se habían arruinado, el primogénito había logrado salir adelante gracias a la venta de recetas y, consecuentemente, se había quedado con el palacete de Recoletos. Pero ¿qué hacían allí los vestidos de Teresa? Era probable que, después de la pérdida de su madre y la enfermedad de su padre, Joan Puig considerara quedarse con las pertenencias de su hermana como recuerdo.

—Entonces, es peligroso —sentenció Anna.

—Claro que lo es —confirmó él—. Estás removiendo en su pasado y quizá lo pongas en un apuro. Es extraño lo que ocurrió con tu madre y puede que él sea el responsable.

—Quieres decir que... —Tragó saliva y se tocó la frente—. ¿Puede que la hiciera desaparecer o...?

—No lo sé, cariño, pero de ese hombre me espero cualquier cosa. Yo en tu lugar lo olvidaría.

—No lo puedo olvidar, Pedro. Se trata de mi familia.

—¡Ves! —Se dio un manotazo en la cabeza—. ¡Si ya sabía yo que dirías esto! No te lo tendría que haber contado.

—Me lo debías, por todos los delitos que te encubro.

—Solo te pido una cosa, Anna: ten mucho cuidado.

Dos días después de su intento frustrado en los cines Callao, Anna recibió una nota sin remitente en la oficina de Media.

Convénceme. Hotel Ritz, 19.00.
Pablo Moreno

No se lo podía creer. Las manos le empezaron a temblar: el actor le estaba pidiendo una cita para que le hablara del anuncio. No estaba todo perdido, algo de su discurso lo había convencido y quería charlar con ella. Se ruborizó al imaginarse en el mismísimo Ritz con él, con un reconocido actor de Hollywood... Estaba tan abrumada que se encerró en el baño para asimilar la propuesta y lo que eso supondría para ella: si conseguía convencerlo, Fixol sería un auténtico éxito y su trabajo en Media se consolidaría. No lo podía dejar escapar. Pero... por qué una cita a solas?, se preguntó intrigada. ¿Por qué no había ido a la oficina directamente? No iba a decirle nada a nadie hasta que lo tuviera todo bien atado.

Aquella tarde se puso los tacones, su mejor vestido y se pintó los labios de rojo. Se abrigó bien el cuello, que hacía frío, y se dirigió al Ritz, tal y como ponía en la nota. Estaba eufórica. Un actor de Hollywood quería quedar con ella, a solas, y ni más ni menos que en el gran hotel Ritz, donde solo acudían las personas más importantes de la ciudad. Era como un cuento de hadas.

El Ritz se encontraba frente a la plaza de Cánovas del Castillo y la fuente de Neptuno. En la entrada había unos porteros uniformados que recibían a los clientes con una pose regia, exquisitamente educada y reverencial. Anna se paseó por el vestíbulo en busca del señor Moreno, clavando sus tacones en la mullida alfombra del suelo. Había mucha gente: hombres y mujeres de la alta sociedad local, vestidos con elegancia, que se dirigían al restaurante para tomar unos aperitivos y unos cócteles. Olía a perfume bueno y la luz de las arañas se reflejaba en las joyas de las mujeres. Todo el conjunto desprendía intimidad, confort y una tranquilidad agradable. Por fin vio a Pablo, sentado en un sillón del vestíbulo. Iba con una cuidada vestimenta: un traje gris, un fino reloj de bolsillo cuya cadena dorada le asomaba por la chaqueta y una corbata con una aguja de oro a juego con los gemelos. Estaba irresistiblemente guapo y él lo sabía. Tenía el cabello peinado hacia atrás con fijapelo y el rostro bien rasurado. En cuanto la vio, se acercó a ella con una media sonrisa.

—Has venido —dijo sin más, tuteándola directamente.

—Es un posible cliente —le tembló la voz—. ¿Por qué no ha ido a la oficina?

—Fuiste tú la que me lo propusiste. —Le guiñó un ojo—. No necesito hablar con nadie más.

Anna se sonrojó. Era la primera cita que tenía con un hombre. Y menudo hombre, pensó entusiasmada.

—Me alojo en el Ritz estos días —comentó él—. Mi tía no tiene agua caliente y no estoy acostumbrado a eso. Así juego en casa.

—¿Se lo toma como un partido?

—Esto es una negociación, ¿no? —Se encogió de hombros—. He de sacar el mayor provecho.

Se dirigieron al restaurante. El salón era formal, techos altos decorados con elaboradas molduras y brocados de calidad. Rápidamente fueron atendidos por un *maître*, que los sentó a una mesa con mantelería blanca impoluta, fina vajilla blanca con motivos dorados y un precioso jarrón de porcelana con narcisos amarillos. También había una pequeña lámpara de luz rosada que dotaba el ambiente de más intimidad. De fondo, unos músicos vestidos con esmóquin y pajarita interpretaban melodías clásicas acompañados de violines y violonchelos.

—Creía que estaba profundamente ofendido conmigo, señor Moreno —dijo Anna.

—Llámame Pablo, mejor. —Encendió un cigarrillo—. Lo estaba, pero me di cuenta de algo: una mujer que es capaz de hacer algo así merece ser escuchada.

Anna sonrió avergonzada. Pablo soltó una carcajada.

—¡Qué vergüenza! —se lamentó ella—. Pero si sirvió para algo...

—Creo que tenías razón con lo que me dijiste. —Torció el gesto—. Tengo un marcado acento español y en el cine sonoro me será difícil trabajar en Estados Unidos. He de hacerme un hueco aquí.

—Todavía eres joven y puedes tener éxito en el cine español —respondió ella, tuteándolo.

—No soy tan joven, tengo cuarenta y dos años.

Anna abrió la boca. Le había echado mucho menos: no más de treinta.

—Pues la verdad es que te conservas muy bien.

En ese instante apareció un camarero con dos Manhattan y unos hojaldres de parmesano como aperitivos. Anna ya no estaba nerviosa: el ambiente era distendido y seductor; Pablo la hacía sentirse cómoda y relajada.

—En las revistas no se habla mucho de ti —comentó ella—. Chaplin vende muchísimo y también actrices como Greta Garbo o Louise Brooks.

—Espero que esto cambie con el anuncio de Gal.

Anna asintió convencida.

—¿Así que ya te has decidido?

—No tengo otra opción. —Bebió de su copa.

—Entonces, ¿por qué no has venido directamente a Media? —preguntó ella, confundida—. Creí que tendría que convencerte.

Pablo se quedó en silencio y la miró con intensidad. Luego, volvió a reír.

—Me has pillado... En realidad, quería volver a verte. Me gustan las chicas decididas.

—Pues más que decidida, me dijiste que era una ridícula.

—Bueno, me pillaste un poco desprevenido. —Alzó las cejas—. Pero luego pensé que yo también hubiera hecho cualquier cosa por un papel en Hollywood.

—O sea, que ya tenemos hombre Fixol.

—Todo depende de lo que se me pague... —Encendió un cigarrillo—. Aunque intuyo que ese tema no lo llevas tú.

Anna asintió y se quedó pensativa. Pablo Moreno la había citado para menesteres que poco tenían que ver con la agencia Media. ¿Estaba intentado seducirla?

—No, lo lleva el señor Alarcón. Tendrás que ir a la agencia y hablarlo con él.

—Pero el mérito será solo tuyo —le sonrió con picardía—. Era eso lo que querías, ¿no?

—¿Y qué es lo que quieres tú de mí? —Se cruzó de brazos.

—Disfrutar de una velada tranquila con una chica guapa. ¿Te parece mal?

Aunque trató de disimular, Anna estaba de lo más complacida. Pablo Moreno era un hombre interesante, atractivo y famosísimo. Ni en sus mejores sueños habría imaginado una cita así.

—¿Y cómo conseguiste llegar a Hollywood? —Cambió de tema intencionadamente –. ¿Por qué te marchaste a América?

—Mi padre era militar y lo enviaron a Sevilla. Desgraciadamente, murió pronto, así que tuve que ayudar a mi pobre madre a salir adelante. Recuerdo que vendía pan por las calles para ganar algo. La vida en España era dura, así que con quince años decidí cruzar el Atlántico en busca de una vida mejor.

—Y lo lograste.

—No fue tan fácil —sonrió–. Al principio trabajé como operario en una compañía telefónica. Luego, en otra eléctrica. Como echaba mucho de menos a mi madre, decidí regresar a España. Sin embargo, al poco tiempo tuve que volver a Estados Unidos al darme cuenta, de nuevo, de que aquí no había futuro. Fue en ese viaje en barco cuando conocí a dos actrices que trabajaban en Broadway. Me dijeron que tenía buena planta y que podía probar fortuna en el teatro.

Anna se acabó su cóctel en un periquete y pidió otro al camarero. Estaba radiante y se sentía de lo más feliz en compañía de Pablo. Justo al lado de su mesa, dos mujeres miraban con fingido disimulo al actor y emitían risitas discretas.

—Empecé en una compañía teatral —continuó él–. Más tarde, se interesaron por mí en la Paramount y la Metro Goldwyn Mayer. Hace tres años hice una de mis mejores películas: *La tierra de todos.*

—Ah, sí, con Greta Garbo. —Anna desvió la mirada–. Dicen que...

—La gente habla mucho y no tiene ni idea. —Negó con la cabeza–. Si tú supieras...

—¿Qué he de saber?

—Pues que Greta Garbo jamás podría haber tenido un romance conmigo. Digamos que... que no le gustan los hombres.

Anna se llevó la mano a la boca, sorprendida; se desconocían muchísimas cosas de la vida personal de los actores y actrices de Hollywood. Seguro que había algo más de Pablo.

—¿Y qué hay de ti que no sepamos?

–Pues muchas cosas. –Se sujetó el mentón–. Que he estado casado, por ejemplo. Con Daisy Canfield Danziger, una rica heredera de un magnate del petróleo.

–¿En serio? –La joven sacudió la cabeza–. Eso es muy americano. Lo de divorciarse, digo.

Pablo rio y pidió la cena. También unos cócteles más.

–¿Y tú qué? –Se reclinó en la silla–. ¿Cómo ha llegado una chica tan joven como tú a ser publicista?

–Pues casualidad, también. Como la vida misma.

–Desde luego... –La miró intensamente–. Pero tú estabas destinada a esto. Eres decidida e inteligente.

–Gracias. –Se ruborizó–. La verdad es que nunca pensé que acabaría en una agencia como Media. En Barcelona fui dependienta en una droguería y luego criada del señor Alarcón, mi jefe. Aunque te parezca extraño, me dio un voto de confianza.

–Tuvo intuición y acertó.

Llegó la cena. Un exquisito menú de la *cuisine française*: crema de cangrejos, filetes de lenguado, pastel de *foie-gras* al oporto... Y, por supuesto, vino y champán en abundancia. No dejaron de hablar durante toda la velada. Pablo mostraba una escrupulosa atención a los detalles, era atento, y no tenía que esforzarse demasiado para ganarse el cariño y la confianza de la gente. Anna lo encontraba muy atractivo. Después de la cena, vino la fiesta en una sala del hotel. Los violines se cambiaron por saxofones y trompetas. El jazz y el charlestón hicieron su aparición y la gente, que se había mostrado de lo más recatada durante la cena, se abandonó al baile desenfrenado, el coqueteo y el alcohol en exceso. Pablo bailaba bien. En alguna ocasión estaban tan apretados que podía sentir su aroma, su fuerte respiración, el sudor que le perlaba la frente... Era el más moderno y el más exhibicionista de los hombres que había allí. Amable, genuino, llamativo. Anna se sentía atraída por él en todos los niveles e intuía que era recíproco. Quería que la apretara contra sí, que la besara y la abrazara. Quería sentirse deseada.

Se quedaron bailando hasta al final, hasta que los pies no les dejaron dar un paso más y apenas podían sostenerse. Ambos habían bebido demasiado y perdido la vergüenza. Pablo no escondía su anhelo por tocarla y hacerle el amor impetuosamente. Sin embargo, aunque lo deseaba, Anna no estaba del todo segura de entregarse a sus brazos: no lo había hecho nunca con ningún hombre y el sexo, que era algo desconocido para ella, le aterraba en cierta manera. A pesar de que había oído las mil y una aventuras de Pili con los hombres, siempre había creído que entregarse a un desconocido era, cuando menos, irresponsable. Podía ser divertido, pero aquello no iba con ella. No se sentía cómoda traicionando los consejos que sor Julia y las monjas le habían repetido una y otra vez durante su adolescencia: que debía esperar al hombre de su vida, aquel que estuviera dispuesto a contraer matrimonio y fidelidad para siempre. Además, no quería ser una presa fácil, ni un número más en la lista de conquistas de Pablo. ¿Quién le aseguraba a ella que no la iba a abandonar a las primeras de cambio?

—¿Qué te parece si tomamos la última copa en mi habitación? —propuso él.

Anna torció el gesto: por un lado, no quería marcharse tan pronto y separarse de Pablo; por otro, temía darle pie a algo que no tenía valor para hacer.

—No sé... —dudó—. Creo que es mejor que me vaya a casa.

—¿Estás segura? —Abrió la palma de las manos—. Solo quiero charlar y ya está. Aquí hay demasiada gente y allí estaremos más tranquilos. Lo estamos pasando bien, ¿no?

Anna suspiró y asintió. No pudo rechazarlo: le apetecía demasiado y tenía claro que solo iban a hablar y nada más. Así que subieron a su habitación. Tras pasar frente a una sucesión de puertas y doblar un par de recodos, llegaron por fin. Era un dormitorio que no escatimaba en lujos: biombos, candelabros de cristal, mesas orientales, figuras de bronce... Y una chimenea que emitía una luz suave y acogedora.

Tomaron varias copas más, hasta que él la agarró por la nuca y la miró fijamente. Anna se perdió en aquellos ojos negros y profundos; lo deseaba desesperadamente. Había una fuerza feroz, como un imán, que la atraía sin remedio hacia él. Trató de convencerse de que Pablo no sería de esa clase de hombres que se acostaban con una mujer y desaparecían al día siguiente. Tenía que confiar en él. Sus cuerpos se rozaron y se le pusieron los pelos de punta. La boca de Pablo estaba casi pegada a la suya y los brazos le rodeaban la cintura. No pudo resistirse a la pasión y olvidó los consejos de las monjas. Acercó sus labios a los de él y Pablo se hundió en su boca, apretándola con fuerza contra sí mientras sus dedos se aventuraban por debajo del vestido. Pablo Moreno le gustaba, y mucho.

15 de agosto de 1910

Estoy enamorada. Mauro es el hombre perfecto. Ha conseguido que olvide a Enric en apenas unos meses. Es detallista, alegre, guapo... Y, además, se deshace en halagos hacia mí. Todavía no se ha recuperado de sus heridas y el médico cree que puede quedarse cojo de por vida. Pero él es positivo y no le teme a nada: dice que conmigo tiene todo lo que necesita. Pasamos todas las tardes juntos mientras él sigue con la pierna inmovilizada. Jugamos a las cartas, charlamos... Soñamos con tener una vida mejor. Sin embargo, no sé qué vida puede tocarles a un tullido y una mujer que ni siquiera sabe lavarse la ropa. Además, mis padres no ven con buenos ojos mi relación con él. Dicen que paso demasiadas horas en el piso de Consuelo, que ese chico no me conviene y que tengo que esperar a que las cosas mejoren y volvamos a relacionarnos con los Girona. ¿Es que no ven que ya no hay vuelta atrás? ¿Que nunca más volveremos a ser los de antes? Creo que madre no está en sus cabales, que sigue pensando que esto es una situación temporal y que padre será otra vez el hombre de antes. Pero padre está enfermo: se lo ve decaído y apenas se levanta de la cama. Se siente culpable por lo que ha hecho a la familia y es incapaz de buscar trabajo para sacarnos de la ruina. Joan sigue siendo el cabeza de familia. Un cabeza de familia ausente, pero que al menos nos alimenta y mantiene. ¡Quién nos iba a decir que algún día dependeríamos de mi hermano! Pese a todo, estoy feliz. Feliz de haber encontrado a Mauro y de ser correspondida. Tengo fe en que, algún día, los dos podamos hacer nuestra vida juntos, casarnos y tener hijos. Ese es mi sueño.

Teresa

Desde que había conocido a Consuelo Aguilar, sus sospechas no habían hecho más que acrecentarse. Estaba convencida de que ocultaba algo, igual que Joan Puig: se conocían y eran cómplices, así que probablemente sabría algo sobre el paradero de su madre y el de su propio hijo.

Había decidido seguirla cada día después de trabajar. La esperaba frente a la boutique y la seguía hasta su casa, en la Castellana. Tenía una casa magnífica, elegante y sobria. Era lo único que había descubierto. Sin embargo, no tardó en variar su ruta. Cuatro días después de su visita a la tienda, la señora Aguilar se dirigió al paseo de Recoletos. Era de noche, así que resultaba imposible que pudiera percatarse de que ella la seguía. Tal y como esperaba, se adentró en la calle Villanueva y llamó al timbre de la casa de Joan Puig. Anna se quedó escondida tras la hilera de árboles y setos de la acera de enfrente. Sus sospechas se habían confirmado: Consuelo Aguilar entró en la casa de Joan Puig, aquel fortín que Pedro había insinuado que era el centro de la distribución de heroína. ¿Qué clase de relación podrían tener? ¿Dónde estaban, entonces, Mauro y Teresa?

Inesperadamente, alguien agarró a Anna por la espalda y le tapó la boca con la mano. Enseguida notó que le acercaban un pañuelo húmedo a la nariz. A los pocos segundos, perdió la conciencia.

Sintió un terrible dolor de cabeza. Abrió lentamente los ojos, aturdida. Estaba en un despacho: había una mesa de madera oscura, con una caja de puros abierta y una pluma de oro sobre varios papeles en blanco. Ella estaba en una silla, con las manos atadas fuertemente al respaldo. Rápidamente recordó lo ocurrido: alguien la había visto espiando frente a la casa de los Puig y la habían dormido con cloroformo. Pero seguía viva. Trató de deshacerse de la cuerda, pero le fue imposible. El corazón le palpitaba y estaba muy asustada: Joan Puig ya la había amenazado en su día, pero ella no había cejado y ahora sabía que él conocía a Consuelo Aguilar. ¿Qué iba a hacer con ella? ¿Por qué la habrían llevado a ese despacho?

Miró a su alrededor, jadeante y nerviosa. No iba a poder escapar, así que su vida dependía de la misericordia de su propio tío. Le llamó la atención una preciosa fotografía enmarcada que colgaba en una pared: era un paisaje hermoso en el que aparecía un lago en calma, un edificio antiguo y un sinfín de palmeras delante de unas montañas frondosas. Parecía un lugar exótico, tranquilo, que le hizo olvidar por unos instantes la angustiosa situación en que se encontraba.

La puerta del despacho estaba abierta y se oían voces de fondo. Anna reconoció, entre ellas, la de Joan Puig.

–¿Qué vamos a hacer con ella, señor? –preguntó alguien–. Deberíamos liquidarla.

Hubo un largo silencio.

–No será necesario –respondió Joan Puig, nervioso.

–Pero señor, puede que trabaje para la policía. Estaba espiando.

–Ya lo sé, pero es solo una niña. –Carraspeó nervioso–. No creo que sepa nada.

–Usted siempre ha preferido prevenir en estos casos.

Joan Puig resopló.

–Te he dicho que no. Déjamela a mí.

Oyó unos pasos que se dirigían hacia el despacho. Anna empezó a temblar. Aunque su tío no tenía intenciones de matarla, temía que su decisión pudiera cambiar en cualquier momento. Además, aquella conversación le había confirmado lo que ya sospechaba: que Joan Puig sabía de su existencia y que, en el fondo, tenía claro que ella era su sobrina. Entró en la estancia y se quedó mirándola con preocupación. Negó con la cabeza mientras se sentaba en su silla, frente a Anna. Parecía dubitativo e inseguro.

–¿Por qué lo has hecho? –preguntó con tristeza–. Te lo dejé claro la última vez.

Anna tenía la garganta seca y los labios pegajosos. Le iba a costar hablar. Él se dio cuenta y le ofreció un vaso de agua.

–Sé quién es Consuelo Aguilar –dijo ella lentamente–. Es mi abuela.

Él comenzó a restregarse la frente con las manos.

–Y se conocen –continuó Anna–. Estoy segura de que usted sabe dónde está mi madre.

–¿Aún sigues con lo mismo? –Se mordió los nudillos de una mano–. ¿Sabes que el tipo de ahí fuera podría haberte rebanado la garganta si yo no lo hubiera impedido?

–¿Y por qué lo ha impedido? –Levantó la barbilla, desafiante–. Sabe que soy de su sangre, que soy hija de su hermana.

–¡Olvídate ya de mi hermana! –Dio un golpe en la mesa–. Aún estoy a tiempo de dejar que te mate.

Anna se calló y miró al techo.

–Escúchame bien. –La señaló con el dedo, amenazante–. No voy a tolerar ni una más de estas. La próxima vez no pienso salvarte.

–¡Dígame dónde está! –gritó ella, desesperada–. Ella y Mauro se fueron de aquí, me tuvieron... ¡Soy sobrina de usted!

Joan Puig se levantó como un relámpago, se acercó a Anna y le propinó un sonoro bofetón en la cara. Luego, la agarró fuertemente de la barbilla y la miró con los ojos inyectados en sangre.

–Puede que seas mi sobrina, pero hay algo más en juego –espetó con dureza–. Tú no vas a ser quien lo estropee. No me temblará el pulso si he de repetirte de nuevo que te alejes de nosotros.

Anna sintió que le ardía la cara.

–La heroína, ¿no? –soltó de repente–. ¿Es eso lo importante?

Joan Puig rio, cogió un puro de la caja y lo encendió sin decir nada.

–No me importa el tema de las drogas –añadió ella, nerviosa–. No quiero meterme en eso. Solo quiero encontrar a mi madre.

–Pues no lo vas a conseguir por mucho que lo repitas cien veces. –Y le exhaló el humo en la cara–. Es la segunda vez que te digo que te olvides de esto. No habrá una tercera.

–¿Es que no siente ningún tipo de afecto hacia mí? –preguntó, dubitativa–. ¿Tan poco le importa su propia familia? ¿Se atreve a amenazar a la hija de su hermana?

Hubo un largo silencio. Él apartó los ojos, incapaz de aguantarle la mirada. En el fondo, parecía sentirse culpable. Sin embargo, trataba de mantenerse impertérrito, frío.

–Jamás podrás demostrarme que eres mi sobrina, aunque te parezcas a mi hermana. –Tragó saliva–. Pero no me gustaría tener que hacer daño a una cría. Así que ya lo sabes: no vuelvas por aquí.

Joan Puig abandonó el despacho. Anna trató una vez más de deshacerse de las ataduras, pero fue inútil. Estaba sudando y le temblaba todo el cuerpo. Había tenido las agallas de enfrentarse a un hombre tan peligroso como Puig y había salido milagrosamente indemne. Pero podría haber acabado de otra manera: había sido muy inconsciente al no tener en cuenta que un negocio que movía tanto dinero estaba por encima de una relación familiar inexistente. Y su tío se lo iba a recordar de nuevo. En la estancia entró un hombre alto, fornido, de anchas espaldas y rostro agresivo. Quizá fuera el hombre que la había cogido por sorpresa y quien podría haber terminado con su vida en un abrir y cerrar de ojos.

–Bueno, señorita. –Su voz era grave–. Es una pena que no pueda divertirme contigo.

Anna tragó saliva, asustada. El tipo se apoyó en la mesa y la miró, con los brazos cruzados. En la cinturilla del pantalón llevaba una pistola.

–¿Sabes lo que podría haberte hecho? –Se miró las uñas de las manos y sonrió ligeramente–. ¿Quieres saberlo?

Se levantó y se puso detrás de ella, agachándose para que su aliento le llegara a la nuca.

–Eres muy guapa, ¿sabes? –Le acarició el cuello–. No hubiera desperdiciado ni un trocito de este cuerpo...

Anna se quedó paralizada, aterrorizada por la forma en la que le susurraba. Sintió que le venía una arcada.

–No sé por qué te ha perdonado –siguió él–. El señor Puig no suele pensárselo dos veces.

–Porque en el fondo sabe que soy su sobrina.

–Pero si sigues molestando... –le tocó la pierna– quizá sea yo el que acabe contigo. Puede que tengas un accidente, ya sabes...

–No, por favor, no me haga nada. –El sudor le caía por la frente–. ¡Yo solo quería saber sobre mi madre!

–La búsqueda de tu madre puede acarrearte consecuencias. –Abrió las manos–. Todo depende de ti.

—No volveré a hacer nada más, se lo juro –suplicó ella–. Me olvidaré de todo.

El hombre dejó de tocarla y volvió a ponerse de frente. Se sacó un resto de comida de entre los dientes.

—Eso me parece mejor, señorita. –Se la quedó mirando fijamente–. Y si no cumples con tu palabra, tendré que ir a por otras personas...

Anna abrió los ojos y se puso alerta.

—¿Qué personas? –preguntó, titubeando–. ¿De quiénes habla?

—Pues no sé... –Rio–. Un tal Emilio, Maribel... Pedro... Sería una pena que ellos pagaran por tu inconsciencia.

—¡No les haga nada! –exclamó con lágrimas en los ojos–. Ellos no tienen nada que ver con esto...

—Si no quieres que tengan algo que ver, ya sabes lo que tienes que hacer: olvidarte de Joan Puig, de Consuelo Aguilar y de esta casa.

Anna asintió con desesperación. Si le pasaba algo a sus amigos por su culpa, no se lo perdonaría jamás.

—Lo haré, se lo juro –repitió con rotundidad–. No me verán más el pelo.

El hombre sonrió, satisfecho, y procedió a desatarla.

—Márchate –le ordenó fríamente.

Anna salió corriendo, cruzando el salón velozmente, sin mirar atrás. En el umbral del recibidor estaba Joan Puig, a punto de abrir la puerta.

—Y recuerda –le advirtió antes de dejarla salir–: si hay una próxima vez, te aseguro que será la última.

Maribel abrió la puerta y lanzó un gritito de sorpresa que llamó la atención de toda la oficina.

—¡Dios mío! –exclamó–. ¡Es Pablo Moreno!

Emilio e Ignacio se miraron expectantes mientras Anna sonreía por lo bajo.

—Hazlo pasar, hija mía –ordenó el señor Alarcón–. Y baja a por churros.

Maribel condujo al actor hasta el interior y luego se marchó sin dejar de mirarlo. Anna tenía las mejillas coloradas e hizo un esfuerzo

258

por sostenerle la mirada. Solo ellos dos sabían lo que había ocurrido en el Ritz y la pasión que se habían regalado.

—¿A qué se debe esta grata visita? –preguntó Emilio, ofreciéndole asiento.

Pablo Moreno se dirigió a Anna con una media sonrisa.

—Esta señorita me ofreció hacer un anuncio para Gal.

—Así es, así es –repitió Emilio, incrédulo–. Y veo que está interesado.

—No lo estaba al principio, si he de serle sincero. –Se tocó la barbilla–. Pero he tenido tiempo para pensarlo. –Señaló a Anna–. Esta chica es muy atrevida, ¿sabe? No sé si le ha contado que intentó persuadirme en el lavabo.

Emilio e Ignacio abrieron los ojos como platos.

—Le pido disculpas una vez más, caballero –intervino Anna, siguiéndole la corriente–. Pero una hace lo que haga falta por su trabajo.

—Ya veo, ya... –Le guiñó un ojo–. Por eso está donde está, me imagino.

—Anna Expósito vale oro –aseguró Emilio–. Por eso la tengo en mi agencia.

Ignacio no pudo evitar hacer una mueca de disgusto. Había perdido toda la atención y le costaba disimular su incomodidad.

—Creo que tiene razón en lo de hacerme conocer en mi tierra. –Se peinó el pelo con los dedos–. He vivido la mayor parte de mi vida en América, pero nunca se sabe cuándo tendré que regresar. El cine sonoro pega muy fuerte.

—Saldría en las mejores revistas –comentó Emilio–. Las lee muchísima gente. Podríamos, incluso, poner un cartel en la Puerta del Sol. Estaría en boca de todo el mundo.

—Pero eso se ha de pagar. –Encendió un cigarrillo–. Trescientas mil pesetas.

Emilio se llevó la mano a la cabeza. En ese momento apareció Maribel con los churros, contoneándose seductoramente frente a Moreno, y no dudó en halagar a su amiga por lo conseguido.

—Era una de las chicas más guapas de los cines Callao, ¿verdad? –soltó con una risita tonta–. Es muy glamurosa, nuestra publicista.

—No puedo negárselo. —Y le lanzó una mirada penetrante y seductora a Anna, que no sabía dónde meterse–. Y muy moderna. Muy hollywoodiense, diría yo.

—Y encima lista –continuó la secretaria–. Si es que lo tiene todo, vamos.

—Oiga, trescientas mil pesetas es una barbaridad –comentó Emilio, apurado–. Tendríamos que vender mucho para que nos saliera rentable.

Maribel se atrevió a dar su opinión.

—Creo que va a ser un éxito. –Señaló al actor–. ¿Es que no lo veis? Las mujeres se volverán locas y querrán que sus maridos se parezcan a él.

—Pero se trata de que los hombres lo compren –intervino Ignacio por primera vez–. Puede que ellos ni siquiera sepan quién es él.

—Oh, vamos, Ignacio... Sus mujeres ya se encargarán de que lo sepan. Ellos querrán ser como Pablo.

—Ser un hombre exitoso, un galán y un seductor –añadió Anna convencida–. Y todo eso es lo que representa Pablo Moreno.

Este sonrió y mostró unos dientes perfectamente blancos y alineados. Se sentía cómodo con el halago y no lo disimulaba.

—Está bien –dijo al fin Emilio–. Hablaré con el señor Echeandía y veremos qué podemos hacer.

Pablo Moreno se levantó de la silla y lanzó a Anna una mirada cargada de complicidad y seducción que la dejó hipnotizada y prendada.

FIXOL, EL PREFERIDO PARA EL HOMBRE DE SOCIEDAD
Recién peinado en todo momento del día. Para llegar bien a todas partes, sin manchar ni empastar. Elegante, limpio y agradable.

39

«Aunque los resultados parciales de las elecciones municipales del pasado 12 de abril favorecían a los monárquicos, la victoria republicana en las ciudades ha llevado a una crisis gubernamental y ha dado paso a la Segunda República y al abandono del país por parte del rey Alfonso XIII ante el temor de un enfrentamiento civil.»

Pedro cerró el periódico y sonrió.

—Espero que las cosas cambien para nosotros —dijo ilusionado—. Deberíamos salir a celebrarlo. ¿Qué te parece esta noche en el American Bar?

Anna asintió con entusiasmo.

—Me parece genial —sonrió—. Se lo comentaré a Pablo, aunque seguro que se apunta.

—Nena, aún no me puedo creer que lo vuestro vaya en serio...

—Yo tampoco. —Se encogió de hombros—. Quién me lo iba a decir a mí... Ya llevamos cuatro meses juntos. No quiere regresar a América.

—Es increíble que salgas en la *Blanco y Negro*.

—Calla, qué vergüenza. —Se ruborizó—. Yo no sé cómo se enteran de todo.

—Pues no sé, pero la culpa es tuya —le guiñó un ojo—. Gracias al anuncio de Fixol todo el mundo conoce a Pablo Moreno. Eres una mujer envidiada. Y ya casi no te veo el pelo desde que te hospedas en el Ritz...

—La verdad es que es mejor que la pensión Alcalá. —Rio—. Pero ya ves, nunca te voy a negar un desayuno. Los huevos fritos de aquí son infinitamente mejores que los del Ritz.

—Pero oye, ¿no crees que es demasiado mayor para ti?

–¿Es que eso importa? –Negó con la cabeza–. El amor no tiene edad ni condiciones. ¿O no es así, Pedro?

Él asintió, consciente de que era el menos indicado para hablar.

–Me preocupo por ti, cariño. Quiero que seas feliz.

–Y lo soy –sentenció–. Estoy muy enamorada, Pedro.

De camino a la agencia Media, Anna se quedó contemplando, como hacía cada día, el enorme cartel que presidía una de las fachadas de la Puerta del Sol y en el que aparecía un Pablo glamuroso, vestido con elegante traje negro y perfectamente peinado. Anna soltó un suspiro de enamorada al recordarlo acostado a su lado, fumando desnudo. Sintió hormigas en el estómago y se le aceleró el corazón. Se imaginaba a sí misma formando una familia con él; aunque todavía era pronto para pensar en eso, se permitía fantasear con un futuro perfecto y feliz a su lado. Era su primer amor, como lo había sido Manuel para Rosa. Ahora lo entendía todo. Quería amarlo, acariciarlo a todas horas. Lo adoraba todo de él: su ironía, su sentido del humor, su mirada seductora, su cabello oscuro, su forma de andar, la maestría con que la satisfacía en la cama, la desgarradora pasión que él mismo desataba... Lo seguiría hasta el fin del mundo si hiciera falta.

En Media estaba el señor Echeandía. Al entrar en la oficina, el dueño de Gal estrechó la mano a Anna y se deshizo en halagos.

–Nunca le estaré lo suficientemente agradecido, señorita. Gracias a usted no damos abasto con la venta de Fixol. Pablo Moreno ha sido todo un acierto.

El señor Alarcón asentía orgulloso.

–Ya le dije que tengo a los mejores empleados –observó.

–La verdad es que al principio no tenía mucha fe... –Echeandía miró a Ignacio–. El señor Rojas es uno de los mejores publicistas del país.

–Y lo sigue siendo –comentó Emilio–. Ahora tengo a los dos mejores publicistas.

Anna se sonrojó. Gracias a Pablo había conseguido sumar puntos. Ignacio, sin embargo, no parecía contento con el piropo. Sabía que había perdido la guerra, la seguía viendo como una enemiga a abatir y haría lo que fuera por seguir siendo el número uno para Echeandía.

—No hay nada mejor que una mujer para llamar la atención de un hombre —siguió Echeandía—. Y fíjese que no solo ha conseguido un modelo para un anuncio, sino también un novio, ¿verdad, señorita?

Anna sonrió y se mantuvo callada.

—Sale en la *Blanco y Negro* —continuó Emilio— La nueva novia de Pablo Moreno: Anna Expósito, publicista de la agencia Media.

—¿Y eso nos conviene? —preguntó Ignacio—. Porque no sé quién nos va a tomar en serio...

—Al contrario, señor Rojas —dijo Echeandía—. Nos interesa que salga el señor Moreno en las revistas, así se venderá más Fixol.

—No sé, que esté esta chica en el mundo de la farándula... —Carraspeó y la miró de reojo—. Puede que para Fixol sí, pero no sé si para Media...

—Déjate de tonterías —soltó Emilio—. Claro que nos conviene.

El señor Alarcón le lanzó una mirada recriminatoria a su socio. Estaba hablando de más delante del señor Echeandía y eso no le gustaba un pelo. Por suerte, el empresario se marchó a los pocos minutos.

—Los trapos sucios se lavan en casa, Ignacio —lo reprendió Emilio—. No delante del señor Echeandía. Estás molesto con Anna. Te corroe la envidia.

Las mejillas de Ignacio se encendieron y apretó los puños.

—No es envidia, es desconfianza. —Achicó los ojos, enfadado—. Todo lo que nos ha costado llevar a Media a lo más alto para que esta... —Se mordió la lengua—. Somos una empresa seria.

—Mira si somos serios que hasta un actor de Hollywood trabaja para nosotros —comentó orgulloso el jefe—. Ves fantasmas donde no los hay.

—Te digo yo que nos llevará a la ruina.

Anna estaba de pie, con los brazos cruzados, aguantándole la mirada.

—Lo que te molesta a ti —dijo con rabia— es que alguien como yo tenga mejores ideas que tú. Que una mujer tenga éxito en tu mismo terreno. No lo quieres aceptar.

—¿Mejores ideas? —Rio burlón—. ¿Comprar a un actor a cambio de cama es tener buenas ideas?

—¿Qué insinúas?

263

—Lo que pensamos todos, pero nadie se atreve a verbalizar, Annita. Que te metiste en la cama de Pablo Moreno para conseguir el anuncio. Te vendiste como una fulana.

Anna abrió la boca, ofendida.

—Mi relación con Pablo es algo personal y no tiene nada que ver con esta agencia.

—Uy, sí que tiene que ver, sí... —La miró con desprecio—. Las mujeres siempre conseguís lo que queréis con argucias y manipulaciones. Os aprovecháis de las debilidades masculinas...

—¡Basta, Ignacio! —exclamó Emilio—. No tienes derecho a hablarle así.

—¿Que no tengo derecho? —Se levantó y se acercó a un centímetro del rostro de Alarcón—. Esta agencia también es mía, Emilio. Tengo todo el derecho del mundo.

—Pues parece que no disfrutas de sus éxitos. Si Anna triunfa, nosotros también.

—He trabajado mucho. —Su voz empezó a temblar—. Y las cosas ya nos iban bien, pero ahora... No es tan buena como te crees, amigo, ha sido más suerte que otra cosa.

Anna negó con la cabeza.

—La suerte se persigue —observó, afectada por el ataque—. Solo trato de hacer bien mi trabajo. Nunca he querido competir contigo, sino trabajar en equipo. Pero ha sido imposible.

—Quisiste pasar por encima de mí desde el principio. Eres terca y quieres tener la razón.

—Igual que tú. —Lo señaló con el dedo—. Puede que compartamos defectos, pero en una mujer se hace más insoportable y tedioso, ¿verdad, Ignacio? Nosotras ya estamos acostumbradas a obedecer, vosotros no.

—Tengo más experiencia que tú, así que deberías mostrar más respeto por mi trabajo.

—Lo que quieres es que acepte todo lo que digas, pero el señor Alarcón no me escogió para eso.

Ignacio apretó la mandíbula y se dirigió a Emilio.

—Debes escoger. —Abrió las manos—. Yo no puedo trabajar más con ella. Así que dime, Emilio, ¿me quieres a mí o a ella?

El señor Alarcón rio y le dio una palmada en la espalda. Luego, se puso serio de golpe.

—Déjate de gilipolleces, Ignacio. —Frunció el ceño—. Ya estoy harto de peleas de recreo. Parecéis unos críos, joder. —Hizo una pausa—. Me parece que ya sé lo que vamos a hacer... Anna y tú os tomareis unos días de descanso.

—¡Yo no necesito descansar! —exclamó ella.

—Tú harás lo que se te diga, Anna Expósito —resopló él—. Reflexionareis sobre vuestra actitud y regresareis como adultos que sois. Os respetareis durante las horas de trabajo; luego, os podéis tirar de los pelos si queréis. Pero no en Media. Y si no, os digo una cosa... —Amenazó con el dedo—. Hay muchos profesionales en el mundo, así que no me toquéis los cojones.

Anna arrugó los labios, enfadada, cogió el bolso y abandonó la oficina dando un sonoro portazo. Sentía que Emilio no estaba siendo justo con ella: quien no aceptaba trabajar con una mujer era Ignacio, así que debía ser él quien reflexionara. Pero Emilio, en el fondo, no quería perderlo, ni echarle todas las culpas. No le quedaba otra que aceptarlo.

Se marchó directamente al Ritz. Tenía ganas de consolarse con Pablo y disfrutar del resto del día con él. Iba a tratar de ver el lado positivo de las cosas: unos días de descanso tampoco le irían mal. Pablo no estaba en la habitación. Era la hora del vermut, así que probablemente estaría tomándose un cóctel en el bar del hotel. Anna bajó y lo vio en una mesa junto a una mujer, ambos charlando mientras fumaban y bebían de manera informal. Él, como siempre, regalando su sonrisa seductora, su buen humor y simpatía. Anna se fijó en ella: era una chica joven, un poco mayor que ella; tenía el pelo negro y ondulado, dientes pequeños y bonitos, y unos pómulos grandes y sonrosados. Enseguida le puso nombre: era la Romerito, la actriz de cine mudo español Elisa Ruiz. La había reconocido porque Pili coleccionaba fotografías de las escenas de sus películas de la revista *La Pantalla*. Era guapa y considerada la mejor estrella del cine español.

Se acercó lentamente a la mesa y Pablo la vio. Puso cara de extrañado: todavía era pronto para que hubiera salido de trabajar.

—¿Qué haces aquí? —preguntó mientras le cogía la mano para besarla.

—Luego te cuento —respondió con poco humor—. ¿Y tú?

–Oh, ¿conoces a la Romerito? –se la presentó–. Está alojada en el Ritz y nos hemos cruzado por casualidad.

Miró fijamente a la actriz, que bajó la mirada con timidez; luego encendió un cigarrillo.

–¿Has venido a estrenar alguna película? –preguntó Anna.

–Tengo reuniones y entrevistas con productores y con alguna revista –dijo con cierta indiferencia–. Pablo me ha contado lo de tu trabajo. Qué interesante, ¿no?

–A veces. –Chasqueó la lengua–. Es complicado trabajar con hombres.

–Pues imagínate en el mundo del teatro y del cine: se creen con el derecho de hacer contigo lo que quieran a cambio de darte un papel. –Aspiró fuertemente y expulsó el humo como un torbellino–. Aunque, bueno, a veces es al revés, ¿verdad?

La Romerito y Pablo rieron.

–No te sigo. –Anna sintió un pellizco en el estómago al ver la complicidad de ambos–. ¿Qué es tan gracioso?

–Que a veces son las mujeres las que se aprovechan de los hombres –explicó la actriz, guiñándole un ojo–. Conseguiste que te hiciera el anuncio de Fixol.

–No me pude negar –comentó Pablo en tono jocoso–. Es muy persuasiva, cuando quiere.

Volvieron a reír. Anna se sintió ofendida y le lanzó una mirada de reproche. Entonces abandonó la mesa de muy malos modos y subió a toda prisa a la habitación. Estaba harta de que todo el mundo insinuara que se había acostado con Pablo a cambio del anuncio. Quería gritar al mundo que lo había hecho porque había querido, porque era una mujer joven, abierta, dispuesta a pasarlo bien sin ataduras ni compromisos. Después había surgido el amor. Se recostó en la cama, triste, a la espera de que Pablo fuera tras ella y la consolara, pero no lo hizo con la celeridad esperada. A Anna le pareció una espera agónica.

Por fin, él entró y se tumbó a su lado, y la abrazó por la espalda.

–¿Qué diablos te ha pasado?

Anna se deshizo de él y lo miró a la cara. Todavía podía notar el fuerte perfume que llevaba la Romerito.

–Os estabais riendo de mí –soltó con rabia–. ¿Cómo puedes entrar en ese juego? ¿Le vas contando a todo el mundo que me acosté contigo en la primera cita?

–Oye, tranquilízate –suavizó el tono–. Solo era una broma. Yo no le he contado nada a nadie. Ella trataba de hacer un chascarrillo.

–Pues tiene muy malos modos.

–Estás celosa. –Se le escapó la risa–. Sabes que yo te quiero a ti.

–¡No estoy celosa! –exclamó, todavía más enfadada–. He tenido un problema en Media. Ignacio y yo hemos vuelto a discutir y el señor Alarcón nos ha enviado a casa para reflexionar.

–Vaya, así que es eso... –Le acarició la cara–. ¿Y qué ha pasado esta vez con el imbécil de Ignacio?

–Pues me ha dicho que soy una fulana. –Dio un puñetazo a la almohada–. Que conseguí el anuncio porque me acosté contigo.

–Ahora lo entiendo todo. –Le agarró la barbilla cariñosamente–. Por eso te ha dolido lo que ha dicho la Romerito. Ese Ignacio merece que le parta la cara.

–¡Solo faltaría eso! –Negó con la cabeza–. Emilio nunca dejará que se vaya, así que a la larga voy a tener que adaptarme a él y contentarlo.

–Pues quizá sí. –Le besó el cuello–. Estás muy feliz aquí y te encanta el trabajo. Tendrás que hacer ciertas concesiones.

–Pero me fastidia –suspiró–. No debería ser así. Él tendría que respetarme.

–El mundo no es como nos gustaría, cielo. –Le pellizcó la nariz–. Venga, quiero que te animes. ¿Qué puedo hacer?

Anna sonrió, más relajada. Pablo tenía el don de quitarle importancia a las cosas, de reducirlo todo a una realidad más sencilla y llevadera. A su lado, los problemas se esfumaban como por arte de magia.

–Pedro quiere que salgamos esta noche con él al American Bar. Todavía no te conoce.

Pablo resopló y miró al techo.

–Sabes que no me gusta ese tipo de sitios. Ya sé que es tu amigo, pero... No sé, eso del transformismo me parece un despropósito.

–Lo sé, a mí también me lo parecía hasta que vi a la Cheli. –Rio–. Te recuerdo que crecí en un orfanato rodeado de monjas, así que si yo he sido capaz de aceptarlo...

—No sé, Anna, no me convence...

—¡Alucinarás con Pedro! —exclamó con entusiasmo—. ¡Lo hace tan bien! Seguro que cambiarás tu opinión. También estará Luis, su novio. Son muy majos, de verdad.

Él la agarró de la nuca y la besó.

—Está bien... —Le mordió el labio a propósito—. Lo haré por ti, porque has tenido un mal día y yo no lo he hecho demasiado bien.

Pablo comenzó a desabotonarle la blusa mientras ella adentraba la mano en su pantalón.

—Aún puedes mejorarlo más —sentenció Anna.

40

Llegaron al American Bar. Pablo se había puesto sus mejores galas; demasiado trajeado para un lugar en el que la gente solía ir de lo más informal. Pero él era un hombre clásico y vestía siempre impecable, preparado para cualquier recepción del Ritz. Bajaron al sótano y se encontraron con Pedro y Luis. Estos ya llevaban un cóctel en la mano y estaban un poco achispados. Todavía no conocían a Pablo en persona, así que no pudieron reprimir la emoción al estrecharle la mano a un actor que se había hecho todavía más famoso en España gracias al Fixol. Pese a que Pablo no se sentía muy a gusto en lugares como aquel, no dejó de mostrar su mejor sonrisa y ganarse a todos como hacía siempre. Por suerte, como el sótano tenía una iluminación tenue, nadie más pudo reconocerlo y pudieron disfrutar del anonimato durante toda la noche.

—Anna te habrá contado que Luis y yo somos... —Pedro carraspeó—. Supongo que te habrás encontrado con algún caso similar en Hollywood.

—Ay, sí, cariño... —añadió Luis—. ¡Cuéntanos algo, venga!

—Greta Garbo —comentó Pablo—. Su pareja es una poetisa llamada Mercedes de Acosta. Y William Haines.

—¡No me digas! —exclamó Pedro—. ¡Pero si es uno de los mejores actores del cine mudo! Está espectacular en el *Expreso de medianoche.*

—Dicen que la Metro Goldwyn Mayer le pidió que dejara a su amante, Jimmy Shields, un marinero que trabajó de extra en una de sus películas. Él le dijo que no, que no lo iba a dejar. Y no pasó nada porque ha seguido siendo el número uno.

—Espero que allí no los traten como aquí.

–También los persigue la ley, pero hay lugares, como este, donde pueden sentirse libres. Por ejemplo, en Harlem o Manhattan hay locales donde bailan agarrados y hacen transformismo.

–Dicen que el mejor lugar para gente como nosotros es París.

–Vámonos a París, Pedro –dijo Luis, agarrándole del brazo–. Va, dejemos esta mierda y seamos libres de verdad.

–Pero ahora empieza la República, Luis.

–¿Y qué? Todavía está el Código Penal antiguo. De aquí a que lo cambien...

Se besaron. Pablo miró hacia otro lado; Anna se dio cuenta de que estaba incómodo y le pidió una copa.

–Relájate, cielo –le susurró al oído–. Nadie te ha reconocido, puedes estar tranquilo.

–Espero que actúe ya y nos vayamos cuanto antes –soltó de mala gana.

–No entiendo por qué te pones así, si no pasa nada...

–No me gusta estar aquí. –Hizo una mueca de asco–. No comulgo con esta gente, no me gustan.

Anna torció el gesto, decepcionada, y se bebió de un tirón la copa.

–Parece mentira que vivas en Hollywood. ¿No deberías estar acostumbrado a esto? Trata de ser más tolerante; a mí me costó al principio, pero puse de mi parte.

–Tú eres tú y yo soy yo. –La miró intensamente–. No me gustan los maricones y los transformistas. Son problemáticos y descarados.

–¿Por qué los insultas? –Se sintió ofendida–. Son mis amigos.

–Serán tus amigos, pero son unos depravados.

–No sabía que podías llegar a ser tan hiriente. Debes modernizarte.

–¿Es que ahora resulta que si no me gusta esta gente no soy moderno? –Negó con la cabeza y miró hacia otro lado–. Soy un hombre normal y corriente, y sí, me considero moderno, pero eso no significa que tenga que aceptar esta depravación.

–Solo te he pedido una noche –le recriminó ella–. Hemos estado en tu mundo todos estos meses. ¿No puedes hacer de tripas corazón y tratar de pasarlo lo mejor posible?

–Por ti lo hago. Pero no me digas que este es tu mundo, ni que es mejor, porque no es verdad. –Hizo una pausa–. Puedes venir aquí cuando quieras, pero no me pidas que lo haga yo.

Anna suspiró y se quedó en silencio. No quería empeorar más la noche, así que optó por dejar la discusión. Se sentía molesta por la actitud reticente de Pablo y por su poca predisposición a aceptar su forma de divertirse y a los únicos amigos que había hecho en Madrid. Creía que, viniendo de Estados Unidos, Pablo sería una persona abierta y liberal, pero no era así. Tendría que aceptarlo tal y como era.

El sótano del American Bar comenzó a llenarse de gente, todos a la espera de que comenzara la actuación de Pedro. La Cheli salió al fin, ante la cara de estupefacción de Pablo. Estaba abochornado y le costaba mantener la vista en el escenario. Anna intentó disfrutar del arte de su amigo sin que le condicionara la desagradable actitud del actor. Su forma de cantar, tan sentida y emocionada, le hizo olvidar todo lo que había ocurrido aquella mañana con Ignacio. Pensó que todo en la vida tenía solución y que lo que había conseguido hasta ahora ya era todo un logro, independientemente de lo que pudiera pasar después. Estaba contenta con su vida en Madrid y encima había encontrado el amor. El amor de su vida, además. Había reconocido todos los sentimientos que Pili le había confesado sentir por José Antonio hacía tiempo, los mismos que Rosa, probablemente, sentiría por Manuel. El verdadero amor era intenso y dolía a veces, pero también podía ser maravilloso.

–Perdóname –le dijo Pablo al oído–. He sido un idiota y no te mereces esto. Disfruta de la velada.

Sintió los labios húmedos de Pablo en su cuello. Sonrió, feliz. Sin embargo, la noche iba a dar un giro inesperado. De repente, cinco hombres irrumpieron en el sótano pistolas en mano. Sacaron unas placas y se identificaron como policías, pese a ir vestidos de paisano. Anna no entendía qué estaba pasando. Se puso de pie; Pablo la cogió de la mano, sorprendido.

–¡Que nadie se mueva! –gritó uno–. ¡Es una redada!

Anna abrió la boca y miró hacia el escenario: uno de los policías había subido y estaba apresando a Pedro, que trataba de resistirse y se llevó un puñetazo en el estómago. Luis soltó un grito al ver cómo le ponían las esposas y lo bajaban del escenario con violencia. Anna lo entendió todo: había habido un chivatazo de lo que pasaba en el sótano del American Bar, de que había actuaciones de transformistas, drogas y homosexuales. Buscaban pruebas y las iban a tener. Los demás policías empezaron a cachear a los hombres, poniéndolos de cara a la pared y con los brazos en alto. También a Luis y Pablo. A Pablo lo soltaron rápido, pero no a Luis: habían encontrado en uno de sus bolsillos una papelina de heroína. También a Pedro, debajo de sus ropas de cupletista. Y así a muchísimos otros. Después siguieron con las mujeres; evidentemente, Anna estaba libre de drogas.

Luis comenzó a llorar mientras le ponían las esposas y lo conducían hacia arriba, lejos de Pedro, que seguía semidesnudo y oponiendo resistencia.

—¡Estate quieto, maricón! —le dijo uno, dándole una patada en la pierna—. Te pasarás una temporadita a la sombra y se te quitarán las ganas de hacer el pervertido.

Anna corrió hacia él, desesperada, en un intento por salvarlo.

—¡No estaba haciendo nada malo! —exclamó—. ¡Solo bailaba!

—Eso es lo de menos. —Rio—. Lo que buscábamos era droga.

Pedro miraba al suelo, avergonzado. Apenas había ya rastro de maquillaje, que se había esparcido por todo su rostro, mezclado con el sudor. Estaba paralizado y le costaba andar. El hombre le dio un golpetazo en la cabeza que lo dejó todavía más aturdido. Anna no pudo evitarlo y se abalanzó sobre su amigo para protegerlo.

—¡Sal de aquí, guarra! —espetó el policía, empujándola al suelo.

Pablo, que estaba observando la escena, se dirigió al policía para increparlo.

—¡No la toques! —gritó fuera de sus cabales—. ¡Es solo una mujer!

Hubo un pequeño forcejeo entre los dos hasta que varios sujetaron al actor por la espalda. Anna tragó saliva: Pablo la había defendido y no iba a salir bien parado.

—Creo que tú también vas a venir con nosotros —soltó uno de ellos.

—¡No! —exclamó Anna—. Llévenme a mí, por favor.

Un policía la apartó con el codo mientras retorcía el brazo de Pablo y lo conducía hacia las escaleras.

—No pasa nada, cariño —le dijo él en voz alta—. Vete al hotel y espérame.

–No, no; te acompaño. –Apenas le salía la voz–. No puedo dejaros solos.

–Ni se te ocurra venir, Anna –le advirtió él–. Vete a casa y espérame.

No se atrevió a contradecirlo. Pablo siempre sabía lo que había que hacer en cualquier situación, así que iba a obedecer y no causar más problemas. Ella había forzado su detención y esperaba que solo estuviera en el calabozo unas horas. Pensó en Pedro y Luis: ¿qué iba a pasar con ellos?

Se marcharon. En el sótano ya no quedaba prácticamente nadie, solo alguna que otra mujer desamparada y todavía incrédula por lo sucedido en tan solo unos minutos. Unos minutos que a Anna le habían parecido eternos y le habían permitido ser testigo de la humillación sufrida por Pedro solo por hacer lo que le gustaba. Pero vendía droga y eso era un delito; Anna nunca había estado conforme con que lo hiciera, porque sabía que quien jugaba con la droga nunca salía bien parado. Y Pedro, por necesidad, igual que Luis, trapicheaban con la heroína. Una heroína que, a su vez, era distribuida por Joan Puig.

Salió del American Bar incapaz de reprimir las lágrimas. Era tarde y corría un aire frío; además, la calle estaba desierta: después de la redada, muchos bares de alrededor habían optado por cerrar antes de hora y evitarse problemas. Le dolían los pies más que nunca; uno de los tacones se le había roto cuando el policía la había tirado al suelo. Le iba a costar llegar a casa. Y como si fuera un espejismo, vio a alguien a pocos metros del American Bar, un hombre con abrigo largo hasta los pies y sombrero oscuro. Estaba, apoyado en la fachada de un edificio, esperando a alguien. No se le veía el rostro. Sin embargo, justo en ese momento pasó un coche que iluminó la cara del desconocido. Tenía una sonrisa vengativa en la cara. Ignacio Rojas se marchó lentamente, impasible.

Pablo llegó al cabo de dos días, desaliñado y cansado. No había dormido nada en el calabozo y apenas le habían dado comida. Por suerte, no le habían puesto la mano encima. Entró por la puerta y Anna se abalanzó sobre él para abrazarlo.

—¿Cómo estás? —Apoyó la cabeza en su pecho. Olía a sudor–. ¿Te han hecho daño?

—Casi no me dejan entrar en el Ritz. Pensaban que era un vagabundo.

Le dio un beso en la mejilla y rápidamente se dejó caer en la cama.

—¿Qué ha pasado en el calabozo? —preguntó ella atropelladamente– ¿Sabes algo de Pedro y Luis?

Él soltó un suspiro y puso los ojos en blanco.

—Eso es lo que te preocupa a ti: Pedro y Luis. —Apartó la cara–. Pues no sé nada de ellos, no.

Anna arrugó la frente.

—He estado muy preocupada por ti —dijo con voz estrangulada–. Llevo dos días sin dormir, esperándote.

—Pues habértelo pensado antes de meterme en ese bar lleno de maricones y drogas —espetó con dureza.

—Nunca antes había pasado nada. —Negó con la cabeza–. Creo que fue... fue una venganza.

—¿Una venganza? —Rio–. ¿De qué hablas?

—Me pareció ver a Ignacio Rojas en la calle, cuando todo había pasado ya.

—¿Insinúas que ese tipo dio el chivatazo? —El actor se restregó los ojos–. Creo que has perdido la cabeza...

—¿Por qué te parece tan extraño? —Se encogió de hombros–. Me la tiene jurada.

—Oye —la miró fijamente–. No eres el centro del universo. No eres nadie.

Anna se quedó parada. Él nunca le había hablado así, con tanto desprecio.

—¿Así que no soy nada?

—No eres tan importante como para que Ignacio Rojas haga una cosa así. Por el amor de Dios...

—¡Te digo que lo vi allí! —exclamó con desesperación–. ¿Por qué no me crees?

—Porque estás obsesionada. —Se metió entre las sábanas–. Solo hablas de Media, de ti, de la estúpida publicidad.

—¿Que solo hablo de mí? —Se cruzó de brazos–. He venido a vivir contigo, siempre eres el maldito centro de atención allí dónde vamos.

El gran Pablo Moreno, el genial Pablo Moreno, el seductor Pablo Moreno...

—Vale ya, Anna. —Se puso de lado—. Estoy cansado.

—No, no; me vas a escuchar —dijo atropelladamente—. He de aguantar que coquetees con todas las mujeres que pasan por delante de tus narices, como si tuvieras la obligación de complacerlas, de darles pie a algo más. Y yo a tu lado, como una estúpida.

—¿No quieres que compren Fixol? —Rio con sarcasmo—. ¿Qué pasaría si Pablo Moreno fuera un imbécil del tres al cuarto y les girara la cara con desprecio? ¿Venderías Fixol, entonces?

—Claro, porque tontear con la Romerito también es para vender el producto de Gal, ¿no?

—Lo de coquetear con la Romerito lo hice porque me dio la gana. ¡Y porque estoy hasta las narices de ti!

Anna sintió que se desataba un torbellino de angustia en su estómago. Aquellas palabras revelaban que la relación con Pablo ya no era la misma que al principio, que la pasión y el amor fervoroso de las primeras semanas se habían esfumado para él. Pudo verlo en sus ojos, cansados y agotados de fingir un sentimiento caduco. Quedaban los rescoldos fríos de lo que estaba condenado a desaparecer. Pero ella no estaba dispuesta a darlo por perdido: amaba a Pablo con locura y no concebía la vida sin él. Se sentía fuerte y segura a su lado, después de haber pasado la mayor parte de su vida anhelando un amor incondicional, de película. El actor, consciente de la dureza de sus palabras, se tapó la cabeza con la almohada como si con eso pudiera hacerse invisible. Anna entendió que lo que quería era que se marchara de allí, que lo dejara descansar. Se dijo, con esperanza, que lo que necesitaba él era tan solo eso: dormir y olvidar lo que hubiera vivido encerrado en aquel calabozo. Y después, todo volvería a la normalidad.

Con lágrimas en los ojos, abandonó la habitación del Ritz y se dirigió a Media. Todavía no podía regresar al trabajo, pero necesitaba consolarse, ante la ausencia de Pedro, con la única mujer en aquella ciudad a la que consideraba su amiga.

Maribel abrió los ojos como platos al verla en la oficina.

—¿Qué haces aquí? —Se mantuvo en la puerta—. Emilio te dijo que te tomaras unos días. Se enfadará si te ve por aquí.

—Ya lo sé, pero... —Rompió a sollozar—. Se trata de Pablo.

Maribel soltó un suspiro y le dijo que esperara. Luego, al cabo de unos segundos, volvió a salir.

—Le he dicho que voy a por unos cafés. —Le cogió la mano—. Acompáñame y me cuentas.

En dirección a la cafetería se toparon con un pequeño quiosco. El propietario, con un fajo de revistas y periódicos en la mano, comenzó a vocear las novedades del día.

—¡Redada en el American Bar! —anunciaba a los transeúntes—. ¡Pablo Moreno uno de los implicados!

Anna se tapó la mano con la boca, sorprendida, y se acercó al quiosquero.

—¿Dónde pone eso?

—Sale en la *Blanco y Negro* —enseñó la portada—. Que Pablo Moreno estuvo en un bar de maricones y tenía droga.

—¡Eso no es verdad! —exclamó indignada—. ¿Cómo ha podido trascender algo así?

—No lo sé, señorita, yo solo digo lo que pone en portada.

—Compraré todas las que tenga. —agarró desesperada—. Pagaré lo que sea.

El quiosquero frunció el ceño.

—Pero eso no lo puede hacer... —respondió apurado—. Mis clientes quieren comprarla. ¿Cómo voy a decirles que se ha terminado?

—Le pago el doble o el triple. —El sudor le resbalaba por la frente—. ¿Cuánto quiere?

—Oiga, señorita... —repuso con tono conciliador—. No quiero parecer impertinente, pero... hay decenas de quioscos en Madrid. No va a poder pararlo.

Maribel le acarició la espalda.

—El hombre tiene razón, Anna. —La miró fijamente—. No vas a conseguir nada.

Asintió y devolvió las revistas con desánimo. Se apoyó en el hombro de Maribel y empezó a llorar.

—Lo voy a perder... —susurró, hipando— Por mi culpa, por llevarlo al American Bar...

—Tú no sabías lo que ocurriría.

—Pero él no quería ir a un lugar así. Siempre sabe lo que es bueno y lo que es malo. No le convenía ese sitio y yo lo conduje a esto...

—Oye, oye. —Le cogió la barbilla y le secó las lágrimas–. Tú no tienes culpa de nada. Y dices que él no llevaba droga. La prensa es muy mala y quieren vender.

—¡Será el fin de su carrera! —exclamó Anna, desganada–. ¿Y ahora quién diablos querrá comprar un producto que él promocione?

—No es para tanto, Anna —sonrió–. La gente se olvida de estas cosas. Hablarán de ello, sí, pero... ¿qué van a decir? ¿Que le gustan los hombres? ¿Que toma heroína? Bah, pero si en Hollywood hacen cosas peores...

—Me va a dejar —sollozó–. Ya no me quiere.

—Si ya no te quiere es mejor que acabéis con la relación. A no ser que quieras ser una simple maniquí agarrada a su brazo.

Anna negó repetidas veces con la cabeza.

—Yo no quiero eso. —Se restregó los ojos–. Quiero que me ame.

—Pues a veces el amor se acaba. —Maribel se encogió de hombros–. O simplemente sois almas incompatibles. Y eso solo se descubre con el paso del tiempo.

Anna dejó escapar un suspiro y se agarró fuertemente a su amiga.

—Voy a ser incapaz de hacer mi vida sin él...

—Creo que has visto en él al padre que nunca tuviste. —Chasqueó la lengua–. Te sientes segura a su lado, pero tú debes ser capaz de seguir tu camino sin su ayuda. Como has hecho hasta ahora. ¿O es que Pablo Moreno te convirtió en la mejor publicista de Media?

41

2 de septiembre de 1910

¡Estoy tan emocionada! Me he entregado a Mauro. Sí, lo he hecho. Ha ocurrido de repente, en su casa. Su madre estaba trabajando y yo, como de costumbre, he subido después de comer para hacerle compañía. Se había levantado y estaba de buen humor porque había conseguido dar unos pasos sin que le doliera la pierna. Estaba afeitándose y me pidió que le ayudara. Se había sacado la camisa porque no quería mancharse y porque hacía un calor espantoso. Era la primera vez que le veía el torso desnudo; aunque llevaba mucho tiempo en la cama, todavía estaba fuerte y tenía algún que otro rasguño en la piel que le hacía irresistiblemente interesante. Es un hombre valiente y todo el mundo lo respeta por lo que ha hecho en Marruecos. No he podido evitar ponerme nerviosa al tener su piel desnuda tan cerca de mí, pidiéndome a gritos que la tocara, que la besara, que la oliera... Él notó mi sobrealiento y me cogió la mano para ponerla sobre su pecho. Luego, empezó a besarme y me llevó a su cama, donde dimos rienda suelta al amor que nos profesamos, a la pasión que llevamos tiempo reprimiendo. No me he sentido mal después. Toda mi vida guardándome para el matrimonio y no ha servido para nada. ¿Y qué más da? No pienso perder a Mauro y vamos a casarnos algún día. No importa que sea ahora o después; mi amor por él no cambiará nunca. Ya no soy la misma de antes, que hacía caso a pies juntillas a mi madre: ahora me siento fuerte, con Mauro a mi lado, y nadie ni nada me detendrá.

Teresa

42

Anna regresó a la pensión Alcalá. Al menos, hasta que Pablo recapacitara, se calmara y volviera a quererla de nuevo en su vida. Aunque, después de lo que había salido en *Blanco y Negro*, iba a ser difícil. Lo había llevado a una situación bochornosa y arriesgada para su buena imagen como actor. ¿Sería capaz de perdonarla?

Pero las cosas estaban lejos de volver a su cauce, más bien lo contrario. Apenas una semana después de lo ocurrido en el American Bar, alguien entró en la habitación de Pedro. De camino al lavabo, Anna se topó con una mujer, junto al conserje, sacando todas las pertenencias del transformista. Sorprendida, se acercó a la mujer ya entrada en años, que arrastraba una pena infinita en el rostro.

–¿Por qué la vacían? –preguntó extrañada–. Él volverá. Yo puedo pagar el coste en su ausencia.

La mujer, haciendo una mueca de angustia, rompió a llorar mientras sujetaba una de las camisas de Pedro y se la llevaba a la nariz.

–¿Qué pasa? –Anna tragó saliva–. ¿Dónde está Pedro?

–Soy su madre –dijo por fin, tratando de reponerse–. Pedro ha muerto.

Anna negó con la cabeza, incrédula.

–No es verdad. Está en el calabozo, pero regresará.

–Estaba en el calabozo. –Le faltaba el aire–. Y... lo encontraron muerto ayer. Dicen que fue un suicidio, pero...

Anna cayó de rodillas al suelo. De todo lo que podría pasar, jamás habría imaginado algo así. Pedro era un hombre con una excelente vitalidad y podría haber conseguido salir de prisión. ¿Por qué iba a querer matarse?

–¿Un suicidio? –Alzó las cejas–. ¿Hay pruebas de eso?

—Es lo que nos han dicho, pero mi Pedro no nos haría algo así. –sollozó–. Nos quería mucho. Y a Luis. No lo hubiera dejado solo.

—Entonces –apenas podía articular palabra–, ¿cree que alguien podría haberlo...?

La mujer miró al conserje, que había sido testigo de la conversación, y lo conminó a que se marchara. Luego, cogió de la mano a Anna para hablar con más intimidad.

—¿Eres Anna?

—Sí. ¿Le habló de mí?

—Verás... –Se secó las lágrimas con el dorso de la mano–. Sé que eras su amiga y creo que puedo confiar en ti.

Anna sintió un peso enorme en el corazón. No podía afirmar con exactitud si lo que habían visto sus ojos la noche de la redada era verdad o no. Creía que aquel hombre que la miraba con ira y venganza era Ignacio Rojas. Y si era así, la culpa de que Pedro hubiera acabado encarcelado y su trágico final era indiscutiblemente de ella. Por haber molestado a Ignacio, por no haber sido consciente de sus limitaciones como mujer y de las consecuencias que comportaba llevar la contraria a un narcisista egocéntrico como él. No solo iba a tener que acarrear con la culpa de haber llevado al fracaso a Pablo, sino también con la pérdida de su querido amigo. Agarró las manos de aquella mujer absolutamente destrozada y asintió.

—Fui a verlo al calabozo. –Le costaba hablar–. Me pasé horas y horas esperando hasta que se dignaron a dejarme entrar. Me dieron solo cinco minutos. Le llevé una fiambrera con lentejas y tocino, que le encantaba –sonrió con ternura–. Y me dijo algo.

Anna se agitó. Temía que las últimas palabras de Pedro iban a revelar algo importante.

—Me contó lo de la droga. –Agachó la cabeza–. ¡Dios sabe que yo no tenía ni idea! No lo habría permitido...

—Lo hizo para pagarle los estudios a su hermano. Era muy buena persona.

La madre rompió a llorar de nuevo. Anna la abrazó, tratando de consolarla. Estaba tan destrozada que no tenía capacidad para levantar el ánimo a nadie.

—Me contó que querían saberlo todo –continuó la mujer–. De dónde venía la droga, dónde la guardaban...

Anna palideció al imaginarse lo que debía de haber pasado. Detrás de todo aquello, probablemente estuviera Joan Puig.

—Pero él no sabía nada de eso.

—Le amenazaron con hacer daño a Luis, con llevarlo a un centro de esos que curan a los hombres que... —Se santiguó—. Yo no es que acabe de entenderlo, pero... ¿qué iba a hacer yo si mi Pedro salió así? Pues en ese sitio les cortan los testículos, o les aplican descargas eléctricas para que se conviertan en hombres normales.

—Y Pedro se asustó. Y no me extraña: eso es una crueldad y me temo que una pérdida de tiempo. Ellos nacieron así y morirán así.

—Pues eso es lo que me dijo él, que cuando le hacen eso a una persona ya no vuelve a ser la misma. —Torció el gesto—. Vamos, que los vuelven tontos, que ya no sienten. Y mi Pedro quería tanto a Luis que no quería perderlo.

—¿Y qué hizo?

—Les dijo que sí, que se lo contaría todo, pero él no tenía ni idea. —Cogió aire—. Les iba a mentir por Luis. La policía sabía que mi Pedro vendía, supongo que porque ya lo habían estado siguiendo, así que le iban a creer.

Anna abrió los ojos. Aquello significaba que Ignacio Rojas no había tenido nada que ver con la redada, que su obsesión por aquel hombre le había jugado una mala pasada y que el rostro que había visto aquella noche iluminada por los faros del coche había sido solo fruto de su imaginación. Se sintió aliviada.

—Y Joan Puig se enteró de que iba a hablar y encargó que lo asesinaran antes de que confesara.

La madre asintió compungida.

—Me arrebataron a mi niño... —gimió—. Mi niño...

Anna quiso abrazarla, pero la mujer se zafó de ella con brusquedad.

—¡Tú tienes la culpa! —La miró con ojos acusadores—. Él me dijo que sabían quién eras, que tenías relación con los Puig, que te vieron salir de su casa.

Anna tragó saliva y comenzó a sudar.

—Pedro me dijo que no tenías nada que ver con las drogas, que era porque estabas buscando a tu madre o no sé qué historias... Pero, si lo cogieron a él es porque se juntaba contigo. Creían que sabía más de la cuenta. Y ya se sabe cómo funciona esto: si la policía te coge, ellos se encargan de que no puedas hablar. Aunque no supiera nada.

—Entonces, ¿por qué no me cogieron a mí directamente?

—Porque tú no llevabas drogas y no tenían ninguna prueba para acusarte.

—¡Maldita sea! —exclamó Anna con desesperación—. Pero si saben que Joan Puig es el que hace todo esto, ¿por qué demonios no lo detienen?

—Eso mismo me pregunté —dijo enfadada—. Mi Pedro me dijo que porque no tienen pruebas. Nunca han encontrado nada en la casa de Puig, ni le han visto hacer nada sospechoso.

Anna se frotó la frente.

—Y por eso se llevaron a tu novio, ese Pablo Moreno —continuó la mujer—. Creyeron que irías a por él al calabozo y así intentarían hacerte chantaje, pero no fuiste y no pudieron retenerlo más. Él no llevaba drogas encima.

No se podía creer lo que estaba oyendo. Ella lo habría acompañado al calabozo si él no le hubiera ordenado lo contrario. Le hizo caso y había permanecido en el hotel, esperándolo.

—Jamás habría imaginado algo así. —Negó con la cabeza—. Siento mucho lo que le ha pasado a su hijo.

—Los poderosos siempre ganan —repuso con resignación—. Ni en el calabozo, rodeado de policías, puede estar uno a salvo. Y puede que tú seas la siguiente, Anna.

—¿Y qué hay de Luis?

—Que pasará mucho tiempo en la cárcel —soltó fríamente—. Y tengo entendido que los tipos como él o como mi hijo no lo pasan bien allí. Al menos mi Pedro está muerto y no sufrirá más.

Arrastrándose como alma en pena por las calles de Madrid, Anna se dirigió al Ritz con la intención de reencontrarse con Pablo. Estaba herida por dentro, con un dolor que le quemaba el alma. Lo ocurrido había sido tan inesperado... Los sueños de Pedro habían terminado en una sucia celda y a ella se le avecinaba un futuro desesperanzador. Era la culpable de todo lo sucedido: por su parentesco con Joan Puig, porque creían que Pedro sabía más de la cuenta. Su tío había asesinado a su mejor amigo y eso no se lo iba a perdonar nunca. Si hubiera dejado de buscar a su madre, no habría ido a la casa de Joan Puig y la policía no habría seguido a Pedro. Solo así se habría salvado su amigo. Solo así habría salvado su relación con Pablo. O eso creía. Él era el único que podía recuperar las riendas de su vida.

–Cuántos días sin verla por aquí, señorita. -El recepcionista le entregó la llave de la habitación con su habitual amabilidad.

–He estado fuera –mintió ella.

Cogió el ascensor y subió. Se mordía las uñas y le temblaba todo el cuerpo. Pablo habría recapacitado tras esos días de ausencia, se dijo. La amaba, no podría olvidarla de un día para otro: se había quedado en España por ella. Cogió aire antes de abrir la puerta y se retocó el pelo. Entonces se quedó con la boca abierta. Los gemidos de la Romerito se oían en toda la habitación. Pablo estaba sobre ella, enredado entre las sábanas de la cama, su cuerpo musculoso, sudoroso, su respiración agitada... No gritó. Ni siquiera pestañeó. En el fondo, siempre había tenido miedo a que desapareciera de su vida, que se cansara de ella, que la abandonara como habían hecho su madre y su padre. Se había agarrado a él mientras estaba a su lado, pensando que así no podría escapar nunca. Todo su esfuerzo había sido en vano.

La Romerito gritó al ver a Anna en el umbral de la puerta, observándolos. Pablo salió de la cama, con el pene erecto, y palideció.

–Yo... yo... –Abrió las manos–. No sé qué decir.

–Es mejor que no digas nada.

Anna abrió el armario y comenzó a meter su ropa en la maleta. No quiso llorar delante de él, ni darle ese gusto a la Romerito. Se había llevado al *latin lover* de Hollywood. Se consoló pensando que si se lo había hecho a ella, probablemente lo sufriría también la siguiente.

–No quería que esto acabara así. –Pablo se encogió de hombros–. Te he querido...

–Ahórrate las excusas –lo interrumpió con desprecio–. Ya puedes apuntar mi nombre en tu lista de conquistas.

–Has sido mi pareja.

–No, no lo he sido –soltó con desprecio–. Solo he sido un capricho. Te hizo gracia que una jovencita te siguiera al lavabo, que estuviera desesperada porque alguien la quisiera y... –Calló unos segundos–. Te has cansado y vas a por otra.

Sus ojos enrojecieron, pero evitó que cayera ni una sola lágrima.

–Te confundiste conmigo si esperabas de mí protección –suspiró él–. Ni siquiera sé cuidar de mí mismo.

Anna asintió y cerró la maleta. Miró a Pablo por última vez: había sido feliz esos últimos meses a su lado, quizá los mejores de su vida. Pero en ese momento le guardaba mucho rencor. Lo odiaba de manera visceral por haberla dejado en el peor capítulo de su vida, porque él podría haber escrito un final feliz.

–Eres fuerte, Anna –recalcó–. Tú sola puedes conseguir lo que quieras.

Ella cerró la puerta antes de derrumbarse y se quedó sentada en el suelo mullido del pasillo. Un pasillo que había recorrido con Pablo una y otra vez; algunas veces borrachos, otras sedientos de hacer el amor salvajemente, otras tan cansados de bailar que solo querían dormir... Iba a tener que olvidar todo eso, aquel maravilloso pasillo que ahora le parecía una trampa para ratones. Sintió que se hacía pequeña, que las paredes la devorarían en cualquier momento...

Querida Maribel:
Eres la única amiga que me queda en Madrid y quiero despedirme. No tengo agallas de ir a Media y renunciar a lo que tanto me ha costado conseguir. He sido feliz este tiempo con vosotros –salvo con el ególatra de Ignacio–, pero mi torpeza puede jugar a la empresa una mala pasada. Puede que Fixol fracase y que mi incursión en el mundo del corazón y de la *Blanco y Negro* sea, después de los últimos acontecimientos, un problema. Ya ves, al final he de darle la razón a Ignacio. Además, Pablo y yo hemos terminado; el final no podría haber sido más dramático: él encima de otra mujer en nuestra propia cama del Ritz. Mi vida podría ser una película y, mira, ya tengo al protagonista... Tenías razón con eso de que no somos compatibles. Creía que éramos almas gemelas, pero solo para unos meses. La realidad se impone con el tiempo, por mucho que uno trate de negarla. Y ahora no me queda otra que aceptar la derrota y seguir adelante, aunque me cueste. Porque mi corazón no solo llora de pena por el amor truncado, sino también

por la pérdida de un gran amigo. Resulta que mi propio tío es, al final, el peor enemigo que podría tener a lo largo de esta complicada búsqueda que me está consumiendo poco a poco. Mi madre. ¿Y por qué seguir con esto? ¿Por qué ir tras una mujer que decidió abandonarme? Es absurdo, Maribel. Ni yo misma puedo sostener más esta farsa, por mucho que trate de convencerme de que, en el fondo, siempre me ha querido. Si sigo con esta trama, puede que tenga un final desgraciado.

Despídeme de Emilio. No he querido hacerlo porque sé que habría tratado de convencerme para que me quedara. Y sabemos el poder de convicción que tiene ese hombre. No, no quiero que se arrepienta después. No quiero que tenga que elegir entre Ignacio y yo, ya que probablemente acabaría siendo la perjudicada. Prefiero no ponerlo en semejante compromiso. He de seguir con mi vida sola. Porque soy fuerte y por mí misma puedo conseguir lo que quiera. Regreso a Barcelona. Espero que nos volvamos a encontrar algún día.

Una amiga que te quiere,

Anna

43

Qué bonita era Barcelona en primavera. Anna se sentó en un banco de uno de los elegantes jardines de l'Eixample, un oasis de palmeras y naranjos que convivían con los señoriales palacetes burgueses. En una bonita fuente, alguien había dejado un huevo bajo el chorro. *L'ou com balla* era una tradición que tenía lugar durante el Corpus y que representaba el resurgimiento de la vida. Una nueva vida la esperaba ahora en su querida Barcelona. Siguió su camino hacia la Rambla, cargando con su pequeña maleta, y sonrió al ver de nuevo la droguería Anyí. Había sido su primer trabajo y había aprendido a ser la profesional que la convertiría después en publicista. Recordó con nostalgia sus intentos frustrados de vender los modernos cosméticos que habían cruzado el Atlántico y que en España todavía se compraban con cautelosa prudencia. Había sido una etapa de descubrimiento para ella, de reconocerse como alguien capaz de cumplir sus metas y comerse el mundo. Se había enfadado muchísimo con Pili, por haberle arrebatado lo que tanto quería, su futuro... Sin embargo, si no hubiera sido por ella, no habría acabado en casa del señor Alarcón y consecuentemente en Madrid. La fuerza del destino otra vez.

Echó un vistazo a la fuente de Canaletes, la iglesia de Betlem, con sus recargadas columnas barrocas, la Boqueria y los puestos de flores que impregnaban el ambiente de un perfume agradable a lo largo de la Rambla. Las amas de casa, junto a sus hijos de punta en blanco para la ocasión, buscaban el mejor sitio para observar la procesión. Una hilera de hombres comenzó a pasar portando las banderas de las distintas cofradías; también soldados vestidos de época tocando los timbales, gigantes y cabezudos haciendo las delicias de los más pequeños... Era una fiesta bonita. De camino a casa de Pili y Rosa, vio de lejos el mar salvaje, la calidez del Mediterráneo. Desde el cielo llegaba un coro de graznidos de las gaviotas que sobrevolaban los barcos amarrados en el muelle. Se abría un nuevo horizonte para ella.

Sorprendentemente, la puerta la abrió Manuel.

–¡Niña! –exclamó–. ¡Pero qué sorpresa verte!

Anna lo abrazó y no pudo evitar emocionarse. Había echado de menos la mezcla de inocencia y picardía que hacían único a aquel muchacho, la felicidad con que la recibía siempre. En el comedor también estaba Pili, con una ligera bata de seda y las uñas a medio pintar.

–¡Anna! –Se abalanzó corriendo, agitando las manos al aire para dejar secar el esmalte–. ¡Dios mío! ¡Qué ganas tenía de verte!

–Pues ya me quedo. –Abrió la palma de las manos–. Regreso a la ciudad.

Pili frunció el ceño y la hizo sentar en el sofá.

–¿Y la agencia? –preguntó–. ¿Y Pablo?

–Pablo y yo ya no estamos juntos. –Tragó saliva–. La *Blanco y Negro* no tardará en publicarlo. Ahora está con la Romerito.

–¿En serio? –Dio un golpe al sofá–. ¡No me digas que te fue infiel!

–Pues sí. –Se encogió de hombros–. Lo pillé con la actriz en nuestra habitación del Ritz.

–Muy fullero, ese *repeinao* –comentó Manuel–. No te merece, niña.

–La cuestión es que... bueno... –Contuvo las lágrimas–. Perdí a un amigo también y no me veía capaz de seguir en Madrid. He dejado Media.

–¡No me digas eso! –exclamó Pili, sorprendida–. ¿Y ahora qué vas a hacer? ¡Te encantaba ese trabajo!

–No lo sé, de momento nada. –Negó con la cabeza–. Tengo unos ahorros y...

Manuel le puso la mano en el hombro para reconfortarla.

–Madre mía, niña, estás mu *saboría*, no es normal en ti. Eso se arregla con un bailecito.

–Podemos ir al Villa Rosa, que hace muchísimo que no lo piso –dijo ella con poco ánimo–. Quiero verte cantar.

Pili y Manuel se miraron y torcieron el gesto.

–Ya no trabajo allí, niña... –Se ruborizó–. Me echaron como si fuera un perro pulgoso. Dicen que hay otros mejores que yo.

–¿Mejores que tú? –Arrugó la frente–. ¿De dónde se sacan eso?

–Di la verdad, Manuel. –Pili lo miró de reojo–. Que en realidad fue porque muchas noches te quedabas dormido y no aparecías.

–Ea, que lo tiene que decir todo la muchacha. –Chasqueó la lengua–. Pues es que con lo que ganaba en el Villa Rosa no me daba ni *pa* comer, así que volví a buscar trabajo en una obra. Y sí, me cogieron y estuve unos meses trabajando muchísimas horas. Iba tan cansado que...

–Y ahora no tiene ni lo uno ni lo otro –añadió Pili–. Así que vive conmigo hasta que encuentre algo.

–¿Y Rosa? –preguntó Anna.

Pili sonrió de oreja a oreja y le brillaron los ojos.

–¡No te lo vas a creer! –Dio un saltito de emoción–. Que se va a casar, Anna.

–¿Cómo? –Abrió la boca–. ¡Qué me dices!

–Lo que oyes. Se ha enamorado de un médico y está viviendo con él.

–Ya se ha olvidado de mí, y no me extraña... –Manuel puso las manos en alto–. El matasanos ese hace dos como yo y es muy *apañao*. Ya tocaba que la Rosa fuera feliz.

Anna no podía estar más contenta. Sintió que se deshacía de un peso que le había estado oprimiendo desde que había besado a Manuel. Su querida amiga había rehecho su vida y no le iba nada mal.

–Me alegro por ella. –Miró a Pili–. Y tú, ¿qué?

–Pues nada, José Antonio y yo seguimos hablando por teléfono. –Esbozó una mueca de tristeza–. Estos días no he podido hablar con él. Está cabreado porque no ha conseguido un escaño como diputado en Madrid. Pero me ha prometido que vendrá en verano. Tengo ganas de verle.

–Bueno, niñas. –Manuel se puso la gorra y se dirigió hacia la puerta–. Me voy a ver si encuentro trabajo. Así os dejo un poco de intimidad.

Antes de irse, guiñó un ojo a Anna y sonrió. Le brillaban los ojos de felicidad.

–Creo que Manuel sigue loquito por ti –dijo Pili cuando quedaron a solas–. ¿No le ves la cara? No lo he visto tan contento desde que cantaba en el Villa Rosa.

—Pues yo no estoy para romanticismos —sentenció, cansada—. Bastante he tenido ya con Pablo...

—Va, cuéntame, que no me has escrito en los últimos meses —le recriminó—. Creía que te habías endiosado y ya no querías saber nada de tu amiga del Raval.

—Pues no te voy a negar que es como si hubiera vivido en un mundo que no tenía nada que ver con el mío. —Miró al techo, recordando—. Estar con Pablo era vivir al límite, siempre de fiesta en fiesta, piropos y adulaciones... Te mentiría si te dijera que no lo disfruté, pero también pienso que no sé si lo hubiera aguantado mucho más.

—Yo ya te digo que sí. —Rio—. Te envidié mucho, cariño, y más cuando te vi en la *Blanco y Negro*.

—Ser novia de Pablo Moreno es agotador, te lo juro. Llevar una sonrisa permanente en la cara y no decaer nunca. —Sacudió la cabeza—. Ahora me doy cuenta de que Pablo esperaba eso de mí siempre: que fuera una niña simpática y alegre las veinticuatro horas del día. Cuando dejó de ser así, me cambió por otra. Creo que yo buscaba a un padre protector y él a una joven que no le recordara el paso de los años.

—Son de esos que no quieren crecer nunca.

—Quizá porque tuvo una infancia difícil.

—Lo entiendo perfectamente. —Carraspeó—. Yo también soy inmadura. Mi sueño es casarme con un hombre que cumpla todos mis deseos, por muy caprichosos que sean. José Antonio me consiente mucho cuando está conmigo.

—Pero eso no es bueno, Pili. —Hizo una mueca de tristeza—. Eso no da la felicidad.

—¿Y qué la da, Anna?

—Estar bien con uno mismo. —Le cogió las manos—. No puedes depender de los demás para cumplir tus sueños. Debes ser tú quién los consiga.

—Todos dependemos de alguien —se le quebró la voz—. Yo sería más feliz si mi padre no hubiera abusado de mí y tú también lo serías si tu madre no te hubiera abandonado. ¿No es ese tu mayor objetivo, encontrar a tu madre?

Anna asintió y agachó la cabeza.

—Si la felicidad solo dependiera de ti te hubieras quedado en Madrid pese a la infidelidad de Pablo y...

–No solo fue por lo de Pablo –bajó la voz–. Pasó algo muy gordo, Pili. Alguien ordenó matar a mi amigo para que no abriera la boca, y fue mi propio tío.

–¿Joan Puig? –Pili se llevó la mano a la boca–. Me contaste que tenía relación con las drogas.

–Vende heroína en Madrid y tiene relación con la madre de mi supuesto padre. O sea, mi abuela. –Se restregó la frente–. Mi madre y ese soldado deben de estar en algún sitio, lejos de España, creo. No está muerta, de eso estoy segura.

–¿Y por qué lo estás?

–Porque parece que he molestado demasiado. ¿Por qué debería ser un incordio si mi madre estuviera muerta? Pasa algo.

–¿Puede que estén implicados en las drogas?

–No lo sé... –Respiró hondo–. Lo único que sé es que corría peligro en Madrid. Y puede que acabe como mi amigo Pedro si sigo investigando. Es algo sórdido.

–¡Pero es tu madre! –exclamó Pili, emocionada–. Quizá ella también está en peligro o... no sé, pero debes seguir buscándola.

–Pero ¿dónde? –preguntó desesperada–. No me quedan fuerzas, ya no sé por dónde seguir...

–Lo conseguirás. –Le dio un beso en la mejilla–. Eres fuerte, mucho más que yo, y perseverante. A los vivos no se los traga la tierra.

–No, pero acaban muertos en un sucio calabozo. Y el novio de Pedro, Luis, sigue en la cárcel y creo que por muchos años. Me siento impotente, no puedo hacer nada por sacarlo. Le debo eso a Pedro.

Pili se frotó el mentón, pensativa.

–¡José Antonio! –exclamó de repente–. ¡Él podría hacer algo!

–Ya no tiene ningún poder.

–¡Sí, claro que lo tiene! –soltó con orgullo–. ¿Crees que han echado a todos los amiguitos de José Antonio del poder? Déjamelo a mí, reina.

–Si lo consigues, te devolveré el favor, amiga.

–El favor ya me lo hiciste tú hace tiempo, cuando gracias a ti dejé de consumir cocaína.

Llegó a la Casa de la Misericordia y recibió la peor noticia que podía haber imaginado: sor Julia estaba enferma y todo indicaba que sería su final. El médico que la había visitado le había encontrado un tumor en el estómago, así que lo único que se podía hacer era suministrarle calmantes para evitarle el sufrimiento y rezar por su alma. Anna no pudo esconder las lágrimas al verla postrada en la cama, en penumbra, padeciendo un dolor insoportable. Estaba más delgada, pues llevaba días sin apenas comer. Se había imaginado el reencuentro con ella de otra manera: con un abrazo reconfortante y su cálida sonrisa. Pero no iba a ser así: sor Julia estaba consciente, pero tenía el rostro ensombrecido por la resignación. Sabía que se moría y que pronto dejaría este mundo para reencontrarse con Dios. Parecía aceptarlo con firmeza, sin miedo, casi con alivio. La fe que tenía aquella monja era tan sólida que sabía que la verdadera felicidad todavía estaba por llegar, en el otro lado.

—¡Anna! —exclamó al verla—. Qué bien que hayas venido...

—¿Cómo se encuentra?

Se acercó a la cama y le cogió la mano; tenía la piel áspera después de tantos años dedicándose a la lavandería. Recordó con nostalgia las mañanas bajo el penetrante frío invernal en el patio del orfanato. Se habían hecho compañía y la religiosa le había inculcado el valor del trabajo. Se sintió culpable por haberle dedicado más tiempo a Pablo, por haber preferido pasar las Navidades con él en vez de a su lado. Se despreció por eso.

—Ya ha llegado mi hora, cariño. —Le costaba hablar—. Quería despedirme de ti. Dios me ha escuchado.

Anna tragó saliva y se secó los ojos.

—He venido para quedarme, sor Julia. Estaré a su lado. Siento lo de las Navidades.

—Tenías trabajo, cariño. Además, tu sitio no es este. —Negó con la cabeza y alargó la mano para acariciarle el pelo—. Sé que te irás lejos.

—Me fui a Madrid y no me salió tan bien como esperaba.

—¿Por qué lo dices? —Sonrió débilmente—. De los fracasos se aprende. Ahora elegirás mejor a la persona con la que quieras compartir tu vida.

—Creía que la había elegido bien. —Se encogió de hombros—. Podría equivocarme otra vez.

—Desde luego, querida, el hombre siempre tropieza con la misma piedra, pero se hace más fuerte.

—Estoy cansada de hacerme más fuerte. —Frunció el ceño—. Quiero estar tranquila.

Sor Julia rio.

—¿Tranquilidad a tus veinte años? —suspiró—. Eres muy joven y te queda mucho por vivir. La tranquilidad, si llega, es a mis años, cuando ya no te queda prácticamente nada que aportarle al mundo.

—Usted aporta mucho a las niñas del orfanato —dijo con voz quebrada—. A mí me hizo feliz. Es imprescindible para el orfanato.

—Nadie es imprescindible en esta vida... ¿Verdad que puedes seguir viviendo sin ese actor?

—Claro, pero él no era tan importante como usted.

—Lo sería en su momento, cuando pensabas que no podrías vivir sin él. —Hizo una mueca de dolor—. Y ya ves, mi niña, estás aquí, dispuesta a seguir sola. Harás lo mismo cuando yo no esté.

Anna rompió a llorar y se tapó los ojos con las manos.

—No la voy a olvidar nunca...

—Claro que no, ni yo a ti. —Le apretó la mano fuertemente—. Seguiré cuidando de todas mis niñas desde el cielo, especialmente de ti.

—Creo que lo voy a necesitar si sigo en busca de mi madre. —Bajó la mirada—. Mi propio tío mató a un buen amigo mío. Está metido en el negocio de la droga y es peligroso.

—Ten cuidado, Anna, por favor... —Comenzó a temblar—. No quiero que te hagan daño.

—La única manera de evitarlo sería abandonando mi empeño de buscar a mi madre.

Sor Julia la miró fijamente.

—No lo harás. Te conozco.

—¿Y por qué debería seguir? —Apretó los puños—. ¿Acaso ella hizo algo por recuperarme?

—Ella te quería, Anna —susurró la anciana—. Te quería.

—¿Y cómo lo sabe? —resopló—. Son meras suposiciones.

—Te quería de verdad, créeme.

Sor Julia no tardó en morir. Anna lloró y lloró hasta quedarse sin fuerzas. Se sentía abatida, destrozada, ausente. Tenía la certeza de que nunca encontraría a nadie que la quisiera y se preocupara por ella con la misma abnegación que sor Julia. Su interior era como una casa deshabitada, desierta, en la que alguien muy importante había vivido y se había marchado dejándola en el vacío más absoluto. Primero había sido su madre, luego Pedro y ahora sor Julia. En cualquier recoveco de la Casa de la Misericordia, le parecía ver a la monja sonriendo y metiéndole prisa con la colada. La sentía en la brisa fresca de la mañana, en la luz plácida que entraba en su habitación, en el silencio tranquilo del refectorio... Sabía que estaba con ella.

44

Ya empieza a notarse. ¿Cómo voy a ocultárselo a mis padres? Si se enteran, me matan. Voy a tener un hijo con Mauro y ni siquiera nos hemos casado todavía. Si les cuento la verdad, padre acabará de enfermar y madre dejará de hablarme. Para ellos sería una deshonra y me repudiarían por haber manchado el buen nombre de la familia. Pero... ¿qué buen nombre? Lo hemos perdido todo, los Puig ya no somos nadie. ¿Qué importa lo que puedan pensar de nosotros si ya nadie se acuerda de nuestra existencia?

Menos mal que Mauro me apoya y quiere que tengamos a esta criatura. Dice que buscará trabajo de lo que haga falta, nos casaremos y formaremos una familia juntos. Sin embargo, el miedo me acecha cada noche cuando pienso en nuestro futuro... ¿Quién va a querer dar trabajo a un tullido? ¡No puede dar dos pasos sin tener que parar para descansar! Esa maldita guerra le ha destrozado la vida, nuestra vida. La única solución que veo a todo esto es pedirle ayuda a mi hermano. A él le van bien las cosas y... bueno, no me gusta en lo que está metido, pero Mauro podría trabajar con él por el lazo que nos une. Le he reprochado muchas cosas a Joan, pero es mi hermano y le quiero, y estoy convencida de que hará todo lo que esté en su mano para sacarnos adelante. Al fin y al cabo, la criatura que llevo dentro también será su sobrino. O sobrina. Pese a todos los problemas que se avecinan, no puedo dejar de sonreír cada vez que pienso que pronto seré madre y que nuestro hijo es fruto del verdadero amor entre sus padres. Estoy deseando tenerlo entre mis brazos.

Teresa

45

Las ventanas estaban abiertas para que entrara el aire. Hacía un calor húmedo y pegajoso. Manuel se había quitado la camisa y estaba fumando un cigarrillo apoyado en el alféizar de la ventana. Pili, tumbada en el sofá y casi desnuda, apoyaba sus piernas suaves y bien depiladas sobre las rodillas de Anna.

–Va, venga, vente –le insistió.

Anna resopló y se abanicó con la mano. Tenía los muslos mojados y temía manchar el sofá. Se levantó, sacándose como pudo a Pili de encima, y se puso las manos en la nuca para que el escaso aire que entraba le secara las axilas.

–No pienso ir.

–Pero ¿por qué? –Chasqueó la lengua–. ¡Si no pasa nada!

Manuel tarareaba de fondo una canción flamenca. En los casi tres meses que llevaba Anna allí, apenas se había separado de él. Tras la muerte de sor Julia, pasaba más tiempo en casa de Pili que en la Casa de la Misericordia y como Manuel seguía sin encontrar trabajo, la mayoría de tardes solían pasarlas juntos, charlando en el portal del edificio o dando una vuelta por la Barceloneta.

–No pinto nada en esa fiesta –repitió otra vez–. ¿Qué pensará él de mí?

–José Antonio nos ha invitado. –Abrió las manos–. Eres mi amiga y quiero que vengas. Nos lo pasaremos genial.

–¡Es una fiesta en casa de Enric Girona! –Negó con la cabeza–. Te recuerdo que tuvo algo con mi madre.

–¿Y? –Se quedó mirándola fijamente–. Ya sabes que no es tu padre. ¡No va a pasar nada! Ni siquiera se acordará de ti...

–Venga, niña, ve –la animó Manuel–. Necesitas pasarlo bien y cambiar de aires.

–Y vendrá Rosa –añadió Pili–. Creo que será una buena ocasión para reencontraros y hacer las paces.

–No quiero montar numeritos delante de la alta sociedad barcelonesa.

–No habrá ningún numerito. –Rio para quitarle importancia–. Rosa quiere estar bien contigo, te lo digo yo. ¿Y Enric Girona? Bah, habrá tanta gente que ni se dará cuenta de que has venido.

–¡Está bien! –cedió al fin–. ¡Iré a esa maldita fiesta!

Pili se levantó del sofá y la abrazó.

–¡Qué bien! –exclamó sonriente–. ¡Volveremos a estar las tres juntas!

–Pero te advierto, Pili –dijo señalándola con el dedo–, que si las cosas se tuercen o no me siento cómoda, me marcharé sin guardar las apariencias.

–Haz lo que te dé la gana, cariño, es lo que haces siempre.

Alguien llamó a la puerta: era José Antonio. Anna no lo veía desde hacía tiempo, pero estaba igual que siempre, con el mismo porte, la misma soberbia y elegancia que lo caracterizaban. Después de darle un beso a Pili y estrecharle la mano a Manuel, saludó a Anna con buen ánimo. Hacía un año que había enterrado a su padre, así que ya era huérfano de ambos progenitores, pues había perdido a su madre cuando tan solo tenía cinco años. Sin embargo, parecía haberlo superado más rápido de lo esperado.

–Siento lo de tu padre –dijo Anna–. No nos vemos desde hace tiempo.

Él asintió y encendió un cigarrillo.

–Ahora solo pienso en una cosa: en que la Unión Monárquica Nacional pueda ganar a estos republicanos que pretenden llevarnos a la ruina.

–¡Ay, mi José! –exclamó Pili–. Si es que me lo imagino gobernando España...

–Esa es nuestra intención, hacer de España un país prestigioso y fuerte como el de antes, autoritario y que trate con firmeza cualquier atisbo violento de quienes buscan la revolución. –Hizo una mueca de desprecio–. La democracia es un fracaso, como se puede ver en otros países de Europa donde los intelectuales campan a sus anchas y dicen absurdeces. Es una moda pasajera.

—Lo que tú digas, cielo —repuso Pili—. Yo lo que quiero es que seas como tu padre y te conviertas en un hombre poderoso.

—¿Y si voto a su partido me dará trabajo? —preguntó Manuel—. Porque me importa un pito quien esté ahí arriba siempre que pueda pagarme un techo y un plato de comida caliente.

—Por supuesto —se hinchó de orgullo—. En España siempre hay trabajo para quienes se lo ganan de verdad y no para los que se aprovechan y convocan huelgas para parecerse a los rusos esos. Si tanto les gustan los soviéticos, que se vayan a Rusia, a ver cuánto duran bajo el frío invernal. ¡Con lo bien que se vive en este país!

—Yo ni rusos ni rusas, señor Rivera —precisó el andaluz—. A este paso voy a tener que volverme a Andalucía a trabajar al campo y dejarme de tanto flamenco.

—Bueno, dejémonos de política y hablemos de la fiesta de los Girona —interrumpió Pili—. ¡He conseguido que Anna diga que sí!

—Claro que sí, será una velada entretenida —respondió José Antonio—. Ya me ha contado Pili lo mal que lo pasaste en Madrid.

—La verdad es que sí... —Anna bajó la mirada—. Y me gustaría pedirte un favor.

—¡Ah, sí! —recordó Pili—. Le dije que seguro que podrías echarle una mano para liberar a un amigo suyo que está en prisión.

—¿Sacar a alguien de la cárcel? —Torció el gesto—. ¿Es un asesino o qué?

—Qué va, cielo, solo es un maricón.

—Llevaba heroína encima —explicó Anna—. Y por culpa del Código Penal que estableció tu padre, los delitos se acrecientan si el susodicho es lo que ellos consideran un «pervertido».

—Hombre, pervertido es, por mucho que sea tu amigo. —Rio—. Mi padre tenía más razón que un santo.

—¡Venga, José! —Pili le acarició la espalda—. Hazlo por mí, por favor... Sé que tú tienes muchos amigos en Madrid que podrían hacer la vista gorda...

—Que sí, mujer, que sí, que lo sacaré...

Anna esbozó una sonrisa de oreja a oreja, quizá la primera desde su marcha de Madrid. El simple hecho de conocer a José Antonio marcaba la diferencia entre la libertad y el infierno en la cárcel. Era así de sencillo. El soborno y el amiguismo esta vez la favorecían a ella. Había tenido suerte.

—Gracias, José Antonio.

Se lo debía a Pedro, que había muerto tan joven por culpa de una guerra que no era la suya. Luis sería libre y tendría una segunda oportunidad para aprovecharla bien y alejarse de las drogas. Aquella noche podría dormir tranquila.

Anna regresó a paso lento al orfanato. Era un atardecer con aroma a azahar y jazmín. El sol rojizo se escondía tras los altos edificios de Barcelona, iluminando a las felices muchachas que paseaban por la Rambla al fresco. Ella caminaba impasible, en silencio, concentrada en sus pensamientos, sin reparar en la belleza de las flores de los puestos, ni en los corrillos de mujeres haciendo calceta en la calle junto a sus vecinas, ni en el sutil movimiento de las copas de los árboles al viento. Nada le llamaba la atención porque todo lo que la había hecho feliz en el pasado había desaparecido. Pero en la Casa de la Misericordia la aguardaba una noticia inesperada. Después de la muerte de sor Julia, nadie se había atrevido a vaciar su habitación ni a empaquetar sus escasas pertenencias para donarlas a la caridad, como era costumbre. Había sido un gran golpe para la congregación. Sin embargo, el tiempo había curado las heridas y sor María, una muchacha joven y que había tomado los votos hacía poco, se había atrevido, por fin, a vaciar la estancia. Para su sorpresa, había encontrado una carta dirigida a Anna.

La sostuvo entre las manos sin atreverse a abrirla. ¿Qué podría haber escrito allí que no le hubiera dicho ya?, Sor Julia siempre le había demostrado su cariño y sabía lo mucho que la quería. Además, ¿por qué no se la había dado antes de morir? Se quedó confusa y extrañada. Sentía un hormigueo en el estómago al descubrir que tenía algo de su querida sor Julia sin leer todavía, algo después de su muerte a lo que podría aferrarse para siempre. Pero también tenía miedo, por si lo que leía no le gustaba demasiado, por si había algún reproche o algún secreto que pudiera disgustarla.

Se encerró en su habitación y cogió aire. La letra de la monja era irregular, apenas legible. Estaba claro que la había escrito poco antes de fallecer.

Querida Anna:

Llevo mucho tiempo queriéndote contar lo que sé, pero me ha sido imposible. Juré ante Dios que no lo haría y he tratado de mantener mi palabra por encima de todo. Pero ha llegado mi hora: me muero y si no confieso ahora, la verdad se perderá para siempre. No sé si hago bien o estoy condenando mi alma al infierno, pero te quiero demasiado para ocultártelo. No quiero que sufras más, mi pequeña, ni que creas que tu madre no te quiso. Te conté que alguien te depositó en el torno, pero no fue así. Enric Girona concertó una visita conmigo y me dijo que tenía una niña recién nacida de la que no podía cuidar. Me dijo que una mujer se la había dado para que la criara y le diera los mejores cuidados hasta que pudiera regresar a por ella. Él le había prometido que así lo haría, pero en realidad no quiso hacerlo: no era su hija, ni deseaba acarrear una responsabilidad que no le pertenecía. Por aquel entonces creo que se había comprometido con su actual esposa y no quería que la gente creyera que había tenido una hija con otra. Me hizo jurar que no diría nada a nadie. Unos años después, cuando ya eras un poco más mayor, contacté con el mismo hombre para saber si tu madre se había interesado por ti. Me dijo que no, que nunca más había vuelto a Barcelona, ni a preguntar por la hija que había dejado. Se me partió el corazón. Pero siempre he creído que algo tuvo que pasar, Anna. Tu madre quería lo mejor para ti. Siento no haberte contado esto cuando empezaste la búsqueda, pero no podía traicionar mi palabra, ni comprometer a un hombre que, en el fondo, te había salvado la vida y me había traído un nuevo ángel del que cuidar. Porque eso es lo que eres, Anna, mi ángel. Te quiere,

Sor Julia

Dos días después, José Antonio aparcaba justo enfrente de la casa de los Girona. Les Corts era un barrio tranquilo, lejos del tráfico y del mundanal ruido de la ciudad. En esos terrenos que habían sido viñedos en el pasado, los Girona habían construido, hacía años, su casa de veraneo conocida como El Parque. En la entrada había decenas de coches, todos lujosos, descapotables, de los que salían hombres y mujeres vestidos de *sport*, pero elegantes y enjoyados; Anna y Pili se habían maquillado demasiado, o eso les había dicho Manuel al verlas rociarse con Chanel Nº 5. Se habían puesto sombra negra y pintalabios rojo para recordar las noches en el Lyon d'Or, aquellas fiestas canallas y salvajes de las que habían disfrutado despreocupadamente. Ahora, Anna veía la vida de distinta forma: había perdido demasiado y ante ella se abría un nuevo abismo lleno de incertidumbre. Enric Girona tenía que saber algo sobre su madre y aquella noche no iba a parar hasta sonsacarle la verdad de su paradero. Si sor Julia se había jugado el alma por confesarle aquel secreto, ella no podía dejarlo aparcado y olvidarse de su madre: debía seguir con lo que había empezado, pasara lo que pasara.

La casa de los Girona era espectacular, no solo por el edificio, sino por el precioso estanque rodeado de pinos blancos y piñoneros que recordaba al paisaje tranquilo y verde de la Costa Brava. El sol, a punto de ponerse, se reflejaba en el agua adormecida de color plata, de vez en cuando rota por algún pez que se asomaba a la superficie. La parcela era tan grande que apenas se podía abarcar con la vista: también había un mirador, una casita de campo, una cochera y un invernadero.

Pasaron al salón de baile. Las ventanas estaban abiertas para que entrara el aire y había tres enormes arañas de cristal que iluminaban la estancia. El tono marfil del techo y las paredes contrastaba con la madera noble de los muebles y el suelo, que había sido encerado para que brillara lo máximo posible. Había un rumor bullicioso provocado por los numerosos invitados; de hecho, varios corrillos de personas se esparcían por el vestíbulo e incluso por la escalinata que conducía a las plantas superiores.

Enric Girona, junto a su mujer e hija, estaba en el centro del salón saludando a los invitados. Ahora que sabía la verdad, se le hacía extraño pensar que aquel hombre la había sostenido en brazos cuando apenas tenía unos días de vida y que había sido él quien la había llevado al orfanato. ¿Por qué su madre lo había escogido a él después de lo ocurrido? ¿Acaso no le había dejado claro que nunca la había querido?

Se dirigieron hacia los anfitriones. Enric Girona disimuló su incomodidad al ver a Anna y le sonrió como si nada los hubiera unido en el pasado, como si fuera una mera conocida. Su mujer y su hija, de aspecto refinado y muy educadas, se mostraron exquisitamente amables, obsequiándolas con un pequeño ramillete de begonias y petunias que probablemente habían cortado de los arriates del jardín. En el salón comenzó a sonar una música serena y varios camareros se desplegaron con bandejas de diferentes aperitivos y copas de champán.

—Tú eres la novia de Pablo Moreno, ¿no? —preguntó la hija—. La publicista.

Anna se sonrojó.

—Ya no —dijo con indiferencia—. No te juntes nunca con un actor, no te lo aconsejo.

—Dicen que os enamorasteis haciendo un anuncio. ¡Qué romántico!

—Sí, bueno... —Carraspeó—. El romanticismo duró poco.

—Me encantaría casarme con un hombre famoso, aunque mi padre dice que de esos no te puedes fiar, que te pueden dar esquinazo a las primeras de cambio.

Anna torció el gesto. Enric Girona había jugado con los sentimientos de su madre como el que más y le era infiel a su actual esposa con la señora Agramunt. ¿Cómo se atrevía a criticar lo que él mismo hacía? Su hija podría convertirse en la misma Teresa que había dejado plantada y sola hacía ya muchos años.

—No te puedes fiar de nadie. —Lanzó una mirada a Enric—. Tú misma irás aprendiendo.

Él fingió no estar pendiente de la conversación y rápidamente se marchó a por una copa de champán. Anna dudó si seguirlo o no para hablar con él de lo que le había contado la monja, pero justo en ese instante apareció Rosa junto a su novio Pere.

Estaba despampanante, feliz, radiante. Iba de la mano de su prometido, alto como había comentado Manuel, atractivo y formal. Hacían buena pareja.

Rosa le sonrió al verla desde la distancia y Anna se quedó más tranquila. Se dio cuenta rápidamente de que las cosas habían cambiado y que su amiga ya no le guardaba rencor por lo ocurrido. Había encontrado a su verdadero amor y superado lo de Manuel. Cuando estaba a pocos centímetros de ella, Anna la abrazó con todas sus fuerzas. Notó que Rosa lloraba, sin dejar de sonreír, y que la apretaba como si no quisiera separarse. Habían pasado mucho tiempo sin verse, sin hablarse, y ahora había llegado el momento de recuperar la bonita amistad del principio, sin reproches ni malas caras.

—Perdona mi tozudez —se disculpó Rosa—. Estaba dolida y no entraba en razón.

—Y estabas en tu derecho. —La miró de arriba abajo—. Estás guapísima, pareces otra.

—Pere me ha cambiado la vida. —Sonrió—. ¡Me hace tan feliz!

—Te lo mereces. Y enhorabuena por tu boda.

—Gracias. —Le brillaban los ojos—. Siento mucho lo que pasó con Pablo.

—Bueno, es mejor que no hablemos de ese hombre. Ya es agua pasada.

—Pero te convertiste en una buena publicista. —Le acarició la mano—. Siempre pensé que llegarías muy lejos.

—Mi viaje no ha durado demasiado. —Se encogió de hombros—. Ya ves, ahora estoy aquí y no tengo nada. Me paso todas las tardes de charla con Manuel, sin hacer nada.

—Manuel estará contento, entonces. —Le guiñó un ojo—. Sigue enamoradito de ti. Mira que lo intenté, pero solo te tiene a ti en sus pensamientos.

—No será para tanto. —Anna le restó importancia—. Ya sabes que para mí solo es un amigo.

—Eso nunca se sabe. —Señaló a su novio, que estaba saludando a los Girona—. No me había fijado nunca en Pere y sin embargo había trabajado con él cada día de mi vida. El amor surge sin más. Un día me di cuenta de que era un hombre maravilloso y las mariposas me asaltaron el estómago inesperadamente.

—Ahora mismo no estoy para amores —suspiró Anna—. Mi objetivo es averiguar dónde está mi madre.

—Pili me ha ido contando. —Chasqueó la lengua—. Aunque estuviera enfadada contigo, me preocupaba muchísimo. Está siendo un camino difícil, ¿verdad?

—No lo sabes tú bien... Y después de lo de sor Julia...

—Lo siento muchísimo, Anna. —Le palmeó el hombro—. Ya era mayor y tuvo una buena vida. Te quería mucho.

—Lo sé, por eso me ha confesado algo, Rosa... —Se retorció los dedos.

—¿Algo sobre ti, sobre tu madre?

—Enric Girona sabe más de lo que dice. —Tragó saliva—. Y hoy pienso averiguarlo.

46

Se bebió dos copas de champán seguidas y miró de un lado a otro el salón de baile. La pequeña orquesta estaba interpretando las canciones de moda y la gente había comenzado a bailar. No encontraba a Enric Girona por ninguna parte, así que decidió salir al jardín, donde también había personas tomando el fresco y fumando frente al estanque. Rodeó la casa bajo el aire plácido de la sombra de los pinos y se quedó observando el agua tranquila, en calma, y escuchando el trino alegre de un jilguero. Sin darse cuenta, se topó con el espectacular mirador con cúpula de pizarra al que se accedía a través de unos escalones. Allí estaba Enric Girona, fumando un cigarrillo, con los ojos cerrados, disfrutando de la paz que daba aquel precioso bosque del que era dueño.

Anna no vaciló y decidió subir. Era una oportunidad única y no la iba a dejar escapar. A medida que se acercaba, las piernas le temblaban. Enric Girona palideció al verla, convencido de que no era un encuentro fortuito, sino premeditado. En el fondo, sabía que Anna había descubierto la verdad, que aquella monja había decidido contarle todo antes de morir.

—¿Qué quieres? —preguntó de malos modos—. Si sigues con el tema de tu madre, yo...

—Sé que fue usted quien me entregó al orfanato.

—¡Esa maldita monja! ¿En qué se puede confiar si no es en la palabra de una monja?

—Mire, en un principio creí que era usted mi padre. Ahora ya sé que no lo es.

—¡Pues claro que no lo soy! —exclamó a la defensiva—. ¿Crees que me hubiera deshecho de mi propia hija? No soy de esa clase de hombre.

—Pero sí de los que se casan por dinero y prestigio –soltó Anna con desprecio.

Enric Girona tiró el cigarro al suelo y lo pisó con fuerza.

—No sabes lo que es tener una familia como esta. –Negó con la cabeza–. Hay cosas que no puedes hacer, aunque quieras.

—Usted no quiso a mi madre y jugó con sus sentimientos.

—Sí la quise –replicó–. Era joven y un poco mujeriego, eso no lo niego, pero sí la quise. El problema fue que...

—El problema fue que se arruinó –lo interrumpió ella–. Y no quiso saber nada más de ella.

—No podía ir en contra de mi familia y de lo que pretendían de mí. Al final me casé con quien ellos me dijeron. Eligieron por mí.

—No me da ninguna pena, señor Girona. –Frunció el ceño–. Por ella podría haber renunciado a todo lo que tiene si la hubiera amado de verdad.

Enric rio y se rascó la cabeza.

—Mira, niña, no sabes de qué va la vida... –Se encogió de hombros–. Has visto muchas películas de Hollywood, me parece a mí. De esas en las que sale Pablo Moreno.

Anna apretó los puños y calló.

—¿Pablo Moreno te amó de verdad? –continuó él, tratando de hacerle daño–. ¿Lo dejó todo por ti?

—No quiero hablar de mi vida, no le importa.

—¡Ah, vaya! –exclamó con sorna–. O sea que tú puedes meterte en la mía y yo no en la tuya porque te ofendes. ¡Qué contrasentido!

—Está bien, no debo juzgar sus actos pasados. –Anna aflojó el tono–. Todos podemos equivocarnos y tomar malas decisiones. Lo único que quiero saber es dónde está mi madre.

—¿Y por qué debería decírtelo? ¿Acaso ella ha dado señales de que quiera saber de ti?

—¡La necesito! –gritó desesperada–. ¡Necesito encontrarla!

—¡Pero puede que ya esté muerta! –soltó él con crueldad–. ¿Si no por qué narices no regresó a por ti tal y como me prometió?

Anna se derrumbó y rompió a llorar. Le costaba reconocer que Enric Girona estaba en lo cierto. Solo cabían dos posibilidades: que su madre estuviera muerta o que no quisiera saber nada de ella.

Ninguna de las dos la incitaba a seguir con la búsqueda, pero había prometido que seguiría pese a lo que pudiera encontrarse. Tenía que cerrar aquella etapa de su vida para que cicatrizaran las heridas que le había supuesto el abandono.

—Se lo ruego, por favor, por el cariño que le tuvo... —suplicó, con los ojos anegados en lágrimas–. Ella le dijo que me quería, ¿verdad? Quiero pensar que está viva y que quiere reencontrarse conmigo. ¿No es lo que le gustaría creer a usted si estuviera en mi lugar?

Enric Girona guardó en silencio, reflexionando. Luego, asintió.

—Está bien... —Sacó su pitillera de plata y encendió otro cigarrillo–. Teresa vino a verme una noche de mayo de 1911. Estaba nerviosa, con los ojos llorosos y... no sé, parecía asustada. Al principio no me di cuenta, pero luego vi que llevaba a una criatura envuelta en brazos. Tenía prisa, como si alguien la estuviera esperando en algún lugar. Me sorprendió bastante que hubiera tenido un hijo, hacía tiempo que no sabía nada de ella y desconocía que se hubiera casado. Ella no me comentó nada de eso, tan solo me suplicó que me quedara con su hija, que fuera su mentor, su padrino. Sinceramente, no supe cómo reaccionar. ¿Cómo iba a aceptar a una criatura que no era mía? Tu madre estaba desesperada y no pensaba con claridad. Me aseguró que solo serían unos años hasta que regresara. Me juró y perjuró que volvería por ti, que te quería con locura.

Anna no dejó de llorar durante todo el relato. Su madre la había querido de verdad, como siempre había sentido en el fondo de su corazón.

—¿Y adónde se fue? —preguntó–. ¿Por qué no me llevó con ella?

—Creo que el viaje era arriesgado para una recién nacida. —Dio una calada al cigarrillo–. Se fue a Filipinas.

—¿Filipinas? —Apretó los labios–. Pero ¿a qué lugar de Filipinas? ¿Manila?

—No sé nada más, te lo juro.

Anna dejó plantado a Enric Girona en el mirador. Bajó los escalones presurosa, sin dejar de llorar por la emoción, y abandonó la fiesta sin avisar y sin saber hacia dónde dirigirse. Tenía que asimilar aquella información. Filipinas. ¿Qué diablos hacía allí su madre? ¿Por qué había decidido irse a la otra punta del mundo, a una isla del sudeste asiático, en pleno océano Pacífico? ¿Cómo iba a irse ella allí, sin saber por dónde seguir buscando?

Agotada, sin dejar de pensar una y mil veces en lo que pudo haber ocurrido entre sus padres y su huida repentina a un país tan lejano, llegó a casa de Pili. No sabía adónde ir y en la Casa de la Misericordia las paredes se le echaban encima con los recuerdos de sor Julia, así que decidió hablar con Manuel. Él era un hombre comprensivo y sensato, además de un buen amigo. Él trataría de aconsejarla lo mejor posible.

Manuel abrió la puerta; iba con el torso desnudo y tenía un cigarrillo humeante en el labio. Se sorprendió al verla sola, sudorosa y con el rostro compungido.

—¿Qué haces aquí tan pronto, niña? —preguntó, dejándola entrar—. ¿La fiesta era una lata o qué?

Anna cogió aire y se dirigió al sofá. El andaluz rápidamente le llevó un vaso de agua.

—Me estás asustando, chiquilla. —Se sentó a su lado—. ¡No me digas que ha pasado algo grave!

—No, no... —Resopló y se echó a temblar—. Es que por fin sé adónde se fue mi madre...

—¿De verdad? —Le cogió las manos—. ¿Quién te lo ha dicho?

—Enric Girona me lo ha contado todo. —Sonrió ligeramente—. Se fue a Filipinas y me dejó antes de partir, creo que por miedo a que no sobreviviera al viaje.

—¡Eso es una buena noticia! —exclamó él, pellizcándole la barbilla—. Sabes que te quería, niña.

—Ya... —Se mordió los nudillos, asustada—. Pero no ha vuelto. Y ahora no sé qué hacer.

—Creo que deberías ir -afirmó Manuel—. Si no lo haces te arrepentirás toda la vida.

—¿Dejarlo todo por algo que no sé a ciencia cierta? —Sacudió la cabeza—. No me atrevo, Manuel. Es una idea descabellada.

—¿Y qué alternativa tienes? —Se encogió de hombros—. O vas, o dejas de buscar a tu madre. No tienes más salida.

—Pero ¿y si ya no está en Filipinas? Y ¿cómo puedo saber si Enric Girona no me mintió?

–No sé qué ganaría mintiéndote, la verdad... Ya sabes todo lo que pasó entre ellos, así que lo de Filipinas es lo de menos.

–Tengo miedo. –Tragó saliva–. Ir a un país tan distinto, tan lejos de aquí, sola... No, no, no puedo hacerlo. Es una locura.

–En Filipinas hay españoles. –Manuel hizo un esfuerzo por recordar–. Yo no he sido *mu* de libros, pero en la escuela nos dijeron que había sido española hasta hace poco.

–Sí, seguro que el idioma no es un problema, pero... –Se restregó la frente–. ¿De qué voy a vivir? ¿Dónde empiezo a buscar? Que no, Manuel, que no me veo capaz...

Él se quedó callado, mirándola fijamente.

–Podría acompañarte –soltó de repente–. Somos amigos.

Anna abrió la boca, asombrada.

–¿Qué te has tomado? –Rio–. A ti no se te ha perdido nada en Filipinas. No puedes hacer un sacrificio así por mí.

–¡Sacrificio, dice! –Rio también–. Si estoy más tieso que la mojama, niña. No tengo nada aquí y solo de pensar en volver al campo...

–¡Pero es Filipinas! –Se puso de pie, nerviosa–. ¿Qué vas a hacer allí?

–Cuidarte, protegerte... –Se ruborizó levemente–. Ayudarte en lo que haga falta... Quizá a los chinos morenos esos les gusta el flamenco y me hago famosísimo.

Anna sonrió y se relajó. Manuel estaba dispuesto a cruzar el mar con ella sin pedirle nada a cambio. Aquello le facilitaría el viaje y le hacía sentirse más segura. Sin embargo, seguía siendo una locura. No tenía pruebas de que su madre siguiera con vida ni de que siguiera viviendo en Filipinas... Además, aquel país era enorme, lleno de islas... Sería como buscar una aguja en un pajar.

–Olvídalo, Manuel. –Le cogió la mano–. Te lo agradezco, pero creo que sería como lanzarnos al vacío sin paracaídas.

–Tú tienes la última palabra. –Hizo una mueca de pena–. Creo que debes pensarlo bien, reflexionar... Tienes una espina clavada en el corazón y no podrás continuar hasta que te la quites.

–El problema es que no creo que pueda quitármela nunca.

–No, si no lo intentas. –Le besó la palma de la mano–. Piénsalo. Si decides ir, yo te acompañaré. No voy a dejarte por ahí sola y que te coma un tigre en una de esas selvas.

Anna le sonrió con cariño. Tenía un amigo incondicional y un mar de dudas que le impedían tomar una decisión. ¿Debía tomar ese camino?

Una monja entró en su habitación.

—Ha venido alguien a verte —anunció con el ceño fruncido—. Un hombre. Dice que fuiste su criada en Sant Feliu de Guíxols. Emilio Alarcón, ¿puede ser?

Anna abrió los ojos como platos y bajó corriendo. Nunca se hubiera imaginado que Emilio iría al orfanato a verla. Un amasijo de nervios se le aposentó en el estómago: se había ido de Media sin dar la cara y ahora tendría que ofrecer explicaciones. Se había portado mal con el señor Alarcón, después de todo lo que había hecho por ella.

El publicista estaba de pie, apoyado en la pared del pasillo, mirando un crucifijo.

—Joder, Expósito, no sé cómo puedes vivir aquí —soltó al verla—. Da un miedo que no veas.

Anna no pudo evitar sonreír. Era el Emilio de siempre y parecía no tener intenciones de reprocharle nada.

—¿Qué haces aquí? —preguntó—. Pensé que ya no querrías saber nada de mí.

—Ay, cariño, te echo de menos cada día de mi vida. —Resopló—. Ignacio está más contento que unas castañuelas. Ahora es el rey de nuevo, ¿sabes?

—Ya tiene lo que quería. —Hizo una mueca de desprecio—. Aunque no me fui por él, en realidad.

—Lo sé, lo sé. —Emilio torció el gesto—. Te sucedieron cosas muy feas... ¿Y lo de ese Moreno? ¡Por el amor de Dios! ¡Le hemos quitado el cartel de Sol para que se joda! Echeandía quiere hacer otro anuncio de Fixol.

—Así que no tuve una buena idea con lo de Pablo...

—No, al contrario. —Rio—. Hemos ganado un dineral, hija mía. Echeandía está contentísimo, pero Moreno ya ha pasado de moda, ya sabes... Ahora hay otros actores dispuestos a hacer anuncios. Has abierto la veda.

—Pues me alegro, de verdad. –Suspiró con nostalgia–. Me encantaba estar en Media.

—Ahora que ya ha pasado el tiempo... –Carraspeó–. ¿No quieres volver conmigo a Madrid? A Ignacio lo pongo a raya rápido. Maribel también te echa mucho de menos.

Anna sintió un pellizco en el corazón.

—Todavía no me siento capaz de volver. –Bajó la mirada–. Perdí a un amigo y... en fin, pasaron demasiadas cosas como para enfrentarme de nuevo a esa ciudad.

—¿Y qué vas a hacer con tu vida?

—Pues no lo sé. –Suspiró–. He descubierto que mi madre podría estar en Filipinas, pero tampoco sé si debo ir o no. Allí no tengo nada.

—¿Filipinas? –Soltó una risita nerviosa–. ¿Qué cojones hace allí tu madre?

—Pues eso es lo que no sé, Emilio.

—Vete y llévate a mi mujer contigo. –Rio–. Otro verano que he pasado con ella y otra vez hemos acabado tirándonos los platos a la cabeza.

Anna sonrió. El señor Alarcón no había cambiado nada. Aunque fallaba en las formas, con ella siempre se había portado bien. Le había dado la oportunidad de su vida y ahora volvía a hacerlo.

—No, ahora en serio –continuó él–. Conozco a alguien en Manila: Agustín Soriano. Es el hombre más rico de Filipinas, por lo menos. Coincidí con él en la Escuela de Comercio de Madrid y ahora es director general de cervezas San Miguel, además de la Royal Soft Drink y la Cream Ice Magnolia. Vamos, que no solo está exportando cerveza, sino también refrescos y productos congelados. Lleva, incluso, la distribución de Coca-Cola en las islas.

—Un gran empresario, vamos.

—Sí, lo es –afirmó–. La cerveza empezó a producirse en un convento a las afueras de Manila, en el barrio de San Miguel, y ahora la exporta a medio mundo.

—¿Qué puede hacer por mí ese Agustín Soriano?

—Hombre, pues no sé qué tal va la publicidad en Filipinas, pero vamos... Ni mucho menos tendrán agencias de publicidad como Media. Podría echarte una mano.

–¿Quieres decir que...?

–No lo sé, Anna Expósito, pero podría hacerle una recomendación sobre tu habilidad para la publicidad. –Encendió un cigarrillo–. Quizá necesiten a alguien que conecte con la comunidad española y les ayude a vender más productos. Es una suposición.

Anna estaba sorprendida por la proposición.

–¿Me estás incitando a ir a Filipinas?

–Mira, te voy a ser sincero, Anna. –Se puso serio–. Eres una buena publicista y no quiero perderte. Me da a mí que si encuentras a tu madre y cierras página... No sé, volverás a ser la de siempre, incluso mejor.

Anna se quedó sin palabras, emocionada. Emilio Alarcón tenía fe en ella y quería ayudarla.

–Te haría una recomendación escrita para Soriano –añadió–. Fuimos amigos, seguro que se acuerda de mí. Además, sabe que soy el mejor publicista de España.

–No sé qué decir... –Su voz temblaba–. La verdad es que esto me lo pone más fácil. Podría alejarme de aquí, ver las cosas con perspectiva, ganarme la vida y seguir la búsqueda de mi madre...

–Pero –la interrumpió levantando un dedo autoritario– tienes que volver y seguir trabajando para mí. Joder, te necesito en Media.

Anna sintió que se le abría una oportunidad enorme y que no podía desaprovecharla. Era la ocasión perfecta para poner en orden su vida.

–No sé cómo podría agradecértelo... –Lo abrazó con fuerza–. Eres mi salvador.

–Uy, Annita, qué cariñosa estás... –Le guiñó un ojo–. Si es que la única mujer que me detesta es Laura, ya se lo digo yo siempre.

La joven lloró de felicidad, las lágrimas resbalando por sus mejillas.

–Te echaré de menos, Emilio Alarcón.

–Y yo a ti, Anna Expósito.

Ya estaban en agosto, el verano había pasado volando y en pocos días tendrían que subir al transatlántico inglés que los llevaría hasta Manila cruzando por el canal de Suez. Emprendía un nuevo viaje, lejos de Barcelona, del orfanato y de todos sus seres queridos. Iba a echar de menos a Pili y a Rosa, ahora que habían hecho las paces de nuevo. Por suerte, no iba a estar sola; Manuel sería su protector, su única compañía en ese viaje que no sabía cuánto duraría. Ignoraba si su madre seguiría viva y si querría conocer a la hija que había dejado atrás casi veinte años antes.

47

15 de junio de 1911

No puedo dejar de llorar. Nunca había estado tan triste en mi vida. He dejado a mi pequeña con Enric y no sé cuándo volveré a verla. Mauro dice que estará bien y que cuando sea más fuerte y más mayor, regresaremos a por ella y estaremos por fin los tres juntos. Ni siquiera nos hemos atrevido a ponerle nombre. Confío en que Enric la cuide como se merece, me lo debe por todo el daño que me ha hecho.

Aun así, no quería marcharme. ¿Cómo he podido abandonar a mi propia hija? Pero él ha insistido tanto... Dice que no nos queda nada aquí y que debemos empezar una nueva vida en Filipinas. Allí tendremos una tierra que labrar y nos haremos ricos. No sé qué habrá hablado con mi hermano pues no me lo ha contado todo para no preocuparme. ¿Cómo puede estar seguro de que haremos fortuna? La cuestión es que afirma una y otra vez que en esa maldita isla nos espera una buena vida. Tendremos nuestra tierra y nuestra casa y cuando estemos aposentados, nos traeremos a nuestra hija. Eso me repite él una y otra vez. Pero yo estoy desolada, no tengo fuerzas para seguir escribiendo. Esta es la última página de una vida que acaba.

Teresa

TERCERA PARTE
Manila

48

El cielo estaba espeso, gris como el mar en calma. Estaban a punto de llegar a Manila, recorriendo las pequeñas islas que surcaban la llamada Perla de Oriente. El viaje había sido un suplicio: en el barco no había verdura, ni fruta, ni leche, tan solo comían sopas espesas y platos grasientos, fritos con aceite rancio y carbonizado, cafés y galletas secas. Anna, probablemente, habría cogido una buena anemia, pues se sentía débil y a menudo sufría pequeños desvanecimientos. De no haber sido por las atenciones de Manuel, quizá habría muerto durante ese viaje agónico.

El barco prácticamente rozaba las costas del sur de la isla de Panay; de hecho, se podía ver el mar romper contra las rocas tras las que se hallaban las bonitas junglas en las que había oído decir que habitaban las serpientes más venenosas del mundo. Por todas partes se extendían pequeñas porciones de tierra en las que se observaban columnas de humo en las montañas, como si fueran las antiguas señales que se hacían los insurgentes durante la guerra española y americana. ¿Quién podría vivir allí?, se preguntó.

Hacía un calor terrible. El verano en aquella parte del mundo era insoportable, tan húmedo como si permanecieras sumergido en agua desde que te levantabas hasta que te acostabas. Tenía la piel húmeda de sudor todo el tiempo y en el interior del barco el ambiente era tedioso. Sin embargo, algunos filipinos decían lo contrario: que a finales de agosto, entre las lluvias de julio y la estación de tifones de septiembre, soplaba una brisa agradable proveniente del mar de China que ofrecía días frescos y deliciosos. No se podían imaginar, entonces, cómo sería el verdadero calor filipino. Por suerte, no habían sufrido aún la incesante lluvia y el estruendo de los truenos y rayos del monzón, que solía inundarlo todo. Habían tenido un viaje tranquilo.

Por fin avistaron Manila. La ciudad se encontraba al mismo nivel del mar, pues se había construido sobre las marismas, en las riberas del río Pasig. En el muelle de la laguna de Bayo había multitud de vapores anclados en los muelles y centenares de barcazas nativas. En el agua había vistosas y coloridas flores de loto que resaltaban contra el gris del mar. Desde la borda, Anna no se hacía la idea del tamaño de aquella ciudad: se veían, en la línea frontal, edificios más bien bajos, campanarios de iglesia, campos de arroz y un sinfín de callejuelas y tranvías.

–Hemos llegado –dijo Manuel, contento.

Los dos se miraron, más relajados, y subieron a una pequeña barca que los llevó hasta el muelle. Allí había una actividad incesante. Unos hombres uniformados jugaban al ajedrez a la sombra de una parcela de bambú mientras fumaban y vigilaban que nadie llevara nada de contrabando; unas cabras greñudas trataban de rebañar el azúcar caído de los sacos que cargaban unos criados nativos al sol...

Anna y Manuel no sabían por dónde empezar ni a quién preguntar. Tenían que ir al hotel Oriente, donde se hospedarían hasta que formalizaran su situación en la capital. Justo al lado pasó un niño conduciendo un carabao, una especie de búfalo que hacía a menudo de transporte. Llevaba un palo en la mano y tenía la tripa inflada por culpa de una alimentación basada únicamente en arroz, pescado y camote, boniato. Le preguntaron por la dirección del hotel y el muchacho se ofreció a llevarlos a cambio de unos centavos. Incluso les explicó un poco sobre la ciudad: que estaba dividida en distritos –Malate, Pasay, Intramuros...–, pero que habitualmente se distinguía la Vieja Manila y la Nueva Manila, ambas separadas por el puente de España, que cruzaba el río Pasig. En la Vieja Manila se encontraba la catedral, otras iglesias, barracones de la Armada y residencias privadas; en la Nueva Manila estaban los negocios, los muelles, los barcos y la casa de Aduanas.

–Si queréis pasarlo bien –comentó en un español impecable–, tenéis la calle Escolta, la calle principal: allí podréis comprar de todo. Y por supuesto La Luneta, el paseo marítimo.

–¿Conoces a Agustín Soriano? –preguntó Anna–. El de las cervezas San Miguel.

–Oh, claro, todo el mundo lo conoce aquí. Es muy rico.

—¿Sabes dónde vive?

—En el barrio de Santa Mesa, al este de la ciudad. Tiene una casa preciosa, rodeada de ylang-ylang.

—¿Ylang-ylang?

—Sí, unos árboles que huelen muy bien y que se usan para extraer aceite aromático y venderlo a las perfumerías francesas.

Caminaron por varias calles estrechas y llenas de vehículos, tranvías y bicicletas. Los que se lo podían permitir iban en coche y los más pobres podían alquilar un carromato, ya que el tranvía era lento y cuando hacía frío o llovía dejaba de funcionar. Se cruzaron con muchos nativos que llevaban un gallo bajo el brazo y les pareció extraño.

—¿Por qué todos llevan gallos bajo el brazo? —preguntó Anna al niño—. ¿Se lo van a comer?

—No, no. —Rio—. Aquí nos gustan las peleas de gallos. Todo el mundo tiene un gallo para pelear, aunque está prohibido. Hoy es domingo, hoy hay peleas.

Anna y Manuel no podían dejar de observar aquel mundo tan distinto al que estaban acostumbrados. Las mujeres iban vestidas con el *sarong,* una falda estrecha y una blusa fabricadas con fibra de piña procedente de las islas Panay y de Negros. La mayoría no llevaban joyas, aunque muchas lucían pendientes o rosarios de oro. Los hombres vestían un poco más al estilo occidental, con pantalones de algodón y camisa sin cuello. Iban impecablemente limpios.

Llegaron por fin al hotel Oriente, que se encontraba en el barrio de Binondo, justo al lado de la Fábrica de Tabacos la Insular y cerca de la famosa calle Escolta y de Intramuros. Había bastantes coches en la entrada. La planta baja tenía arcadas moriscas, de ahí el nombre del hotel, y en total se componía de tres plantas con vistas a la bonita plaza Calderón de la Barca y la iglesia de Binondo. Pagaron al niño y entraron en el magnífico edificio. Era elegante, de pasillos anchos, techos que parecían tocar el cielo y largas escaleras que conducían a las habitaciones. Aunque estaba lejos de parecerse al Ritz, el hotel podía considerarse de lujo. El suelo, las paredes y el techo eran de madera para que resistieran la humedad del monzón; además, olía desagradablemente a queroseno, ya que los criados solían frotar el suelo con ese combustible para ahuyentar a las hormigas. Ya les habían advertido de la afluencia de insectos en las islas; de hecho, todas las camas tenían mosquiteras para evitar la malaria. Sin embargo, no había colchones ni mantas, tan solo una especie de estera de bambú acolchada con caña y ratán que impedía que anidaran las cucarachas y otras alimañas.

—¡Cómo voy a echar de menos el Ritz! –exclamó Anna.

—No te preocupes, que yo cuando era pequeño cazaba muchas cucarachas –comentó Manuel.

Iban a dormir juntos, aunque en camas separadas. Anna no quería dormir sola en una ciudad desconocida y sin saber todavía qué clase de gente la habitaba.

—Mañana iremos a ver al señor Soriano, a ver si nos recibe.

—Se prendará de ti, como todos –aventuró él, y se ruborizó.

Anna sonrió con tristeza. Manuel era un gran apoyo en esa nueva etapa de su vida y jamás podría agradecérselo lo suficiente. Seguía viéndolo como un amigo muy querido, pero temía que él siguiera albergando algún tipo de esperanza respecto a ella. Nunca podría amarlo como a Pablo, por muy sinceros que fueran sus sentimientos y se sentía culpable por ello.

—Oye, ¿no te parecen guapas las filipinas? –preguntó Anna.

En el barco les habían contado que las mujeres de allí tenían un carácter fuerte y decidido, que eran independientes. Fumaban y masticaban *betelnut*, la nuez de areca, un fruto proveniente de la palmera y que les teñía la boca de rojo. También solían llevar aceite de coco en el pelo, que hacía que brillara al sol.

—Claro que lo son, pero no sé yo si me adaptaría a sus costumbres. No sabes lo que echo de menos el pescaíto frito y un buen jamón...

—Y los dulces de la Casa de la Misericordia –suspiró ella.

—Pero bueno, lo importante es que encuentres a tu madre –sonrió–. *Pa* eso estamos aquí.

—No sabes lo que te agradezco que me hayas acompañado.

Manuel asintió, observándola con cariño.

—Será mejor que te acuestes y descanses, yo te protegeré de los bichos esos.

Anna se levantó renovada. Pese a que la cama no era muy cómoda, había dormido de un tirón. Manuel se había levantado pronto y se estaba pasando un trapo mojado por las axilas mientras silbaba una canción alegre. Ella hizo lo mismo, resguardada bajo la mosquitera blanca, para que no la viera. Luego bajaron al comedor para desayunar una taza de chocolate espeso acompañado de un bollo de semillas típico. Estaban hambrientos después de lo mal que habían comido en el barco y lo devoraron en un santiamén.

Salieron a la calle, animados. Tras haber descansado, la ciudad les pareció mucho más bonita que el día anterior. Había muchísima gente de diferentes nacionalidades y razas: chinos, españoles, alemanes, ingleses y americanos, además, evidentemente, de los nativos, malayos y mestizos. Se dirigieron directamente a la plaza Goiti, donde se encontraba la estación de tranvías. Ni siquiera pasaron por la calle Escolta para no demorarse demasiado: Anna estaba ansiosa por conocer al señor Soriano y saber si podría contar con el trabajo. En el camino hacia el tranvía se toparon con varios niños, vestidos únicamente con una fina camisa de muselina, que vendían flores o llevaban pequeños carruajes tirados por ponis llamados victorias. Hacía un calor terrible. Tan solo habían caminado unos metros y ya estaban sudando de nuevo. Además, el chocolate les había dejado la boca pastosa.

–Me estoy muriendo de sed –comentó Manuel.

Encontraron un tenderete regentado por un chino que vendía naranjas y limones provenientes de la China, así como carne congelada llegada de Australia. En el aparador había un enorme cartel que anunciaba dos bebidas de la compañía San Miguel. Era el primer anuncio que veía en las calles de Manila.

DOS PRODUCTOS DE CALIDAD DE SAN MIGUEL
Cerveza San Miguel: la bebida más fría y el mejor tónico saludable que puede tomar.
Bebidas suaves Royal: hechas con los extractos puros de las frutas combinados en azúcar de caña. Pida Royal y beba el mejor refresco.

–Voy a pedir una cerveza de esas –dijo Manuel, entrando en la tienda.

El tendero apenas entendía español, pero el andaluz se hizo entender rápidamente señalando el cartel.

–Coca-Cola –respondió el chino, sacando una botella–. Coca-Cola, *good.*

–Que no, *quillo,* que quiero una cerveza. –Volvió a señalar el cartel–. ¿Qué carajos es eso de la Coca-Cola?

–Coca-Cola –insistió el chino–. *Good. New. Cool.*

Manuel chasqueó la lengua y miró a Anna.

–El chino este no se entera de nada. Que me quiere dar veneno, Anna. ¿No ves el color que tiene esto?

Ella rio y cogió la botella.

–Es un refresco –le explicó–. En España todavía no es muy popular, pero lo es en Estados Unidos. A Pablo le encantaba, pero ni siquiera en el Ritz la tenían. También lo lleva Agustín Soriano.

–¡Pues yo no la pienso probar! –exclamó Manuel–. No quiero morirme todavía.

Anna pagó lo que le pedía el tendero y este le quitó la chapa. Se llevó la botella a la boca y bebió un trago: estaba caliente, pegajosa y demasiado dulce. No entendía cómo le podía gustar eso a Pablo.

–Está caliente –le dijo al chino–. Esto no refresca nada. ¿Por qué no la enfría?

–Hielo comprar tú. –Señaló una bolsa con hielo–. *Expensive.*

–¿Quién va a querer beber esto caliente? –Negó con la cabeza–. No está buena.

–Hielo muy caro aquí y gente muy *poor.* Medio centavo kilo de hielo, una barbaridad... Se dice así en español, ¿no?

Anna se despidió y salieron del tenderete. Observó la botella de cristal detenidamente: el sabor no era malo, pero no la veía como una bebida refrescante. Pablo decía que la gente en América la bebía a todas horas, sobre todo en verano, en la playa. Pero si en Filipinas la gente ni siquiera podía permitirse comprar hielo... ¿cómo iba Agustín Soriano a popularizar esos refrescos? ¿Y qué pasaba con la cerveza?

Cogieron un tranvía hasta Santa Mesa. El trayecto fue un caos. Una palabra se repetía constantemente: *tabe, tabe*; era *cuidado* en tagalo, el idioma nativo que mayoritariamente se hablaba en Filipinas y que tenía influencia española. Muchas de sus palabras eran prácticamente idénticas al castellano, así que era fácil de entender.

Pasaron por Intramuros, que era la parte más antigua y el distrito amurallado de la ciudad. Allí quedaban recuerdos y edificios de la época colonial española, callejuelas empedradas con muros cubiertos de musgo y el agua estancada donde los mosquitos campaban a sus anchas. Vieron la catedral, el palacio del arzobispo, los conventos y las iglesias de todas las órdenes. Cruzaron el río Pasig, en cuyas riberas las mujeres cargaban vasijas de agua en pértigas de bambú sobre los hombros, vestidas con sus *sarongs* rojos y sus camisas blancas. Resultaba un paisaje pintoresco y llamativo.

Por fin llegaron a Santa Mesa. Era uno de los distritos más antiguos de Manila, y también de los más ricos. Lo cruzaba una avenida ancha, llena de árboles a los lados, de casonas grandes y exuberantes. Allí vivían muchos españoles que habían llegado hacía años y habían prosperado gracias al comercio y la exportación de azúcar y tabaco. Preguntaron por la casa de Agustín Soriano y enseguida les dijeron cuál era. Era grande, de techado oscuro y fachada blanca con un balcón de madera noble. Parecía sencilla por fuera, aunque intuyeron cierto lujo en el interior cuando uno de sus muchachos, como se llamaba a los criados, salió a recibirlos.

–¿Se encuentra en casa el señor Soriano?

El chico era un delgado igorrote; la mayoría de criados provenían de los terrenos abruptos del norte de la isla de Luzón, de las tribus de las montañas. También los mangyan y los negritos; todos ellos mantenían su propio idioma y costumbres.

–Día fuera –dijo en un mal castellano–. Fiesta.

Anna chasqueó la lengua, decepcionada.

–¿Cuándo puedo hablar con él? ¿Puedo dejarle una nota?

El chico negó con la cabeza; parecía enfadado y querer sacársela de encima cuanto antes.

–Trabajar en San Miguel –informó–. Negocios allí.

–Soy española, me gustaría conocerle.

–Muchos españoles aquí –replicó el muchacho, ceñudo–. No conocer. San Miguel atender.

–Oiga, vengo recomendada por un amigo. –Sacó el papel que le había dado Emilio–. ¿Puede dárselo? Me hospedo en el hotel Oriente.

–Yo no hacer eso. –Movió la mano negativamente–. Mañana, pronto, ir a San Miguel.

Y cerró la puerta. Anna resopló, frustrada. El criado ni siquiera le había dejado hablar y no atendía a razones.

—Mañana iremos, niña —dijo Manuel—. Volvamos al hotel y descansemos un poco.

—¿Y si no quiere escucharme? —Se frotó la frente—. ¿De qué vamos a vivir?

—Déjame a mí, reina.

Decían que el paseo marítimo era lo más bonito de la ciudad, así que decidieron acabar el día allí. La Luneta era una plaza elíptica que bordeaba la bahía y miraba hacia el mar de China y la isla de Corregidor. Anna suspiró al ver ese magnífico paisaje de campos verdes y árboles de bambú en la línea del horizonte. El atardecer de fondo, las altas palmeras como negras siluetas en un cielo anaranjado, el césped verde y brillante frente al mar, el impresionante monumento al nacionalista filipino José Rizal, el olor de los platos grasientos que cocinaban las mujeres en improvisados fogones y que la gente devoraba en un abrir y cerrar de ojos... Infinidad de detalles que quería retener en la retina para siempre.

Hombres vestidos escrupulosamente de blanco se mezclaban con el ajetreo de las victorias, los carromatos y la policía a caballo. Era una costumbre popular en Manila: multitud de gente paseaba y tomaba el aire en La Luneta a la caída del sol mientras disfrutaban de los buñuelos y el chocolate caliente que ofrecían unos pequeños cafés a lo largo del paseo. El aire era espeso, lleno de humo de tabaco y de vapor de las teteras. Había una banda tocando en un escenario en el centro de la plaza; la música era una extraña mezcla de sonidos orientales y otros típicamente españoles. Manuel se quedó mirándolos, entusiasmado. Al cabo de un rato, cuando dejaron de tocar, se acercó a ellos para hablar.

Anna se quedó sentada en el césped, observando a un grupo de hombres jugar al monte, el juego más popular en Filipinas. Los nativos de allí tenían voces suaves, y parecía que en vez de hablar murmuraran tímidamente. Fumaban cigarrillos largos y negros, hilados en una especie de algodón blanco, y también masticaban una nuez que les dejaba los dientes rojos. Comentaban la corrida que se iba a celebrar en la plaza de toros de la Ermita; de hecho, Anna ya había visto algún que otro cartel anunciando la pelea entre un toro y un tigre de Bengala traído de la India. Toda la ciudad hablaba de ello. De golpe, empezaron a salir varios hombres cargando con sillas, tijeras y rasuradoras: eran barberos chinos y filipinos, que solían ejercer su oficio al atardecer, a la luz de las farolas en la misma Luneta. No tardaron en tener una larga fila de hombres para cortarse el pelo.

Inesperadamente, oyó la voz de Manuel. Ese quejido tan característico que solo tenía él, su llanto, el temblor, ese fondo de pena y emoción que transmitía con cada sílaba... Anna no se lo podía creer. Manuel había subido al escenario junto a los demás músicos, que le acompañaban batiendo palmas desacompasadas y poco sentidas. No entendía cómo había logrado convencerlos, pero allí estaba, en medio de Manila, cantando una canción puramente española ante la atenta mirada de los transeúntes. El Manuel que lograba erizarle la piel a todo el Villa Rosa y a cualquiera que fuera sensible a la buena música, estaba dispuesto a conquistar Filipinas.

49

Don Enrique María Baretto había abierto en 1899 la primera cervecería del sudeste asiático. Según había oído Anna, la fórmula la había extraído del convento de los Recoletos, que ya fabricaba su propia cerveza en la calle Avilés, en el barrio de San Miguel. Allí mismo, en esa calle tranquila, se encontraba ahora la fábrica de cervezas San Miguel Brewery.

–¿Y si no me quiere ni ver? ¿Y si la carta de Emilio no es suficiente?

Anna tenía miedo de que Agustín Soriano tampoco la recibiera ese día o que estuviera tan ocupado que no considerara oportuno ni necesario atender a una muchacha de tan solo veinte años.

–Venga, mujer, si siempre consigues lo que quieres, leche. –Manuel le dio una palmada en el hombro–. Oye, niña, que yo te conocí en el Raval y acabaste viviendo en el Ritz. Tú lo puedes todo.

Qué bien que estaba Manuel con ella: le subía el ánimo cuando lo necesitaba y le hacía ver lo mucho que había progresado en los últimos años, aunque a veces se le olvidara.

Entraron en el edificio y los recibió una mujer entrada en años. Sonriente y extrañamente emocionada, les pidió que esperaran en la entrada mientras comprobaba si el señor Soriano estaba en su despacho. A los pocos minutos, volvió a aparecer.

–El presidente Soriano puede atenderles –dijo con tono infantil.

Anna suspiró, aliviada, y siguieron a la mujer escaleras arriba. Olía fuertemente a lúpulo y eso la mareó. No le gustaba la cerveza: le parecía demasiado amarga y tampoco le quitaba la sed. Por fin llegaron al despacho y conocieron al presidente de la compañía, que se dirigió directamente a Manuel.

–María me ha dicho que usted es el que cantó ayer en La Luneta –dijo, entusiasmado–. ¡Qué bien canta!

Anna se quedó estupefacta, igual que Manuel.

—Ayer por la tarde estuve paseando por allí —continuó, estrechándole la mano—. Y cuando escuché esas notas... ¡La de tiempo que hacía que no escuchaba cantar flamenco! Me dio mucha nostalgia recordar España...

—Muchas gracias —se arrancó por fin Manuel—. No esperaba gustar a la gente. Me va a subir los colores.

—Pues ya le digo yo que sí... Todos los españoles se llevaron la mano al corazón, se lo aseguro. Y eso que yo nací en Manila, aunque estudié en la Escuela Superior de Comercio de Madrid durante unos años y mis padres siempre me han enseñado la cultura y las costumbres de la que también considero mi tierra.

Manuel no podía dejar de sonreír, sorprendido por los halagos.

—Debería cantar cada día —añadió insistente—. Tiene un don, señor...

—Manuel Jiménez.

Agustín Soriano tendría poco más de treinta años, era alto y de pelo moreno y ondulado. Tenía una sonrisa permanente en los labios y sus ojos miraban serenos y vivaces. Su rostro, en general, transmitía paz y dulzura. Tan joven y ya había conseguido ser el presidente de una de las compañías más importantes de Filipinas.

—¿Y esta chica quién es? —Por fin se percató de Anna—. ¿Su mujer?

—No, no. —Manuel se ruborizó—. Ya me gustaría a mí, caballero.

—Soy Anna Expósito —se adelantó ella—. Publicista.

Agustín Soriano los invitó a tomar asiento. Su despacho tenía un sinfín de fotografías de la fábrica, desde sus inicios, cuando la caña de azúcar se trituraba con los trapiches de madera y se cocía a fuego directo en las calderas de hierro, hasta la actualidad, con los últimos avances técnicos, el sistema de frío y de embotellado.

—¿Fueron ayer a mi casa? —preguntó tras sentarse en su silla—. Mi muchacho me dijo que aparecieron dos españoles preguntando por mí. Discúlpenle el trato, pero antes dejaba pasar a cualquiera, incluso cuando yo no estaba, y desde que le eché bronca es más cauteloso. Los filipinos son en general muy amables y educados.

—No pasa nada. —Anna sacó la carta del señor Alarcón y se la dio—. Estuve trabajando para Media el último año, pero la vida me ha traído a Filipinas. Emilio Alarcón coincidió con usted en la Escuela de Comercio, ¿verdad?

El señor Soriano leyó la carta y rio.

—¡Hombre, este Emilio! —exclamó—. Claro que lo recuerdo... Sacaba mejores notas que yo. Era y seguramente seguirá siendo muy inteligente. He oído hablar de Media, ojalá tuviéramos agencias así aquí... Yo tengo a la Philippine Agency Service Company; Frank J. Herrier, americano, y dos españoles que traducen los anuncios al español y al tagalo. Me cuesta una fortuna... más de quince mil pesos al mes.

—¿También le lleva Coca-Cola?

Agustín Soriano asintió.

—Me lleva la cerveza, la Royal Soft drink y la Magnolia Ice cream. —Dio un golpe en la mesa—. Por cierto, no les he ofrecido nada para tomar. ¿Qué quieren?

—Yo una cerveza —respondió Manuel—. Desde que llegué tengo ganas de beberme una, pero la gente insiste con la Coca-Cola...

—Bueno, es que no se está vendiendo mucho.

Se levantó y se dirigió hacia un aparato en un lado del despacho. Era una especie de armario blanco que contenía varias botellas de refrescos y cerveza.

—¿Qué es eso? —curioseó Manuel.

—Oh, un auténtico lujo: una nevera eléctrica General Electric. Algo bueno tiene que tener que Filipinas esté ocupada por los americanos, ¿no? Me la regalaron unos buenos clientes y no saben lo bien que enfría. Nada de llenarla con bloques de hielo... ¡Se enfría sola como por arte de magia!

—¿Me puede dar una Coca-Cola fría? —preguntó Anna—. También me gustaría probarla.

El hombre le dio una cerveza a Manuel y el refresco a Anna. Esta bebió un sorbo y se le erizó la piel. Estaba burbujeante, fresca, dulce y sabrosa. Cada sorbo incitaba a otro hasta el punto de beberse toda la botella en un periquete. Ahora entendía la adicción de Pablo y la popularidad en América.

—Está buena, ¿eh? —comentó Soriano—. El refresco Royal de naranja también está muy bien, la verdad... No está en América, pero se vende mejor que la Coca-Cola.

—¿Ha probado alguna vez la Coca-Cola tibia?

—No, mujer, no... Siempre fría, como se ha de tomar.

–Pero en las tiendas las venden tibias; probé una ayer y no se parecía en nada a esta fría. Son como dos bebidas distintas.

–Bueno, cada uno en su casa tendría que enfriarla, ¿no cree?

–¿Y cómo quiere que la enfríen si he oído decir que el hielo es un producto carísimo en esta isla?

Agustín Soriano rio y abrió las palmas.

–No sé si sabe que San Miguel también controla la producción de hielo en Manila. Tenemos una fábrica en la calle Echague.

Anna se sorprendió. San Miguel parecía controlarlo todo allí.

–Hacemos helado también –continuó él–. No sabe lo que cuesta hacerlo, con las altas temperaturas que tenemos. ¿Se puede imaginar el coste? Alguien lo tiene que pagar.

–Entonces solo le comprarán los que se lo puedan permitir y aquellos que no, no se arriesgarán a probar Coca-Cola. Si el hielo es caro, lo usarán para las cosas de primera necesidad.

Soriano se levantó de la silla y recorrió la estancia lentamente.

–¿Y qué quiere que haga? –Abrió las palmas–. No puedo bajar el precio del hielo.

–No debería bajarlo, sino regalarlo.

–¿Cómo? –Rio–. ¿Ha venido a Manila, con una recomendación de mi querido Emilio para decirme que he de regalar el hielo? ¿Esa es su estrategia, señorita Expósito?

–Sí, así es.

–Pues mucho me temo que no la voy a escuchar. –Frunció el ceño–. Si todo el mundo regalara sus productos, entonces explíqueme de dónde saldrían los beneficios.

–Usted quiere vender Coca-Cola por encima de todo, ¿no?

–Sí, pero sin poner en riesgo la producción de hielo.

–No digo que regale el hielo a toda la población de Filipinas. –Se puso rígida, seria–. Debería regalar el hielo a las tiendas que vendan Coca-Cola. Entonces podrían enfriarla sin coste alguno y venderla directamente al consumidor fría, como debe ser. La gente la comprará, le gustará y se atreverá a meterla en hielo en sus propios hogares.

–La chiquilla es muy lista –comentó Manuel, asombrado–. Eso no me lo había contado a mí.

–Sí, es muy lista, pero si tengo que regalar el hielo, perderé dinero –observó Soriano.

–¡No va a perder dinero! –exclamó Anna–. Todo lo contrario: la gente consumirá sus refrescos en cualquier momento del día. Solo tendrán que acercarse a la tienda y comprarla. Puede, incluso, incrementar un poco el precio de la botella para contrarrestar la pérdida del hielo. La gente ni lo notará.

Agustín Soriano se restregó la barbilla, pensativo. Luego, asintió lentamente.

–No lo había pensado antes...

–Todas las tiendas querrán vender sus productos y no los de la competencia.

–No tenemos competencia.

–Sí, sí que la tiene: Cosmos Sarsaparrilla, por ejemplo. Que no tenga, todavía, la misma popularidad que sus refrescos no significa que no sea una amenaza. Si se confía, puede que le adelanten.

–Veo que tenía bien preparado el discurso... –Se dirigió a la mesa y sacó un cigarrillo de la pitillera–. Ahora entiendo lo que dice Emilio en la carta.

Anna enarcó las cejas.

–¿Y qué dice de mí?

–Que es cautivadora, que se nota que disfruta con lo que hace y que la seguridad con que analiza el mercado logra convencer a cualquiera de que lleva toda la razón.

Ella se sonrojó y pensó en la cantidad de veces que había deseado que Emilio le dijera algo así cuando trabajaba en Media. El señor Alarcón era como el padre severo y distante que solo se atreve a adular al hijo en su ausencia. En el fondo, siempre había sentido admiración por su trabajo, aunque pocas veces lo había verbalizado. Eso la había hecho más fuerte y más exigente con su trabajo, sin esperar nada a cambio. Así se había convertido en la publicista que era ahora.

–Que empezó aconsejando sobre el público femenino –añadió– y ahora ya domina todos los ámbitos, incluso el masculino.

–Es cuestión de observar el entorno y preguntarse qué es lo que quiere la gente.

–Una sensibilidad que muchos no tienen. Es un don, creo –suspiró–. En fin, a mí me ha convencido. ¿Tiene alguna idea para el anuncio?

Anna apretó la botella de cristal entre las manos.

—Creo que no voy a dejar de beberla en lo que me queda de vida —comentó sonriente—. No sé qué lleva esto ni por qué es tan adictivo... La gente debe asociar el refresco con Coca-Cola, que cuando tengan sed y estén agotados por el calor, lo único que quieran sea llevarse a los labios una botella de Coca-Cola...

Anna cerró los ojos y se llevó la botella vacía a la boca mientras sacudía el pelo hacía atrás y mostraba su cuello desnudo. Manuel y Agustín se quedaron embobados, mirándola.

—Madre mía, niña, al final voy a tener que probarla —soltó Manuel.

Agustín Soriano tragó saliva y asintió.

—Ya veo por dónde va...

—Una filipina de rasgos delicados y bellos que se lleve la botella a la boca —explicó ella—. Que en su rostro se vea reflejado el placer que siente al tomarla. Y una frase muy sencilla: «muy refrescante». Porque lo que queremos es eso, que la gente sienta placer, que durante unos minutos descansen de su rutina y se olviden de su agotamiento. Que cojan fuerzas y se refresquen con Coca-Cola. Por eso debe estar en todas las tiendas de Filipinas. Para que a nadie se le olvide que siempre podrán encontrar, allí donde vayan, una Coca-Cola bien fría.

—¡Es asombroso, señorita Expósito! —exclamó Soriano, eufórico—. Hablaré con mi agencia de publicidad. Evidentemente, quiero contar con usted para las siguientes campañas.

Anna no cabía en sí de gozo. Aquello le permitiría estar el tiempo que hiciera falta en esa isla para encontrar a su madre. Sintió que se quitaba un peso de encima.

—No se arrepentirá, señor Soriano —comentó Manuel, orgulloso—. Consiguió que Gal duplicara las ventas.

—Bueno, fue Media quien lo consiguió —precisó ella, quitándose importancia—. Yo solo era una más.

Agustín le estrechó la mano a Anna y luego a Manuel.

—Por cierto, señor Jiménez— apuntó el empresario—. ¿Tiene pensado trabajar en algún bar de Manila?

—Pues no lo sé, señor, porque no he visto que haya mucho cantaor de flamenco por aquí.

—Desde luego que no... —Carraspeó por el humo del tabaco—. Pero su arte tiene que disfrutarlo más gente, ¿sabe? Me gustaría que viniera a una fiesta. Y la señorita Expósito, por supuesto.

–¿Una fiesta? *Pa* cantar, ¿dice?

–El próximo sábado por la noche tengo una recepción en Iloílo. Me ha invitado el señor Romero, uno de los grandes exportadores de caña de azúcar. Irán las familias más importantes de la comunidad española de Filipinas. Les encantará oírlo.

–¿Dónde está Iloílo? –preguntó, emocionado–. Madre mía, suena a chino.

–Es una ciudad de la isla de Panay, donde se expande el cultivo de la caña de azúcar. Hay muchísimas haciendas.

–Seguro que nos lo pasaremos bien –dijo Anna, contenta de poder conocer otras partes de Filipinas–. Y gracias por la oportunidad de trabajar para San Miguel Brewery.

–*Mabuhay*, señorita Expósito. Bienvenido, señor Jiménez.

Pasaron la semana visitando Manila y recorriendo la calle Escolta una y otra vez. La calle principal de la ciudad era un amasijo de carabaos, tranvías abarrotados y vehículos que se dirigían hacia el puente Español para cruzar el río Pasig. Era una avenida con cierto aire americano: allí se encontraban las oficinas de aquellos inversores estadounidenses que habían hecho fortuna durante la ocupación filipina. Estaba llena de tiendas, como la Extremeña y la Estrella del Norte, donde los más privilegiados podían comprar joyas, relojes y perfumes; también La Sombrerería, los Grandes Almacenes Beck's o el Salón de Pertierra, el primer teatro en reproducir la primera película muda en las Navidades de 1886. Por fin, en aquella calle, Anna pudo observar los carteles publicitarios filipinos: la mayoría americanos, otros en español y una minoría en tagalo. Anunciaban la crema dentífrica Kolynos, pastillas para el dolor de cabeza Cafiaspirina, esponjas de cocina Brillo y bebidas alcohólicas como Gilbey's Gin y Dark Manila Rum. Dentro de poco aparecerían los nuevos carteles de Coca-Cola. Su ingenio y trabajo habían cruzado todo un océano y no podía ser más feliz: después de los últimos meses sin ejercer su profesión, volvía a sentirse útil, valorada, una mujer independiente. Valía para eso y era el motor de su vida. Sin embargo... ¿cómo iba a encontrar a su madre? Preguntaba por los apellidos Aguilar y Puig, incluso enseñaba la fotografía de Mauro cuando este todavía era joven hacía ya casi veinte años, pero nadie los conocía, nadie había oído hablar de ellos. El desánimo y la desesperanza se apoderaban de ella a cada paso que daba. Parecía que se los hubiera tragado la tierra o quizá hubieran rehecho su vida en otro país. Tantísimas probabilidades que hacían que la búsqueda se volviera cada vez más difícil, por no decir imposible.

Aquel sábado cogieron el barco que llevaba a Iloílo junto al señor Soriano y su mujer, Carmen, que era tan simpática y amable como su marido y no paró de contar historias y dar datos sobre cada una de las islas por las que pasaban. El paisaje era precioso: las cabañas de nipa en la boca de los ríos, los famosos y perfumados ylang-ylang que ya habían tenido ocasión de oler, las tierras cultivadas de plátanos y maíz en los valles, las colinas verdes llenas de árboles de mango y cocoteros, las montañas Panay, la tierra cubierta de menta salvaje, las hojas de palmeras y piñas con que se confeccionaban los vestidos de las mujeres... y las playas. Playas rocosas donde la gente se divertía y donde los *paraos*, barcazas llenas de mango, maíz y piña, partían hacía Iloílo para comerciar. Ya no había sol, así que en el agua se reflejaba la luz amarillenta de las lámparas de La Paz, el barrio del otro lado del río, en Iloílo. Ya estaban llegando al muelle Loney, donde había muchos barcos desembarcando; a lo lejos, los mástiles y los marineros parecían figuras pintadas en tinta china contra el cielo oscuro. A lo largo del muelle se veían los edificios de oficinas y de los estibadores, además de los *camarins*, almacenes de tejados de hierro donde se guardaban las pilas de sacos de azúcar. Anna sintió que había visto ese paisaje antes. Trató de hacer memoria hasta que lo recordó: en el despacho del señor Puig, en aquella fotografía colgada en la pared. Un escalofrío le recorrió el cuerpo.

50

Bajaron del barco. En el muelle había mujeres de pelo negro vestidas con frescas muselinas. A diferencia de las filipinas de Manila, aquellas, por su mezcla con los malayos, tenían manos y pies más pequeños, labios más gruesos y la piel más oscura. También había hombres vestidos de blanco y apoyados en la pared, fumando opio, y aborígenes de cabeza grande y pelo rizado, como los bescharins, que solían bajar de la montaña para pedir limosna o comerciar. Muchos otros vivían en pequeñas casetas junto al muelle, y habían salido a tomar el fresco y discutir sobre el precio de las verduras mientras masticaban la popular nuez de areca. Justo al lado, varias mercancías recién descargadas –bananas, maíz, tofe y frutas nativas– descansaban en bandejas junto a varios vasos de tuba rosa, una bebida popular filipina hecha de savia de palma.

–Anna, estás blanca –le dijo Manuel mientras subían al automóvil que los llevaría a la fiesta del señor Romero–. ¿Has visto un fantasma o qué?

Los señores Soriano estaban hablando con el chófer.

–Aquí estuvo Joan Puig y quizá mi madre –le explicó a media voz–. Puede que siga viviendo en Iloílo. Tengo una corazonada, Manuel.

–Dios te oiga, hija.

Cruzaron Iloílo en dirección a la playa, donde se hallaba la casa del señor Romero. La esposa de Agustín no dejó de hablar en todo el camino.

–Espero que los Romero nos den una buena cena de comida española –dijo, abanicándose con brío mientras sacaba la cabeza por la ventanilla–. Los filipinos son muy buenos cocineros, pero estoy hasta las narices del tocino dulce, los guisos excesivamente especiados y el pescado ahumado.

—Donde haya un buen pescaíto frito... –comentó Manuel–. No saben lo que es bueno.

—Y ahora con la influencia americana... –añadió la mujer con un gesto de desprecio–. Pasteles untados con una crema grasienta y dulce... los sándwiches o como se llame eso... bah, porquerías. Lo único bueno es el helado de mi Agustín, el de magnolia.

—¿Qué sabor es ese?

—Pues que vino un americano a finales del siglo pasado para cocinar para el ejército americano, ¿sabe?, y resulta que hacía una tarta llamada magnolia, que no es otra cosa que suero de leche, y de allí sacaron el helado. Está muy bueno. Igual que la Coca-Cola, claro. Lo demás no vale para nada.

Anna apenas prestaba atención a la conversación; quería que la noche pasara lo más rápido posible para empezar su búsqueda por aquella isla. Sin embargo, tenía la oportunidad de hacerlo en aquella fiesta llena de españoles: alguno debería haber oído hablar de Mauro Aguilar.

La casa del señor Romero era prácticamente un palacio de estilo colonial español. De madera, con arcos, patios y balcones, tenía azoteas desde las que se podía ver la playa a la luz de la luna. Estaba adornada con luces y guirnaldas y el sendero que llevaba a la orilla estaba iluminado por una serie de bambús untados en resina para que ardieran. La gente, bien arreglada y bebiendo cócteles, charlaba junto a la línea de palmeras que había frente al mar, sorteando a los cangrejos plateados que trataban de esconderse bajo la arena. Algunos criados, a petición de los invitados y a cambio de unas monedas, trepaban a las palmeras a por cocos, que ofrecían una bebida fresca y dulce muy popular en Filipinas.

Entraron en la casa para saludar al anfitrión. Elevada sobre el suelo para evitar las inundaciones durante los monzones, su interior estaba panelado en madera y exquisitamente decorado.

El señor Romero, junto a su esposa, se encontraba en el centro de un corrillo de hombres y mujeres de gran influencia en las islas. La señora Soriano, en voz baja, informó a Anna sobre cada uno de ellos.

—Mira, el hombre más alto, el que está un poco pasado de peso, es el señor Fernández. Trabajaba para la Compañía General de

Tabacos de Filipinas y ahora regenta la fábrica de tabaco La Flor de la Isabela. Es muy rico; tiene muchísimas plantaciones en las islas de Isabela y Cagayán, pero las ventas ahora están descendiendo por la crisis económica, la competencia, la bajada de precios y porque los hombres ahora prefieren los cigarrillos a los puros...

El señor Fernández era un hombre fornido y tenía una barriga abultada; estaba fumando un buen puro, recio. A su lado había otro hombre, calvo y delgado, que no dejaba de reír mientras adulaba a la señora Romero.

—El calvo es el señor Díaz —continuó Carmen—. Tiene una hacienda donde recolecta la copra, para hacer aceite de coco, y la abacá y el maguey, plantas parecidas a la del plátano, de las que se extrae una fibra para fabricar tejidos. Y ese —añadió señalando a un hombre en silla de ruedas— es el señor Arias, que también explota la caña de azúcar, pero no es tan rico como el señor Romero, que tiene la Central Azucarera de Tarlac, en la isla de Negros, y exporta el veinte por ciento a Estados Unidos.

Quedaba uno. Un hombre mestizo, delgado y de pelo negro como el carbón.

—Ese es Gómez, dueño de La Clementina, una destilería de alcoholes: ginebra, anisados, alcohol de 95° y la famosa colonia Agua de Florida.

Por fin se acercaron a la multitud y presentaron a Anna y Manuel. El señor Romero, el más elegante de todos los presentes, los recibió con una ancha sonrisa; era encantador y un buen anfitrión. Todos estaban entusiasmados con la presencia de Manuel, el primer cantaor de flamenco de Filipinas.

—Es muy bueno, de verdad —insistió el señor Soriano—. Por eso lo he traído aquí: quiero que lo escuchen cantar. Quedarán maravillados ante tanto arte. Será como si estuviéramos en la mismísima España.

—¿Y la muchacha? —preguntó Romero.

—¡Oh, la muchacha no vale menos! —exclamó con entusiasmo—. Es mi nueva publicista, Anna Expósito. Trabajaba en una agencia muy importante de Madrid. Hará la campaña de Coca-Cola y las que surjan.

—Vaya... una mujer publicista. —Levantó las cejas—. Desde luego que España se está volviendo un país de lo más moderno. ¿Y qué hace usted aquí, señorita? Filipinas cae muy lejos.

—Estoy buscando a alguien —respondió con nerviosismo—. A mi familia.

—Claro, ha dicho que se apellidaba Expósito. ¿Es usted huérfana, entonces?

—Así es. Creo que mis padres llegaron a Filipinas en 1911 y quiero encontrarlos. Saber algo de ellos.

—Hace muchos años de eso. ¿Cómo se llamaban?

—Mauro Aguilar y Teresa Puig. Creo que podrían haber empezado su vida en Iloílo.

Los hombres se miraron y negaron con la cabeza.

—Llevo aquí toda mi vida —comentó el señor Romero—. Y nunca he oído esos nombres. ¡Qué lástima!

Anna hizo una mueca de desánimo.

—¿Y Joan Puig?

El señor Fernández asintió, estirándose los tirantes que apretaban su voluminoso estómago.

—Me suena ese nombre... —Miró al techo, tratando de recordar—. Cuando estuve en la Compañía General de Tabacos vino un tal Puig... Yo era el encargado de vender las extensiones de terrenos fértiles tanto para el cultivo de tabaco como para el de caña de azúcar.

Anna abrió la boca, sorprendida e inquieta por lo que tuviera que contar el señor Fernández.

—Era catalán, pero creo que vivía en Madrid —continuó—. Juraría que se llamaba así, señorita.

—Sí, sí —exclamó emocionada—. Es él.

—Hará más de veinte años, pero lo recuerdo bien porque hicimos muy buenas migas. Venía muchas noches a cenar a mi casa e hicimos muchísimas excursiones de recreo por las islas. Él quería comprar tierras para cultivar caña de azúcar.

Anna estaba asombrada. ¿Joan Puig quería dedicarse al azúcar? ¿Habían ido allí Mauro y Teresa para trabajar las tierras? Pero ¿por qué entonces nadie los conocía? ¿Se habían cambiado el nombre?

—Sin embargo, fue muy extraño... —Negó con la cabeza—. Después de mirar multitud de buenos terrenos para el cultivo, decidió comprar los peores que teníamos.

—¿Los peores para la caña de azúcar? —preguntó la joven, extrañada.

—Sí, sí, unos cerca de las montañas de Ígbaras. No son tierras arenosas, así que la caña no crece bien. Son malas y jamás pensé que las vendería a alguien.

—O sea que las compró.

—Así es. Yo le dije que allí no le iba a crecer la caña, pero insistió. Sin embargo, no regresó jamás. Un tanto extraño, ¿no?

—¿Alguien está labrando esas tierras ahora?

—No tengo ni idea, señorita. No era fácil acceder allí. Si le digo la verdad... ni siquiera recuerdo dónde están. Lo único que sé es que topamos con ellas por casualidad, le gustaron y se las vendimos. Eso fue todo.

—¿Y cómo se puede llegar hasta allí? ¿Está al lado de las montañas?

—Estaban rodeadas de montañas agrestes. Creo que llegamos allí bordeando el río Batiano. Cerca de unas cascadas. Pero no sé darle más detalles.

Se hizo tarde. Todo el mundo salió a la playa para disfrutar de la actuación de Manuel bajo las brillantes estrellas del firmamento. Era un paisaje hermoso, casi idílico. Una enorme luna alumbraba la orilla y la presencia arrolladora del cantaor. Anna ya se había acostumbrado a aquella voz masculina y a la vez armónica, que se elevaba y agravaba cuando el dolor y la emoción lo requería capaz de afinar como un ruiseñor cuando era necesario. Una voz cálida y envolvente.

Anna se descalzó y comenzó a pasear por la playa; la arena estaba húmeda y llegaba una fresca brisa de la bahía. Todo era nuevo y desconocido para ella. Su vista se perdió en el horizonte infinito mientras trataba de controlar su ansiedad por saber más sobre el paradero de sus padres. Había un penetrante olor a colonia que le resultaba vagamente familiar. Aromas que le recordaban a la Casa de la Misericordia, a Madrid, a los productos Gal. Una sensación efímera que le provocó una intensa nostalgia. Echaba de menos Barcelona, a Pili y Rosa, incluso la agencia Media. Su búsqueda se hacía cada vez más difícil, pero debía seguir. Tenía que encontrar esas malditas tierras.

Decidieron quedarse en Iloílo hasta que el señor Soriano la necesitara de nuevo. Se hospedarían en una pequeña pensión regentada por mestizos cerca del muelle Loney. Desde el balcón de su habitación se veía la vegetación que cubría las colinas, así como las islas volcánicas, ricas y fértiles, y las palmeras de las idílicas playas de arena blanca. Esta vez, Manuel y ella iban a dormir en habitaciones separadas. La pensión era una sencilla casa de dos pisos con techo de paja, construida con madera y sólidos troncos atados con bejuco, una fibra hecha con la parra de vino, para prevenir así los desastrosos efectos de los terremotos. Las ventanas estaban siempre cerradas para evitar el intenso calor diurno y el edificio en sí estaba elevado sobre la tierra para aislarse de la humedad y el barro de las lluvias, donde los mosquitos abundaban y contagiaban la malaria.

Anna bajó al salón para desayunar. La sala era amplia y fresca, de paredes blancas. Se había levantado con buen ánimo, después de haber descansado de la fiesta de la noche anterior. Manuel, sin embargo, todavía no había bajado. Había bebido las mieles del éxito tras su actuación: todo el mundo lo había adulado y lo habían hecho sentir el mejor cantaor de flamenco de todos los tiempos. Allí era valorado, no como en Barcelona, donde había demasiada competencia. En Filipinas podría llegar a ser alguien.

No había nadie en el salón, ni siquiera la alegre muchacha que la había atendido el día anterior. Miró el reloj: eran más de las diez de la mañana y en Iloílo la gente madrugaba, pues amanecía antes de las cinco. El desayuno ya se habría servido. Notó que las tripas le rugían, así que, ni corta ni perezosa, se dirigió a la cocina para ver si alguien podía servirle un desayuno rápido. Si quería empezar con la búsqueda de su madre, tendría que reponer fuerzas.

La cocina daba a un patio lleno de palmeras y a un pequeño establo con gallos, cerdos y un carabao. Había un hombre lavando ropa en el interior de una enorme olla llena de jabón, almidón y carbón vegetal. Recordó la colada en la Casa de la Misericordia y sintió una punzada en el corazón. El joven mestizo se percató de su presencia.

—¿Necesita algo, señorita?

No era muy alto, pero tenía cierto atractivo: ojos rasgados, nariz pequeña y dientes blancos y bonitos. Su piel era más clara que la de los auténticos filipinos. Su pelo era negro como el tizón, perfectamente fijado con una raya al lado. Intuyó que se trataba del criado de la casa.

—Querría desayunar algo.

—El desayuno se sirve a las siete de la mañana. —Su voz era recia—. Creo que ha dormido demasiado. Aunque no sé cómo no se ha despertado con el cacareo de los gallos y los gritos del repartidor de hielo.

—Estaba muy cansada. —Sonrió—. Siento molestarle, ya me espabilaré, no se preocupe.

El hombre dejó la ropa en remojo y se secó las manos en la camisa blanca.

—De eso nada, señorita. —Le señaló la cocina—. Mientras siga vivo, nadie de esta pensión se quedará con hambre.

Entraron en la cocina. En el techo colgaban, en cuerdas empapadas en queroseno, todo tipo de frutos secos, verduras y hierbas para condimentar. En los rincones había vasos llenos de agua y parafina para alejar a los insectos que solían acabar en las conservas de mermelada, en la mantequilla y el café.

—No sabe lo difícil que es mantener alejadas a las hormigas rojas —dijo él, poniendo una sartén al fuego—. Y las moscas, las serpientes... Suelo poner también hojas de plátano untadas en aceite de coco para atrapar mosquitos.

—Ya he tenido algún disgusto con algún ratoncillo...

—Los españoles y los americanos son de lo más asustadizos. —Rio—. ¿Le apetecen unos huevos?

Anna asintió.

—No es habitual en España ver a un hombre cocinar.

—Pues aquí la mayoría de criados y cocineros son hombres. —Se encogió de hombros—. Yo sé hacer de todo, señorita. Por cierto, ¿cómo se llama?

340

Puso mantequilla en la sartén y comenzó a freír los huevos.

—Anna. ¿Y usted?

—Marvin. —Le estrechó la mano—. Aunque le parezca mentira, soy el dueño de la pensión, junto a mi hermana. Y también el criado. —Soltó una carcajada—. Somos muy humildes y trabajamos muy duro.

—Es de admirar. —Se quedó en silencio durante unos segundos—. Es usted mestizo, ¿no? Quiero decir...

—Sí, sí, no se apure. Soy mitad español y mitad filipino. Mi padre tenía una plantación de tabaco y tuvo un romance con mi madre, que trabajaba de sirvienta en la hacienda, del que salimos mi hermana y yo. Cuando murió ella, nos puso esta pensión para que nos ganáramos la vida.

—Vaya... —Alzó las cejas—. No sé qué decir...

—Me siento un afortunado, señorita. —Sirvió los huevos fritos en un plato—. Si no estaría recolectando tabaco o caña de azúcar a pleno sol... ¿Se imagina lo que es eso? Prefiero estar en mi pequeña pensión. ¿Y usted qué hace aquí?

—Trabajo para el señor Soriano, de la San Miguel. —Se hinchó, orgullosa—. Soy publicista. Me ocupo de la campaña de Coca-Cola.

—Bah, la Coca-Cola... —Hizo una mueca de disgusto—. Prefiero mil veces el agua de coco. ¡Eso sí que es refrescante!

Anna comenzó a comer mientras Marvin, apoyado en la encimera, la observaba complacido.

—No hay nada más hermoso que ver a una mujer disfrutar —comentó—. Si se queda mucho tiempo en Iloílo no tardarán en aparecerle pretendientes por esta puerta. A los filipinos les encantan las mujeres occidentales y blanquitas. ¿Sabe que muchas nativas tratan de blanquearse la piel?

—¿De verdad? —preguntó, extrañada—. ¿Y eso no es malo?

—Claro que lo es, pero eso es por culpa de la publicidad y de los americanos, que han traído aquí las películas esas de Hollywood y la gente está como loca por esos actores y actrices tan blancos.

—Vaya... —Torció el gesto—. Mejor que no me hable de Hollywood...

—Si quiere triunfar con los anuncios, ponga a mujeres blancas.

Anna asintió y le agradeció el consejo.

–Por cierto, Marvin, ¿usted sabe cómo llegar a las montañas de Ígbaras?

–¿Quiere ir de excursión?

–Me han dicho que son muy bonitas –mintió–. Me gustaría visitarlas. ¿Sabe de alguien que pudiera llevarme?

–Lo tiene delante de sus ojos, señorita.

51

Alquilaron una pequeña embarcación en el río Batiano, una especie de canoa de junco, y comenzaron a remontar el río en dirección a las montañas de Ígbaras. Iban a pasar todo el día fuera: Manuel no había podido acompañarlos, ya que tenía una actuación en casa del señor Fernández. Desde que cantara por primera vez en aquella fiesta, estaba muy solicitado. Su sueño de ser un cantaor reconocido por fin se había cumplido y Anna estaba feliz por él, porque también hubiera sacado provecho de su viaje a Filipinas.

Recorrieron la cuenca del gran río bordeando varias cascadas de sus afluentes mientras disfrutaban del idílico paisaje. Una alfombra verde inmaculada se prolongaba hasta el horizonte; en ella, los árboles centenarios y las ramas se entrelazaban a la altura del suelo cubriendo alguna que otra rafflesia roja y de escamas claras.

—¿Ha oído hablar de la flor rafflesia? —preguntó Marvin.

Anna negó. Era la primera vez que veía una flor de tales características, tan grande y vistosa.

—También se la conoce como la flor de la muerte —añadió el joven—. Es mejor que no la huela nunca. Es putrefacta y deja sin vida a cualquier planta que tenga alrededor.

Marvin comenzó a explicarle todos los peligros de la selva y la diversidad de insectos y animales que se escondían entre su espesura.

—Veo que te mueves como pez en el agua —apreció ella.

—De niño solía recorrer la selva, jugar bajo las cascadas, nadar en el río e incluso dormir en las cuevas —recordó con nostalgia—. No tenía miedo a nada, me sentía libre. Por eso me alegro de poder llevarla allí, Anna. Me encanta enseñarles a los extranjeros la riqueza de nuestra tierra.

Habían hecho buenas migas. Solo llevaba unos días en Iloílo, pero ya habían compartido más de una charla en el patio de la pensión. Sobre todo, por las noches, cuando el calor apretaba y Marvin preparaba unos buenos vasos de agua de coco helada. Además, le encantaba verlo cocinar: muchas veces lo hacía en *kalans*, al estilo nativo. Encendía un fuego en la tierra con bambú y elaboraba un buen *sinigans* –un caldo de carne cítrico– o un sabroso *kare-kare,* un guiso de carne en salsa de cacahuetes. Era un hombre humilde y optimista; tenía un trabajo duro y abnegado, pero sentía que la vida le sonreía y disfrutaba al máximo de cada nuevo día. Su vitalidad era contagiosa.

–¿Tenías buena relación con tu padre? –le preguntó Anna.

–Bueno, no sabría decirle. –Chasqueó la lengua–. Me dio educación y trabajo, pero nunca cariño. Tampoco lo esperaba, si le digo la verdad. Era un hombre ocupado y creo que ni siquiera pasaba tiempo con sus propios hijos. Cuando murió, no pude ni despedirme. Sus hijos no nos pueden ni ver.

–Con el amor de tu madre tuviste suficiente, me imagino.

–El amor de una madre siempre es suficiente. Sin ellas no seríamos nada.

Anna tragó saliva, dolida.

–¿He dicho algo que la ha molestado?

–Mi madre me abandonó. –Miró a lo lejos. Unos estrechos senderos de tierra serpenteaban a través de la densa selva–. No la conocí.

–Lo siento mucho.

El silencio se impuso. Se oía el sonido de los pájaros, el agua de las cascadas y el viento. Todo era precioso, sobrecogedor, lleno de misterio y encanto. Se sentía a gusto con Marvin: llevaban ya un buen rato navegando por el río, pero el tiempo había pasado volando. Hacía un calor insoportable y se notaba una intensa humedad. De repente, las nubes comenzaron a teñirse de negro.

–Se avecina una buena tormenta –señaló Marvin–. Hemos de regresar.

–¿Regresar? –Anna negó con la cabeza–. ¿Cuánto queda para llegar?

–No mucho, pero no podemos arriesgarnos. Si nos coge el monzón aquí, podemos ahogarnos. Es peligroso.

—Pero ya queda poco; quizá sea una lluvia de nada... —insistió ella—. Por favor, quiero ver esas montañas.

—Podemos volver otro día. Venga, volvamos a casa.

—¡No! —exclamó Anna—. Sigamos un poco más, te lo ruego. ¡Venga, quiero vivir la aventura! ¿Es que nunca te ha pillado el monzón en la selva?

—Claro que sí, pero no quiero ponerla a usted en peligro. Deberíamos salir del río.

—Pero entonces no llegaremos nunca. —Se enfurruñó—. Un poquito más...

Anna estaba ansiosa por llegar. Necesitaba descubrir quién labraba esas tierras junto a las montañas, esas tierras que nadie quería y que había comprado su tío. Quizá se encontrara con su madre en apenas unas horas. No podía esperar más.

—No, Anna, saldremos del río y buscaremos refugio. No me va a hacer cambiar de opinión.

Marvin condujo la canoa hasta la orilla y le ofreció la mano para que bajara. De repente, Anna cogió los remos con determinación y negó con la cabeza.

—Iré sola, no hace falta que me acompañes. —Frunció el ceño—. Dime cómo llegar, no puede ser tan difícil.

—Pero ¿está loca? —alzó la voz, incrédulo—. Ni siquiera sabe remar.

—No me asusta la lluvia. ¿Qué importa que nos mojemos un poco?

—¿Acaso ha visto alguna vez el monzón? —replicó él, cada vez más nervioso—. No ponga las cosas difíciles. Debería hacerme caso.

Anna usó los remos a modo de palanca y se impulsó de nuevo hacia el agua.

—No temas, llegaré sana y salva.

El joven chasqueó la lengua, enfurruñado, y se adentró en el río para alcanzar la canoa.

—No puedo dejarla sola —dijo al fin el mestizo, subiendo a la barca—. Si le pasa algo será responsabilidad mía.

—No pasará nada, hombre. —Sonrió—. Llévame a Ígbaras, anda.

Siguieron navegando plácidamente hasta que los peores presagios se cumplieron. Marvin tenía razón y, a los pocos minutos, la lluvia descargó con violencia, golpeando por todos los rincones.

La camisa de algodón del muchacho se le pegó al torso, igual que el vestido a Anna. Desgraciadamente, los truenos y rayos hicieron también su aparición acompañados de un fuerte viento que zarandeaba la canoa.

—¡No debería haberle hecho caso! —gritó Marvin—. ¡Estamos en peligro!

En apenas unos segundos, las palmeras comenzaron a cimbrarse con fuerza y el agua del río, antes mansa, los arrastró a una velocidad creciente. Marvin trataba de remar con ímpetu a contracorriente para alcanzar la orilla, pero las olas se lo impedían.

—¡No puedo! —exclamó impotente—. ¡La barca va a volcar!

Anna estaba aterrorizada. Todo aquello era por su culpa. Si volcaban, probablemente acabarían ahogándose y, si no lograban parar la barca, llegarían a las cascadas y morirían igualmente. La canoa siguió deslizándose hacia abajo con brusquedad, mientras Marvin bregaba por pararla. Aferrada a los costados, Anna rompió a llorar, rezando para que cesara la lluvia y el viento. Inesperadamente, la barca golpeó contra el tronco de un árbol que iba a la deriva, provocando que esta virara más de la cuenta. Anna intentó guardar el equilibro, manoteando para agarrarse a algo, pero no pudo evitar caer al agua. Apenas podía respirar, el agua subía cada vez más, cubriéndole la cabeza, ahogándola. Trató de salir a la superficie, nadando con todas sus fuerzas para impedir que la corriente la alejara de la barca, donde todavía estaba Marvin.

—¡Anna! —gritó él con desesperación—. ¡Aguante!

Estaba convencida de que iba a morir. Le faltaba el aire y sentía un dolor agudo en los pulmones: estaba agotada de bracear y de tragar agua. La fuerza del río era demasiado intensa. Una rama le dio en el tobillo, produciéndole un buen corte. Durante unos segundos, perdió el sentido de la orientación y no supo dónde estaba la superficie. Si seguía bajo el agua, acabaría ahogada. El pánico se apoderó de ella. De fondo seguía oyendo los gritos de Marvin, ahora más cerca.

—¡No la veo! ¡Tiene que agarrarse a mí!

Dando una patada, la muchacha se impulsó hacia la superficie. Asomó la cabeza y respiró agitadamente. En la boca tenía restos de lodo. Vio que Marvin alargaba el remo hacia ella. Se esforzó por alcanzarlo, pero las aguas la envolvían, la empujaban y succionaban hacia abajo. Y cuando parecía que todo estaba perdido, un banco de arena detuvo en seco la canoa. Parecía una especie de terraplén sobresaliente, como un remanso del río. La barca rozó el fondo y quedó atascada. Marvin cayó al agua, pero pudo agarrarse a la borda y evitar que la corriente se lo llevara. Anna se chocó de bruces contra la embarcación, se clavó una astilla en la mejilla y sintió la arena en los ojos, los oídos y la boca. Marvin la sujetó fuertemente, tratando de levantarla para que no se hundiera y pudiera respirar. Habían logrado evitar las cascadas y morir ahogados; ahora faltaba llegar a la orilla.

—Agárrese a mi espalda y no se suelte —ordenó él.

Marvin comenzó a andar hacia la orilla, afianzando bien los pies en el banco de arena, conteniendo la fuerza del agua con su cuerpo. Era un joven extremadamente fuerte y ágil. Tras unos minutos agónicos, por fin logró alcanzar la ribera del río. Los dos se tendieron en la tierra, terriblemente agotados. Anna tuvo una náusea y vomitó toda el agua que había tragado. Seguía descargando agua con furia y estaba tan mojada que el vestido le pesaba como si llevara veinte kilos encima. Empezó a temblar de frío y miedo al tomar conciencia de que podría haber muerto por culpa de su inconsciencia. Y aún peor: había puesto en peligro a una persona inocente.

—Lo siento —dijo.

Marvin respiraba agitadamente, tratando de recuperar el aliento. Había hecho un esfuerzo sobrehumano para salvarlos a los dos y apenas podía hablar. Tenía la camisa desgarrada y algún arañazo en el torso. Sin decir nada, se levantó y se adentró en el bosque. Volvió a los pocos segundos con un ramillete de hierbabuena y machacó las hojas con una piedra; después, tomó la pasta y la esparció por las heridas abiertas que tenía Anna tanto en el tobillo como en la cara.

—Te quitará el dolor —comentó, pasándole los dedos por la mejilla.

No estaba enfadado. Su voz era serena y solícita. Anna no podía dejar de observarlo, maravillada: no solo le había salvado la vida, sino que lo primero que había hecho al recuperarse había sido curarle sus heridas. Ella hizo lo mismo con él: cogió esa pasta de hierbabuena y le untó el torso delicadamente mientras sus miradas se cruzaban con timidez. De pronto, la lluvia cesó. Los nubarrones que habían surcado el cielo desaparecieron para dar paso a un intenso sol que comenzó a secar sus ropas y su piel. El río recuperó la calma. Los sonidos de la selva, de los pájaros y los animales se oyeron de nuevo. El monzón solo había durado unos minutos, pero había arrasado con todo. Era un auténtico milagro que siguieran vivos, pues la barca había quedado prácticamente deshecha.

Marvin se levantó y le tendió la mano.

—Venga, acompáñeme.

Caminaron durante unos minutos a través de la selva, por un angosto y accidentado sendero, sorteando las pesadas y enormes raíces que sobresalían de la tierra. Los lánguidos rayos de sol penetraban a través del follaje y los troncos de los árboles estaban cubiertos de tupidas trepadoras que se encaramaban hasta las copas. Marvin sacó una especie de machete y comenzó a abrirse paso entre la espesura. De fondo se oía el rumor sordo de algún animal.

—¿Qué ha sido eso? —preguntó Anna—. Por Dios, dime que no es un tigre.

Marvin rio.

—No hay tigres aquí. Puede que algún jabalí. Rece para que no nos crucemos con una pitón o una boa.

—¿Serpientes?

—Sí, serpientes enormes que pueden devorar a un hombre en pocos minutos.

Anna se apretó un poco más a él. Había demasiada maleza en el suelo y prácticamente no se veía por dónde pisaban. Podía aparecer cualquier bicho de la nada.

—No se preocupe —añadió el joven—. Estamos a punto de llegar a Ígbaras.

Pronto salieron de la selva a un extenso valle, de un verde espléndido, que trepaba por la falda de las montañas de Ígbaras, junto al río que habían dejado antes y las cascadas Tarugan. En el valle también reinaba un tupido follaje, con árboles altos que apenas dejaban ver entre la espesura.

—Ya puede disfrutar del paisaje —comentó Marvin—. Casi nos cuesta la vida.

—Lo siento, de verdad. —Se sonrojó—. He sido una estúpida. Debería haberte hecho caso.

—No pasa nada. —Le sonrió— No hay que darle vueltas a lo que ya ha pasado. No se puede cambiar. Ahora estamos aquí y soy feliz de mostrarle esta belleza. Pero a partir de ahora, recuerde que soy yo quien conoce esta tierra, no usted.

Anna trató de no darle vueltas a lo ocurrido y observó aquel fastuoso espectáculo que le brindaba la naturaleza. Sin embargo, su objetivo todavía no se había cumplido: ¿dónde estaban las tierras de Joan Puig? Había tantos árboles que apenas se podía distinguir nada. Pero entonces algo le llamó la atención: en la ribera del río, a lo lejos, había unas barcas ancladas, mucho más grandes y elaboradas que la que habían alquilado ellos. De hecho, tenían un pequeño motor que les permitiría circular por el río a gran velocidad.

—¿De quién serán esas barcas? —preguntó, señalándolas en la lejanía.

—Pues no sé —titubeó Marvin—. Ni idea.

—¿Por qué no nos adentramos en el valle?

Marvin frunció el ceño.

—Es mejor que no... —Parecía nervioso—. ¿No quería ver las montañas? Pues ya está.

—Pero quiero ver más —insistió ella—. Venga, quizás nos encontremos con alguna tribu y nos den algo de comer. Estoy hambrienta.

—Tenemos que dar media vuelta si no quiere que nos aceche la noche en plena selva. ¿Quiere que la coma una pitón? Tenemos que llegar a la carretera principal y esperar a que algún coche nos lleve de vuelta.

—No nos hemos jugado la vida para contemplar este paisaje durante cinco minutos, ¿no crees?

—Eres cabezona, muchacha —dijo con un suspiro, tuteándola por primera vez—. Ya has visto lo que puede pasar si no me haces caso. Yo no pienso acompañarte.

—Pues no lo hagas —respondió ella con poco convencimiento—. Puedo hacerlo sola.

—¿Sola? —Rio— Si yo no te hubiera acompañado en el río, ahora estarías muerta.

Anna valoró la posibilidad de hacer caso a Marvin y regresar a Iloílo, pero sabía que estaba muy cerca de descubrir algo: tenía que hacer un último esfuerzo. Sentía que su madre estaba cerca, que no le quedaba mucho para fundirse en el abrazo que siempre había anhelado tener.

—Iré sola —decidió.

Se adentró en la maleza, alejándose de Marvin. La vegetación era cada vez más y más densa, lo que dificultaba el avance. Las hierbas ásperas rozaban su tobillo herido y le provocaba un molesto escozor. Miró hacia atrás para ver si Marvin la seguía, pero no había ni rastro de él. Debía estar atenta a cualquier sonido o movimiento entre la maleza. Desde que el mestizo le había hablado de las serpientes, no podía sacárselas de la cabeza. Estaba asustada, pero convencida de que allí había algo: las barcas eran una señal de que había personas viviendo cerca. Después de caminar un rato, por fin encontró un claro. Sin embargo, había algo extraño: unas vallas muy altas, de bambú, ocultaban lo que había al otro lado. Kilómetros de vallas hasta donde le alcanzaba la vista. ¿Había encontrado las tierras de su tío? ¿Estaban valladas para que nadie robara? Se acercó a un par de postes mal colocados que permitían ver el interior: allí no había caña de azúcar, ni ningún cultivo que Anna hubiera visto con anterioridad. Tan solo flores blancas. Un precioso manto blanco que cubría decenas de hectáreas. ¿Flores? ¿Quién comerciaba con flores? De repente, vio a un hombre caminando a lo largo de la valla. Cuando se fijó bien, se dio cuenta de que llevaba un arma. ¿Qué demonios pasaba allí?

Inesperadamente, alguien la agarró del brazo para alejarla de la valla. El corazón comenzó a palpitarle con fuerza, hasta que se dio cuenta de que era Marvin.

—¡Estás loca! —exclamó en voz baja—. Vámonos de aquí.

—Pero ¿qué es esto? —preguntó atropelladamente—. ¿Por qué hay un hombre armado?

—Calla y salgamos de aquí. ¿O quieres que nos descubran?

Volvieron a cruzar la vegetación hasta alejarse de aquel lugar y estar seguros de que nadie los había visto.

—Así que me has seguido... —comentó Anna.

—Pues sí, ¿cómo iba a dejarte sola?

—¿Lo sabías? ¿Por eso no querías dejarme ir?

Marvin se quedó callado.

—Me das muchos problemas, Anna.

—¿Y qué problema pueden dar unas flores blancas?

—Mejor que no lo sepas.

—Sí, quiero saberlo. ¡Por eso he venido aquí!

Él arrugó la frente, confundido.

—¿Cómo? ¿No querías ver las montañas?

Anna se sonrojó, avergonzada.

—Te he mentido. —No se atrevió a mirarlo a los ojos—. En realidad, quería descubrir estas tierras.

—¡No me lo puedo creer! —repuso él, molesto—. Me juego la vida por ti y me mientes.

—Estoy buscando a mi madre y las pistas me han conducido hasta aquí. Creo que mi tío compró estas tierras y que mis padres vinieron a cultivarlas después de nacer yo. Me abandonaron en un orfanato.

Marvin la miró entre enfadado y triste.

—¿Quieres decir que tus padres trabajan para el dueño de estas tierras?

—No creo que sean simples trabajadores, sino los que las gestionan. Mi madre era la hermana de mi tío, el dueño.

—¡Pero eso es imposible! —se extrañó—. Sé quién es el que manda en estas tierras.

Anna abrió la boca, sorprendida.

—¿De verdad? —comenzó a temblar—. El señor Fernández, que trabajó para la Compañía General de Tabacos, me dijo que no sabía qué pasó con estas tierras. Mi tío no regresó jamás.

—No creo que lo sepan muchas personas. Yo sí, y mi padre, que en paz descanse. —Respiró hondo—. Descubrí estas tierras por casualidad cuando era pequeño y pasaba los días jugando en la selva y explorando bosques. Se lo conté a mi padre y me dijo que no debía decir nada a nadie si no queríamos tener problemas. Él me contó que eran del señor Arias.

—¿El señor Arias? —Trató de hacer memoria—. Estaba en una fiesta a la que asistí. Iba en silla de ruedas. La mujer de Soriano me comentó que tenía una hacienda de caña de azúcar. No puede ser.

—Sí puede ser. La plantación de azúcar que tiene en otro lado es tan solo una tapadera.

—¿Una tapadera? Pero ¿qué demonios son esas flores blancas?

Marvin negó con la cabeza, incrédulo.

—Amapolas, Anna, de dónde se extrae el opio, la morfina y la heroína.

52

—¿Y dices que estuvisteis a punto de morir ahogados? –preguntó Manuel.

Habían bajado a desayunar. La hermana de Marvin les había servido unos pasteles de arroz envueltos en hojas de plátano y un poco de cerdo ahumado.

—Sí, pero valió la pena.

—Hombre, no sé yo... No sabes si ese tal Arias es tu padre o no.

—Es cierto que el hombre que vi en la fiesta no me recordó en nada al soldado de la foto, a Mauro Aguilar, pero han pasado veinte años y todos cambiamos con el tiempo. Además... ¿qué me dices de la plantación de amapolas?

—Sí, eso es cierto. –Manuel bebió un sorbo de café–. Está claro que tiene relación con Joan Puig. Ahora ya sabemos de dónde proviene la heroína que circula en Madrid.

Anna se restregó la frente.

—Me cuesta creer que mi madre esté metida en este negocio tan turbio...

—No la conoces, no sabes cómo es.

—Pero ella me quería. –Chasqueó la lengua–. ¿Por qué no regresó a por mí?

—Estás cerca de saberlo, ¿no? ¿Qué vas a hacer?

—Marvin me dijo que no sabía nada de la mujer de Arias, ni siquiera su nombre. A la fiesta también fue solo. ¿Y si está muerta? –dijo suspirando con tristeza–. Dios mío, todo mi esfuerzo en vano... Pero si voy a su hacienda quizá pueda conocer a su mujer.

—Te das cuenta de una cosa, ¿reina? Nos presentaron al señor Arias. Si fuera tu verdadero padre te habría reconocido. Eres igual que tu madre cuando tenía tu edad. Digo yo que te habría dicho algo... Y es más: preguntaste por Mauro Aguilar y por Joan Puig.

Anna se quedó pensativa.

—Es cierto. ¿Y si no quiere conocerme? ¿Y si me considera una molestia para él?

—Pues tendrás que averiguarlo. ¿Quieres que te acompañe?

Anna comió el último bocado de pastel y negó con la cabeza.

—No hace falta, me acompañará Marvin. La hacienda de Arias se encuentra en Cebú y él sabe cómo llegar.

Manuel desvió la vista y sonrió.

—Otro que se ha enamorado de ti, chiquilla.

—Pero ¿qué dices? —exclamó Anna—. A él le gusta hacer excursiones y hacer de guía a los extranjeros. Nos llevamos bien, eso es todo.

—Claro, claro... Desatiende sus obligaciones en esta pensión por llevarte a los sitios. Seguro que si se lo pido yo me dice que no. Y, además, dices que te salvó la vida.

—No sé, piensa lo que quieras... Solo se comporta como un caballero.

—Un caballero enamorado de Anna Expósito. —Rio—. Tienes suerte: a mí no me salen pretendientes.

—Ahora que vas a hacerte tan famoso, probablemente te salgan muchas. ¿Estás contento de estar aquí?

Manuel asintió, emocionado.

—Es la mejor decisión que he tomado, niña. —Le cogió las manos—. Te quiero mucho, pero sé que nunca podré estar contigo y me estoy haciendo a la idea. Además, tengo todo lo que había soñado: ser un cantaor reconocido.

—Eres el mejor amigo que podría tener, Manuel.

Marvin y Anna subieron al vapor que recorría la isla de Negros hasta Cebú. Durante el trayecto, pasaron por la isla de Mactán, donde murió asesinado Magallanes por los indígenas que protegían su territorio.

—Primero fueron los españoles, luego los americanos... —comentó él—. Y a saber lo que vendrá. Estamos destinados a la sumisión.

—Me apena oír eso. Sois un pueblo amable y generoso.

Las vistas no podían ser más paradisíacas: las aguas cristalinas de Mactán, las ondulantes palmeras y las playas de arena... Anna se sentía como una pulga frente al infinito. La brisa fresca la acariciaba con ternura. Se sentía bien, cómoda.

—El problema es la cultura —añadió Marvin—. Ahora tenemos la influencia americana. Nos quieren volver como ellos, comprar y comer lo que ellos quieren. Y gran parte de culpa la tiene el cine. Hollywood.

—Jolín, Hollywood me persigue...

Marvin alzó la ceja esperando una explicación.

—Tuve un novio actor. Pablo Moreno. Seguro que habrás visto alguna película de él.

—Pues la verdad es que no. No suelo ir al cine. Imagino que no acabó bien...

—Nada bien... —resopló—. Infidelidad, ya sabes. No éramos compatibles.

—Es que hace unos años aquí en Filipinas solo se veían las películas más malas de América. Las llamaban *junk films*, películas basura. Algunas venían sin acabar, a otras les faltaba el principio, mal grabadas y con cortes...

—¿De verdad? ¡Qué barbaridad!

—Sí, por eso dejé de ir al cine. Pero ahora todo ha cambiado: por fin llegan las de mejor calidad, las buenas. Puede que viaje un día a Manila a ver alguna de ese novio tuyo. A los filipinos nos encanta el cine.

Anna se quedó mirándolo.

—Oye, sé que tienes mucha faena en la pensión y... —Carraspeó—. Bueno, te agradezco que hagas todo esto por mí.

—Lo hago con mucho gusto. —Se ruborizó ligeramente—. Ahora tenemos menos trabajo porque la gente no suele moverse demasiado por Filipinas durante la estación del monzón. Así que me lo puedo permitir.

—Me imagino que nadie se atrevería a navegar por el río en plena lluvia. —Rio.

—Creo que no, Anna, y tampoco ir a molestar al señor Arias.

Sentía un remolino en el estómago. Con suerte, iba a conocer a la mujer de Arias y podría salir de dudas. El largo viaje que había hecho desde que dejara la Casa de la Misericordia podía tener un final feliz en pocas horas. O quizá no.

Llegaron a Cebú. Tras los muelles se veía una amalgama de casas y árboles verdes, cerca de las montañas. Allí hacía mucho más calor que en Iloílo y le llamó la atención la cantidad de chinos que había por todas partes, vestidos con llamativos atuendos tradicionales al estilo mandarín. Y es que ellos eran quienes dominaban el comercio y los bancos en aquella ciudad; también había españoles, sobre todo vascos, que habían levantado sus propios negocios a finales del siglo XIX aprovechando que se trataba de un puerto de libre comercio. Lograron coger una canoa en el río Guadalupe que los llevara hasta la hacienda del señor Arias. En el camino se toparon con una procesión de nativos vestidos de blanco por un paseo que discurría entre árboles y setos. Era una estampa extraña y curiosa: parecía que venían de alguna celebración. Sin embargo, cuando se fijó bien, Anna pudo comprobar que sus trajes blancos estaban manchados de sangre y que, bajo sus brazos, llevaban gallos heridos y moribundos. Los filipinos la habían sorprendido para bien, pero no acababa de entender esa afición que tenían por las peleas de gallos. Le parecía una práctica cruel.

A su alrededor se extendían valles profundos, montañas de piedra caliza, casas de teja y árboles frondosos en los que dormitaban los monos más pequeños del mundo. Era un escarpado paisaje cubierto de selva en el que incluso en las laderas más empinadas había pequeños campos de arroz. Bueyes trabajando la tierra, hombres segando con sus hoces y niños pescando y jugando en los arrozales... Aquellas vistas transmitían una tranquilidad infinita.

–Ya estamos llegando –dijo Marvin.

Enseguida se toparon con unos extensos cañaverales de azúcar. Las gruesas cañas se alzaban esplendorosas hacia el cielo mientras hombres con el torso desnudo las cortaban a machete para luego apilarlas y atarlas en haces. Esos mismos hombres, exhaustos y sudorosos, llevaban la caña hasta unas cabañas de bambú donde las mujeres se encargaban de prensarla y molerla en máquinas. De estas surgía un espeso líquido marrón que, tras hervirlo, se convertía en un sirope compacto llamado melaza.

Posteriormente se enviaba a las salas de refino para obtener los panes de azúcar.

Se oía el traqueteo y el ruido ensordecedor de las prensas desde el camino que conducía a la hacienda. Los nervios se apoderaron de Anna de nuevo: el encuentro era inevitable y todas las dudas sobre su madre comenzaron a aflorar en su mente: ¿Y si no quería reencontrarse con ella? ¿Y su padre?

–Tranquila, todo irá bien –comentó Marvin, cogiéndola de la mano.

Aquel gestó la reconfortó y encendió una chispa de esperanza que creía perdida. Tenía que ser fuerte.

La enorme mansión tenía un amplio arco en la entrada y un pórtico pintado de blanco enmarcado por las buganvillas que trepaban por las columnas. En los alféizares de las ventanas reposaban macetas llenas de sampaguitas, flores blancas de aroma dulce con las que también se confeccionaban perfumes. Frente al pórtico, se conservaba un viejo molino de copra, utilizado para aprovechar la carne de coco y extraer su aceite.

Llamaron a la puerta y salió un criado filipino vestido de blanco impoluto. Les hizo pasar a un salón. Los muebles eran de madera clara y los sofás de caña de bambú tapizados en blanco. El aire que entraba por las ventanas abiertas movía ligeramente las cortinas de hilo. Todo era blanco, incluso los suelos de mármol brillante. Se sentaron en los sillones, a la espera del señor Arias.

Pronto apareció una mujer filipina conduciendo la silla de ruedas con el señor. Llevaba uniforme, así que se trataba de otra criada. Lo dejó frente a los invitados y se marchó.

–¿A qué se debe esta visita? –preguntó él–. ¿No es usted la publicista de Soriano?

Anna asintió. Arias tenía el pelo ya cano y parecía envejecido. Mauro Aguilar no podría tener más de cincuenta años. El tiempo había pasado y poco quedaba de ese joven soldado bien apuesto, si es que era el mismo.

–Soy Anna Expósito, nos presentaron en la fiesta. –Luego señaló a Marvin–. He venido acompañada por un amigo. Quería hablar con usted si es tan amable.

Él no dejaba de sonreír, aparentemente encantado con su presencia. A ella se le hacía raro pensar que aquel hombre fuera el responsable de la producción de heroína que llegaba a Madrid. Y aún más raro que pudiera ser su padre.

—Dime, señorita. Ahora vendrá Gloria, mi muchacha, y nos traerá unos tentempiés.

Y así fue. Gloria, la criada, de casi unos cincuenta años, entró en el salón con una bandeja de plata con yemas, un postre típico filipino hecho con yemas de huevo, leche condensada y mantequilla, y unos vasos de horchata bien fríos.

—Mire, como ya dije en la fiesta, estoy aquí para encontrar a mi madre, que es hermana de Joan Puig.

Arias no se inmutó: o sabía fingir muy bien sus emociones o realmente no tenía nada que ver con los Puig.

—No sé quién es ese Puig. —Se encogió de hombros—. Ni sé quién podría ser su hermana.

—¿Y Mauro Aguilar?

—Tampoco —dijo secamente.

Anna le enseñó la fotografía del soldado. Aunque su cara se mantuvo impertérrita, sus ojos se agrandaron. Un pequeño gesto al que Anna se agarró fervientemente.

—¿Y por qué me enseña esta foto? —añadió, molesto—. Ya le he dicho que no sé quién es Mauro Aguilar.

—En ningún momento le he dicho que esta foto sea de Mauro Aguilar.

El señor Arias resopló.

—Oiga, piense lo que quiera... ¿Por qué me somete a este interrogatorio?

—Porque creo que es usted Mauro Aguilar, mi padre. Que vino con mi madre a Filipinas en el verano de 1911 y que tiene ciertos negocios con Joan Puig.

—¿Está usted loca? —Frunció el ceño, enfadado—. ¿Y de qué negocios me habla?

Marvin advirtió a Anna con la mirada de que no dijera nada sobre la heroína. Podían meterse en problemas.

—De la caña de azúcar, por supuesto —dijo ella, mordiéndose la lengua.

Arias se revolvió incómodo en la silla.

—No sé de dónde ha sacado esta información ni por qué le ha traído hasta mí, pero está usted muy equivocada.

–¿Luchó en la guerra de Marruecos? –preguntó Anna de golpe–. ¿Cómo acabó en silla de ruedas?

–¡Válgame Dios! –exclamó él, rojo de la ira–. ¡Qué falta de respeto a un tullido! Tuve un accidente en Manila: me atropelló un carro y casi pierdo la pierna. Desde entonces no puedo andar.

Anna se sintió frustrada. Aquel hombre tenía respuestas para todo; o decía la verdad o se había preparado una buena coartada.

–¿Y cómo iba a luchar en la guerra de Marruecos? –continuó exaltado–. Yo ya estaba en Filipinas cuando estalló la guerra.

–Permítame que lo dude –replicó Anna–. Vino a Filipinas después de abandonar a su hija para tener una vida mejor junto a Teresa Puig.

El hombre explotó de rabia y perdió los nervios.

–¡Gloria, ven! –gritó–. ¡Gloria!

La criada volvió a hacer su aparición. Parecía nerviosa e incómoda con la situación.

–¿Cómo acabé en silla de ruedas? –le preguntó.

–Le atropellaron, señor –respondió en voz baja–. Yo misma le atendí en la recuperación.

–¿Y cuántos años hace que estás a mi servicio? –volvió a preguntar, furioso–. ¡Díselo para que vean que no miento!

–Empecé a trabajar para usted en 1905, si no recuerdo mal, señor Arias. Hace muchísimo tiempo.

Anna se quedó estupefacta. La criada no tendría por qué mentir, parecía decir la verdad. Si aquello era cierto, había estado equivocada: el señor Arias no era su padre y volvía a estar en el punto de partida.

–¿Y qué es de su esposa? –soltó Anna–. ¿Dónde está? ¿Tiene alguna fotografía de ella?

Él palideció, angustiado. Parecía realmente afectado por la pregunta.

–La señora murió –se adelantó Gloria–. Cuatro años después de que yo empezara a trabajar para los señores. Era una mujer... –se le quebró la voz– encantadora.

Anna sintió una punzada en el corazón. Ya no sabía qué pensar sobre Arias; por mucho que se agarrara a su creencia, la realidad era bien distinta. La mujer de la que hablaban probablemente no fuera su madre y las plantaciones de heroína que había visto en Ígbaras habrían sido fruto de la casualidad. Quizá Marvin estaba equivocado y no pertenecían a Arias. Estaba confundida.

–Es usted una persona muy cruel, señorita Expósito –espetó Arias, visiblemente afectado por el recuerdo de su mujer–. No quiero verla más por aquí.

Anna no sabía qué decir. Se sentía ridícula: había puesto en entredicho la palabra de un hombre de buena reputación que bastante había sufrido a lo largo de su vida.

–Lo siento, señor Arias –apenas le salieron las palabras–. Quizá me he confundido y... Le pido disculpas.

–Ha mostrado muy malas maneras –la reprendió él, señalándole la puerta–. Más le vale que el señor Soriano no se entere de esto. No tolera a la gente así.

Anna se ruborizó, avergonzada, y se marchó junto a Marvin, incapaz de volver a mirar a los ojos a aquel pobre hombre. Su búsqueda empezaba de nuevo.

El sol caía con suavidad en la playa. El vapor de regreso a Iloílo no saldría hasta el día siguiente, así que Marvin había insistido en pasar la noche en la playa y no en el hotel Shamrock que había en el muelle. Había insistido en que no podría marcharse de ese lugar sin haber dormido una vez en una de sus playas paradisíacas. Y ella le había hecho caso, porque sabía que aquella noche iba a ser incapaz de dormir, después de lo ocurrido. Había fracasado y se sentía decaída y triste.

–Estoy seguro de que esas tierras son del señor Arias –dijo Marvin–. Mi padre lo sabía.

Anna estaba sentada en la arena, abrazándose las piernas mientras observaba el horizonte con la mirada perdida, analizando cada paso y movimiento que debía dar a partir de ahora. Había dejado todo lo que tenía en Barcelona, a Pili y a Rosa, la agencia Media... Había abandonado todo lo que le importaba por una búsqueda estúpida que solo le había acarreado problemas y la trágica muerte de Pedro.

–Ya me da igual, Marvin. Tengo que olvidarme de mi madre. –Tragó saliva–. Ya tuve a alguien que me cuidó y se comportó como una verdadera madre. Todo el mundo tendría que haber conocido a sor Julia.

Anna sintió que se desgarraba por dentro al recordarla y rompió a llorar. Marvin hizo un gesto de asentimiento y le pasó el brazo por los hombros, dispuesto a escuchar. La miraba con ternura, con indudable familiaridad. Estar con él era como volver a casa.

–Pues háblame de ella.

Hablaron hasta que el cielo se cubrió de estrellas brillantes. Lo único que les iluminaba era la luna y las luces fluctuantes que provenían de la ciudad. Anna se había desahogado y se sentía mucho mejor.

–¿Por qué no nos bañamos? –propuso Marvin.

–¿Cómo? –exclamó sorprendida–. ¿Bañarnos ahora? ¡No tengo bañador!

–Pues hazlo desnuda. –Le guiñó un ojo–. Estamos solos y a oscuras, nadie te verá.

–¡Me verás tú! –Se ruborizó–. Es una locura.

Marvin comenzó a desnudarse, tiró la ropa en la arena y se lanzó corriendo al agua. Desde allí, haciendo aspavientos, la animó a hacer lo mismo.

–Me doy la vuelta y no miro –le gritó–. Venga, el agua está caliente.

Anna sonrió y aceptó. Se desnudó presurosa mientras vigilaba que Marvin siguiera de espaldas. Luego se metió en el agua. Pese a la oscuridad, podía ver los peces que nadaban entre sus pies. Marvin la retó a una carrera a nado y se dejó ganar a propósito con el fin de subirle el ánimo. Anna jamás podría agradecerle todo lo que estaba haciendo por ella. Por unos instantes, volvía a ser feliz.

Pese a la incomodidad de la arena, se durmieron rápido, uno al lado del otro. Anna sentía la respiración de él cerca de su cara y eso la tranquilizaba y le daba paz. Él le acarició la mejilla y la abrazó. Quería protegerla, reconfortarla. Acercó su boca a la de ella y rozó sus labios. El tiempo pareció detenerse en ese mismo instante.

53

Queridas Pili y Rosa:

Ya llevo casi cuatro meses en Filipinas y ni rastro de mi madre. Las pistas que había recopilado se han ido desmoronando una a una hasta convertirse en humo. Tengo pensado coger el próximo vapor que salga hacia Barcelona, aunque temo que lo haré sola, pues Manuel se ha convertido en el cantaor por excelencia de las islas y no piensa abandonar su sueño. Si os digo la verdad, yo también he sido feliz aquí. He conocido a alguien importante para mí. Marvin me ha hecho olvidar a Pablo y me ha demostrado que existe el amor puro, desinteresado y auténtico. Sin embargo, lo amo sabiendo que tendré que dejarlo algún día, abandonarlo, y eso me rompe por dentro. Él también lo sabe, o lo intuye, pero aun así no renuncia a quererme con todas sus fuerzas y demostrármelo cada día. La partida será dolorosa. Echaré de menos esta tierra... Las camas con dosel y mosquitera, el idioma tagalo, el río Pasig y sus flores moradas en el agua, el dulzor del mango y la papaya, el sonido ronco de los carabaos... Y a Marvin y Manuel. Pero os recuperaré a vosotras, que tanta falta me hacéis. Feliz Navidad, aunque aquí no haga frío ni haya abetos grandes y verdes.

Os quiere,
Anna.

Había recibido un telegrama del señor Soriano en que la convocaba a una reunión en Manila para iniciar la campaña de los refrescos Royal de San Miguel. La de Coca-Cola ya había finalizado y la calle Escolta se había llenado de carteles publicitarios que habían resultado un éxito. Además, Soriano la había invitado a pasar las Navidades en su casa y disfrutar de la Nochebuena en el Casino Español, junto a los hombres y mujeres más representativos de la sociedad española en la capital. Por supuesto, había insistido en que fuera también Manuel a fin de que cantara para todos.

Ya había olvidado el caos del puerto de Manila. Decenas de embarcaciones, el griterío de los comerciantes, el olor insoportable de las vacas, los bueyes y las gallinas... Los barriles, los sacos, las grúas y los carros tirados por carabaos se amontonaban en las calles estrechas, cerrándoles el paso. Les costó llegar a la calle Escolta. Era la hora de tomar el té, una cerveza fría o un buen chocolate caliente en las bulliciosas cafeterías de esa arteria principal. Los filipinos iban vestidos con trajes de lino blanco y los escaparates de los pequeños comercios estaban decorados con bolas de algodón que simulaban la nieve. Hacía calor, pero en la radio se oían villancicos y por la noche la gente decoraba sus casas con *parols*, faroles en forma de estrellas hechos de bambú y papel, y el típico espumillón navideño. A Anna se le hacía extraño celebrar la Navidad en un clima tropical, en manga corta, sin bufanda ni guantes, ni tener la necesidad de calentarse ante el crepitar del fuego de una chimenea, pero era una experiencia nueva.

En las calles había puestos que ofrecían todo tipo de dulces y platos típicos filipinos para fechas tan señaladas: el *puto bumbong*, por ejemplo, un pastel de arroz cocido al vapor y servido con mantequilla, coco rallado y azúcar acompañado de un *kape barako*, un fuerte café amargo, o un *salabat*, una infusión de jengibre. En los mercados frente a las iglesias vendían huevos frescos, miel, chucherías hechas con sirope de fruta, yemas, merengues y tocino de cielo. Se veían mujeres cargadas con comida para elaborar la distinguida cena del *Simbang Gabi*, la misa del Gallo; niños observando con ilusión los juguetes que había en los escaparates de los bazares japoneses; carteles anunciando un sinfín de bailes solidarios navideños en los hoteles más exclusivos de Manila... y su cartel de Coca-Cola. Uno bien grande en el edificio del teatro Lyric que deseaba Feliz Navidad en filipino, *Maligayang Pasko*, y captaba en la expresión placentera de su protagonista la sensación de bienestar al beber una fría y sabrosa Coca-Cola. Anna no podía sentirse más orgullosa.

–Tengo ganas de ir al cine –comentó Manuel.

En el teatro Lyric se anunciaba *La melodía de Broadway*, que había ganado el premio de la Academia a la mejor película.

–Podríamos verla –propuso Anna, animada–. Es cine sonoro. Todavía no he visto ninguna. Tenemos tiempo antes de que anochezca y vayamos a casa del señor Soriano.

No había querido saber nada de Hollywood ni del cine desde que había roto con Pablo, pero se había dado cuenta de que aquello era una estupidez: el cine era maravilloso, lleno de historias pasionales, de actores y actrices que lograban hacer reír y llorar al espectador, una auténtica fábrica de emociones. A veces refugio, a veces placer. Y Pablo Moreno, por mucho daño que le hubiera hecho en el pasado, no iba a quitarle el privilegio de disfrutarlo.

Decenas de personas llenaban la sala. Era el primer musical con canciones y bailes y la gente estaba entusiasmada. El público filipino adoraba el cine, sobre todo el sonoro. A partir de ahora, todo cambiaba: a diferencia del cine mudo, que permitía la libertad de gestos y la expresión de los actores, el cine sonoro era pura formalidad. Grabado entre las cuatro paredes de un estudio insonorizado con colchones para evitar sonidos ajenos y rodeado de micrófonos por todas partes, todo se oía: desde las voces de los niños hasta los sonidos de los personajes menos importantes. También los distintos acentos y las diferentes formas de hablar de las clases sociales. A Pablo podía pasarle como a John Gilbert, uno de los actores favoritos del público del cine mudo que interpretaba al típico galán seductor que encandilaba a las mujeres. En la primera película sonora que había hecho, la gente rechazó su marcado acento escandinavo y se mofó de su voz aguda y femenina. Su carrera se había ido al traste. Pese a la mala experiencia vivida con Pablo, Anna le deseaba toda la suerte del mundo en su profesión.

Tras la película, ambos terminaron dando un paseo por el malecón, por La Luneta, antes de coger un coche hasta Santa Mesa. El sol se ponía ya y a lo lejos se divisaba la isla de Corregidor y su hermosa bahía. En el mar había pescadores de torso desnudo recogiendo las redes y atando al muelle sus pequeñas barcas de pesca.

–He escrito a Pili y a Rosa. Ya les he dicho que no regresarás.

Manuel torció el gesto, apenado.

—No puedo perder esta oportunidad –dijo con emoción–. Y tú... ¿estás segura de que te quieres ir? ¿Qué pasa con Marvin?

—No voy a pedirle que venga conmigo. –Tragó saliva–. Sé su respuesta. Él es feliz aquí, igual que yo lo soy en Barcelona. Pertenecemos a tierras distintas.

—Así que sabes que hay un final.

—Sí. Los dos lo sabemos. –Sus ojos se humedecieron–. Él es diferente. Vive el día a día, no le importa el futuro.

—¿Y qué pasará con la San Miguel?

—Tendré que dejarlo. –Hizo una mueca de tristeza–. Puede que acabe de nuevo en la droguería Anyí de Barcelona. No sé si tengo agallas de volver a Media y enfrentarme a Ignacio otra vez.

—Aquí lo tienes todo, Anna... ¿por qué marcharte? Tienes a Marvin, trabajo...

—Sé que el último destino de mi madre fue Filipinas... No dejaría de buscarla nunca y acabaría volviéndome loca. He de poner punto y final a esta agonía y volver al lugar en el que siempre he sido feliz.

Un vendedor chino se acercó a ellos con una especie de masa con jamón hervido y queso de bola con azúcar. Anna lo rechazó amablemente: había perdido el hambre y apenas probaba bocado. Había adelgazado y los vestidos le venían grandes.

—Deberías comer algo, niña, aunque sea una *mijita* –señaló Manuel–. Vas a enfermar si sigues así. Lamento que no hayas encontrado a tu madre, pero has de pensar en ti.

—Una vez creí que el destino estaba de mi parte. –Se encogió de hombros–. Pero no ha sido así. Debo aceptar que nunca podré encontrarla. Puede que ya esté muerta.

—Espero que te equivoques, chiquilla.

Cogieron el tranvía hasta el barrio de Santa Mesa. El muchacho de los Soriano los acompañó al salón para que esperaran a Agustín. El suelo era de anchos tablones de madera oscura y un biombo dividía el salón y el comedor. El comedor tenía una lujosa mesa de caoba vestida con un mantel decorado con ricos bordados y todo estaba dispuesto para la cena. En el salón había varios sillones de bambú y palma cocida con cojines de vivos colores. Un par de ventiladores de techo refrescaban la estancia, junto a unos abanicos vistosos. Frente a las ventanas habían encendido unos *parols* que representaban la estrella que guio a los Reyes Magos al pesebre del niño Jesús.

Carmen Soriano hizo su aparición esbozando una radiante sonrisa. Como buena anfitriona, les hizo un rápido recorrido por la casa y les enseñó sus respectivas habitaciones. Estarían unos días, hasta que acabaran las fiestas.

—Los filipinos son más papistas que el Papa —comentó mientras regresaban al salón—. ¿Sabéis que empiezan a celebrar la Navidad el dieciséis de diciembre? Van cada día a la Misa del Gallo, o *Simbang Gabi*, como ellos la llaman. A las cuatro de la mañana, ni más ni menos. La impusieron por costumbre los frailes españoles hace ya mucho tiempo para que los campesinos pudieran asistir a misa antes de ir a trabajar al campo. Eso sí, luego se hinchan a comer esos postres hechos de arroz que se venden a la entrada de las iglesias. Y no te creas que comen grandes cosas el día de Nochebuena: un poco de jamón, queso, chocolate y frutas. Nosotros, los españoles, somos de preparar un buen festín, ¿verdad?

—Un buen pollo relleno, señora Carmen —respondió Manuel—. Se me hace la boca agua solo de pensarlo.

—Pues ya veréis qué buena cena tendremos en el Casino Español. De chuparse los dedos.

Agustín Soriano bajó por fin al salón. Estaba de buen humor: la campaña de Coca-Cola había superado todas las expectativas.

—Tenías razón, Anna. Las ventas se han disparado desde que en las tiendas venden el refresco bien frío. He recuperado las pérdidas del hielo. ¡Eres una visionaria!

Ella se ruborizó. Iba a echar de menos trabajar para Soriano. Sabía que en Filipinas no tendría la competencia que había en Madrid, que allí podría convertirse en alguien importante. Pero no iba a quedarse y le aterraba tener que comunicárselo: en el momento en que se lo dijera, estaría sentenciando su futuro. ¿Qué le esperaba en Barcelona?

Se sentaron a la mesa y les sirvieron una sopa y unos buenos filetes de ternera. Era una noche agradable y gracias al aire de los ventiladores habían dejado de sudar. La luz de los *parols* era acogedora y dotaba al ambiente de intimidad. No dejó de pensar en Marvin durante toda la velada: sabía que le quedaba poco tiempo en las islas y debía aprovecharlo al máximo; se había comprometido con el señor Soriano y le debía esa última campaña de publicidad. Echaría de menos al mestizo, ese amor inesperado y efímero, pero tan intenso y reparador; también su profesión, que tanto la llenaba. Iba a perder mucho.

–Empezamos con la campaña de refrescos Royal –explicó Agustín–. Nos va bastante bien, la verdad; el sabor que más se vende es el de naranja. Sin embargo, ahora puede que la gente prefiera la Coca-Cola: se publicita más, es más novedosa y el consumidor siente curiosidad.

–Es verdad que no he visto muchos anuncios de Royal en periódicos y revistas.

–En la última campaña intentamos introducirnos en la radio. Es un medio que en Filipinas está empezando, pero hay programas americanos muy buenos y a algunas marcas como Kolynos Dental Cream les está funcionando muy bien. ¿Has oído las audiciones que hacen?

–Sí, están buscando a una chica que sea la protagonista de su campaña. Es una muy buena idea para un dentífrico, pero no creo que lo sea para una bebida. Es un producto que debe ser visto, no oído. La gente tiene que ver una emoción, un rostro de placer al beberlo. Como con Coca-Cola.

Agustín Soriano se encendió un cigarrillo mientras el muchacho traía unos merengues de postre y una tetera de *salabat*, la infusión de jengibre. Carmen y Manuel seguían hablando con nostalgia de las costumbres y tradiciones españolas.

–¿Y qué crees que podemos hacer? ¿Más carteles?

Anna negó con la cabeza.

–Cine. –Se reclinó en el respaldo–. Los filipinos adoran el cine.

–¿A qué te refieres? –Frunció el ceño–. ¿Quieres que llame a la Metro Goldwyn Mayer o qué?

–En España se reproducen anuncios en los cines. Es una manera de asegurarte que quienes están en esa sala, expectantes por que comience la película, conozcan tu producto.

–De acuerdo, en España se hace, en Estados Unidos también, pero no sé yo si en Filipinas... El cine no tiene mucho tirón.

–Eso era antes. No tenía mucho tirón porque solo les llegaban las peores películas americanas. Ahora ya no es así: llegan las mejores.

Hoy mismo he ido a ver una que ha conseguido el Oscar a la mejor película. La gente no podía dejar de aplaudir.

—Es arriesgado, Anna —dijo Soriano con poco convencimiento—. Contratar un equipo de rodaje...

—El año pasado, en España, se rodaron anuncios para la cerveza El Águila, también para la Catalana de Gas i Electricidad, para la Obra social de la Caixa d'Estalvis... —Bebió un sorbo del té—. Es más, hace cinco años se filmó *Los apuros de Octavio*, que narra el día de la boda de un hombre al que empiezan a surgirle dificultades e imprevistos de última hora. Sin embargo, gracias a una serie de marcas y productos, acaba solventando todos sus problemas: consigue afeitarse con las hojas Fénix, arreglar sus zapatos en la zapatería Eléctrica Landis, limpiar su traje en la tintorería La Higiénica...

—Esa es muy buena idea, sin duda. Logran introducir sus productos sin que la gente apenas se dé cuenta...

—Puede probarlo con diapositivas, en vez de rodar algo: puede acompañarlas con música, imágenes... Lo importante es que salga en la gran pantalla, antes de que empiece la película.

Agustín Soriano asintió lentamente, convencido.

—Tendrá que invertir dinero, sí, pero mire la Coca-Cola... —continuó ella—. Le ha salido bien.

—Tienes razón —sonrió él, relajado—. Confío ciegamente en ti, Anna.

—Y eso no es todo —añadió ella—. Si anuncia Royal en el cine... ¿por qué no venderlo allí también? Ponga neveras y venda las botellas bien frías. Coca-Cola lo lleva haciendo en Estados Unidos desde 1915.

—¡Pero estamos en Filipinas! —exclamó sorprendido—. ¡No es lo mismo!

—Oiga, su mujer me acaba de decir que los filipinos son más católicos que los mismos españoles, y sé bien que también les encantan los productos americanos. ¿Por qué cree que esto no podría funcionar? Aquí hace muchísimo calor y en el interior de los cines también. Los ventiladores, a veces, no son suficiente. A más de uno le encantaría beberse un refresco mientras ve una buena película.

—Puede que sí, no te digo que no...

—Esta es mi propuesta, señor Soriano. ¿No dice que confía en mí?

–Está bien –cedió al fin–. Lo pondré en marcha.

Anna respiró aliviada. Confiaba en ella, en sus ideas, en su intuición. Con el paso del tiempo, había ganado seguridad en sí misma. Ese trabajo estaba hecho para ella y lo iba a dejar escapar como una boba. A veces se arrepentía de lo mal que lo había hecho desde su llegada a Madrid: su obsesión por encontrar a su madre y seguirle los pasos a Joan Puig habían acabado con lo que siempre había deseado ser. Si no hubiera seguido con la búsqueda, ahora continuaría tan feliz en Media, poniendo en su sitio a Ignacio Rojas y a cualquiera que quisiera subestimarla.

–¿Y cómo se le ocurrió crear Royal? –preguntó.

–Comenzó a comercializarse en 1922, pero la compañía ya andaba con la idea mucho antes. El problema fue que el azúcar era muy caro y nadie se atrevía a invertir. Hasta que conocimos a Arias.

Anna abrió los ojos de golpe y el corazón se le desbocó. ¿Estaba hablando del señor Arias?

–¿Arias? ¿El hombre que va en silla de ruedas?

–Así es. –Encendió otro cigarrillo–. Vendía el azúcar muy barato. Bueno, lo sigue haciendo, de hecho. Fue entonces cuando nos atrevimos a fabricar Royal. Revolucionó la industria, desde luego. Todavía hoy no me explico cómo puede obtener beneficios vendiéndolo a ese precio tan irrisorio.

–¿Y cuándo empezó? –preguntó nerviosa–. Quiero decir... ¿cuándo llegó a Filipinas?

Soriano arrugó la frente, extrañado por el inusual interés de Anna hacia ese hombre.

–Nos explicó: que había llegado de Madrid en 1910 o 1911, no lo recuerdo con exactitud. ¿Por qué lo preguntas?

Anna sintió un remolino en el estómago. Se había puesto pálida.

–Solo curiosidad. –Tragó saliva–. Estuve hablando con él en la fiesta y me dijo que había tenido un accidente y por eso se había quedado en silla de ruedas. También que había perdido a su mujer.

–Sí, nunca conocimos a su esposa; murió años atrás. –Se llevó la mano al mentón, pensativo–. Pero no sabía que había tenido un accidente: siempre tuvo problemas para caminar, iba con muletas. Si no recuerdo mal, nos comentó que había luchado en la guerra de Marruecos.

Anna se llevó una mano a la frente, sobrepasada. Arias le había mentido y la criada también. Todo había sido una farsa. Todo indicaba que se trataba de Mauro Aguilar, su verdadero padre. ¿Y qué pasaba con su madre? ¿Había mentido también sobre su muerte? Nadie la había conocido. ¿Murió durante el trayecto a Filipinas? ¿Seguía viva? Debía encontrar una respuesta.

54

Un par de días después de descubrir la verdadera identidad del señor Arias, Anna y Manuel se dirigieron a las oficinas de la Compañía Transatlántica Española para investigar sobre los pasajeros llegados a Manila en el verano de 1911. Quería saber si su madre se encontraba entre ellos y si había llegado viva.

La oficina se encontraba en el barrio de Santa Cruz, cerca del río Pasig. Por la calle había varios vendedores de castañas asadas y maíz tostado, también un heladero que hacía sonar la campanilla de su carrito para que los niños acudieran en tropel. En aquel barrio se habían construido los primeros clubs nocturnos y el magnífico teatro Tívoli, donde se había hecho popular la versión filipina de los vodeviles. Los *bodabil*, como los llamaban ellos, se trataba de un número de entretenimiento en el que había música, baile, comedia y magia. Justo al lado del teatro estaba el Tom's Dixie Kitchen, un restaurante americano regentado por un hombre negro que se había hecho famoso por sus deliciosos platos al estilo sureño americano. Anna y Manuel entraron para desayunar antes de empezar con la investigación. El local estaba a rebosar de hombres de negocios, militares, oficiales y marineros. El suelo estaba húmedo y pegajoso, y había una mujer pasada de peso cantando acompañada por un pianista. Era de día, pero aquel restaurante no cerraba nunca y siempre presentaba espectáculos. Numerosos camareros servían con rapidez los diferentes platos de la casa: pollo frito, gachas de maíz, pescado y polenta, budín de pan...

–Por eso Arias me dijo que no le contara nada a Soriano de lo ocurrido en su casa –comentó Anna, bebiendo un café bien cargado–. Hace negocios con él y Agustín conoce su historia. Era cuestión de tiempo que yo supiera la verdad.

Manuel se llevó a la boca un trozo de jamón a la plancha.

–Por suerte, Soriano no sospecha nada. Es mejor que no sepa la verdadera identidad de Arias.

–Sí, y ha sido muy amable al llamar a la oficina y decir que venimos de su parte. No nos pondrán ningún impedimento para mirar la documentación. Es un buen hombre, realmente quiere que encuentre a mi familia.

–Te tiene aprecio porque eres muy buena, Anna. –Bebió un sorbo de cerveza–. No quiere dejarte escapar. En poco tiempo veremos los refrescos esos, los Royal, en todos los cines de Filipinas.

–Eso espero –suspiró–. No puedo sacarme de la cabeza que Arias es mi verdadero padre. ¿Cómo es posible que un padre niegue a su propia hija? ¿Por qué no quiere reconocerme?

–Supongo que si fue capaz de dejarte cuando apenas tenías unos días de vida, no creo que le importes demasiado después de veinte años sin verte. Es cruel.

–Es cruel pero cierto –le tembló la voz–. Es triste pensar que nunca me quiso y que, ahora que puede recuperarme, no quiere saber nada de mí. Soy un estorbo.

El ambiente en aquel restaurante estaba de lo más cargado: los hombres no paraban de fumar y el humo se mezclaba con el de la plancha y el olor de las frituras.

–Y además está lo de la droga –añadió Manuel–. Debes tener cuidado; seguro que sabe lo que hiciste en Madrid. Quizá hable con Joan Puig. No sé, me da miedo, Anna.

–¿Y qué quieres que haga? –se encogió de hombros–. No pienso irme sin estar segura de que mi madre falleció realmente. Ahora que sé que Arias me mintió, quizá también lo haya hecho con lo de mi madre.

–Te recuerdo que no tuvieron ningún reparo en matar a ese amigo tuyo, a Pedro.

Anna palideció al recordarlo.

–¿Crees que mi propio padre se atrevería a quitarme de en medio?

–Por lo que veo, no tienen ningún tipo de escrúpulos –resopló–. Si pones en peligro su negocio...

–¡Pero a mí lo de la droga me da igual! –exclamó ella, alzando la voz más de la cuenta–. Solo quiero que me diga qué ha sido de mi madre. No quiero meterme en sus negocios.

—No esperes compasión y sentido común de esa gente, niña. Se dedican a algo muy fuerte... Meten la droga en Madrid, la llevan desde Filipinas... ¿Crees que van a arriesgar todo eso por que tú encuentres a tu madre? No eres nadie para ellos, chiquilla, aunque me duela decirlo.

—Pero no he hecho este camino para nada, Manuel. —Apretó los puños—. Ni Marvin ni yo estábamos equivocados con lo de Arias. Estamos bien encaminados y vamos a salir de dudas.

Se dirigieron hacia la oficina. De fondo se oía el desagradable graznido de una bandada de patos en el río Pasig. Anna estaba nerviosa y no lo podía disimular. Tras pasar por la bonita y barroca iglesia de Santa Cruz, vieron el edificio de madera con tejado a dos aguas de la Compañía Transatlántica Española. El aroma de las orquídeas que había plantadas en el pequeño jardín de la entrada la revitalizaron un poco. El café no le había sentado bien, ni tampoco el ambiente cargado del restaurante.

Era una oficina pequeña y oscura, de paredes manchadas, vidrios sucios y cortinas desteñidas. Aquel aspecto descuidado le hizo perder la esperanza de que allí todavía se conservaran documentos de hacía veinte años. En las mesas de los empleados se apilaban montones de papeles y facturas, matasellos y cables que conectaban con los teléfonos. Varias máquinas de escribir se alineaban en silencio salvo una: una mujer de tez morena estaba mecanografiando un documento mientras fumaba un cigarrillo. Aquel familiar tecleo le recordó las mañanas en la oficina de Media, cuando su añorada Maribel pasaba a limpio las ideas que habían escrito a mano Ignacio y ella. Sintió un pellizco de nostalgia en el estómago que contuvo rápidamente al ser atendida. La influencia del señor Soriano les abrió rápidamente las puertas del archivo. Allí se guardaban volúmenes y volúmenes de documentos, desde que la compañía había abierto una línea en Filipinas a finales del siglo XIX. La mujer de tez morena, pese al desorden aparente de las estanterías, encontró rápidamente el referido al año que estaban buscando y los dejó a solas.

—Nací en mayo de 1911 —comentó Anna—. Y, según Enric Girona, mi madre se marchó a Filipinas poco después de abandonarme. El viaje dura unos dos meses... Deberían haber llegado en agosto, más o menos.

Los documentos no se conservaban en muy buen estado. Estaban amarillentos y en algunas páginas faltaba información; sin embargo, el relativo a las llegadas de agosto de 1911 estaba bien conservado y se podía leer. La letra de quien había anotado los nombres de los viajeros llegados al muelle era irregular y temblorosa, pero enseguida reconocieron dos nombres: Mauro Aguilar y esposa, Elena de Aguilar.

Elena. Esa era su madre. No había muerto durante el viaje: había llegado a Filipinas y se hacía llamar Elena. Podía seguir buscándola con ese nombre. Se negaba a creer que hubiera muerto ahora que empezaba a descubrir las mentiras de Arias.

–¿Estás segura de que se trata de tu madre? –preguntó Manuel.

–Se puso el nombre de mi abuela, de su propia madre. Se llamaba Elena Puig. Es ella.

–Está claro que ese Arias te ha engañado, pero quizá no te haya mentido con lo de que falleció. Dios no lo quiera.

–Si realmente falleció, debe de haber algún documento que lo certifique. En alguna parroquia, no sé... No se la ha podido tragar la tierra.

–Pues no pares de buscarla, Anna.

–No lo haré.

Llegó el día de Nochebuena y Anna y Manuel, junto a los Soriano, se dirigieron en coche hacia el Casino Español. Prácticamente todas las casas de la ciudad estaban decoradas e iluminadas con *parols*. Era un día muy bonito para todos y los filipinos llenaban las calles, sobre todo el mercado, para acabar de realizar las últimas compras. Los más humildes acudían a última hora para regatear con el *suke*, su tendero de confianza, y así llevarse el queso de bola o el jamón típico navideño a mejor precio. Se respiraba un ambiente feliz, de calma. Los nativos charlaban tranquilamente pese a que ya se acercaba la hora de la cena; los comerciantes y artesanos seguían decorando sus tiendecitas; otros bailaban en mitad de la calle la música que emitía algún transistor a todo volumen. ¡Qué diferente era aquella ciudad de Madrid o Barcelona! En la Rambla o en la Gran Vía, la gente estaría corriendo de un lado a otro, comprando los regalos de última hora. Podía imaginar a Pili y a Rosa en los grandes almacenes, ansiosas por encontrar un buen regalo para sus novios.

El Casino Español se encontraba en el barrio de Ermita, al final de una larga avenida llena de palmeras, cerca de la calle de San Marcelino. Aquel club había sido fundado en 1893 por los españoles residentes en Filipinas, y en él se realizaban todo tipo de actividades culturales, recepciones y celebraciones. En su interior también albergaba la Cámara Española de Comercio y el Consulado.

El coche cruzó la puerta de hierro y paró frente a la arcada de piedra del club. Era sin duda un edificio lujoso, de estilo renacentista, rodeado por un jardín frondoso lleno de orquídeas.

Pese al entusiasmo del matrimonio Soriano y de Manuel, que tras la cena volvería a cantar, Anna estaba deseando que la noche pasara lo más rápido posible para coger al día siguiente el vapor a Iloílo. No solo para reencontrarse con Marvin y explicarle todo lo que había descubierto, sino también para continuar con la búsqueda de Elena Arias.

Cruzaron el vestíbulo y accedieron al enorme salón desde cuya terraza se podía observar el jardín y las pistas de tenis y de frontón, además del restaurante de comida española. Los camareros servían toda clase de bebidas, desde zumos de frutas hasta champán o ron. Y en las mesas, junto a los jarrones chinos y japoneses, reposaban las bandejas con distintos canapés y exquisiteces.

Las mujeres salían del tocador, dispuesto en una sala contigua, recién perfumadas y con el tono del colorete subido. Mujeres de formas exuberantes, otras de aspecto lánguido y elegante... todas marcando tendencia con la última moda del cine. Anna se miró a sí misma y se dio cuenta de que había descuidado su imagen. Si hubieran estado allí Pili y Rosa, en pocas horas se hubiera convertido en una Greta Garbo de los pies a la cabeza. La influencia americana había hecho mella en Filipinas y el inicio de los años treinta había dejado atrás algunos de los ideales de belleza de los veinte. Maquillarse en exceso era vulgar y el pelo comenzaba a llevarse un poco más largo y rubio, como lo lucían las actrices de Hollywood. El perfilador de cejas, la vaselina para dar brillo a los párpados, las pestañas postizas y las sombras de ojos doradas se habían hecho indispensables. Absolutamente todo lo que aparecía en las revistas más populares norteamericanas como *Harper's Bazaar* o *Vogue*.

Incluso las mujeres filipinas, que también las había en la fiesta, iban a la última. Eran las más elegantes de todas, pensó Anna. Sus ojos ligeramente rasgados, sus labios gruesos y su piel tersa, fina, les proporcionaba una gran belleza exótica. Y luego estaba ella, a la que había dejado de importarle todo aquello en los últimos meses.

Estaban a punto de pasar al comedor para la cena cuando, de repente, apareció el señor Arias acompañado de Gloria, su criada, que era quien empujaba la silla de ruedas. Al verle, le entraron ganas de llorar. No había contemplado la posibilidad de encontrárselo allí, y su presencia le cayó como un jarro de agua fría. Los únicos sentimientos que despertaba en ella eran la rabia y la impotencia. Le había mentido y la había negado como hija. ¿Qué clase de hombre era? ¿Por qué su madre se había enamorado de él?

Sus miradas se cruzaron. Su rostro estaba desprovisto de expresión. Anna sintió una creciente sensación de incertidumbre y angustia, de temor a lo que pudiera pasar. ¿Qué podría hacer a partir de ahora para saber si su madre seguía viva? ¿Y si se estaba engañando a sí misma? Estaba hecha un mar de dudas. La saludó con un movimiento de la cabeza y ordenó a Gloria que lo llevara al comedor. La mujer lo dejó frente a la mesa y se marchó.

El centro de la mesa estaba adornado con un candelabro y varias bandejas de plata con flores naturales. Todos se sentaron; Arias justo enfrente de ella, al lado de los Soriano. Manuel, junto a Anna, le apretaba la mano por debajo del mantel para tratar de serenarla. Enseguida sirvieron los platos: pavo relleno, verduras salteadas y marisco variado. Los invitados estaban contentos y charlaban animadamente. Por las ventanas abiertas entraba la deliciosa música de la banda de jazz que tocaba en la terraza. Y ella estaba allí, sentada, sin apenas hablar, disimulando la ansiedad y fingiendo alegría. Se sentía incómoda, extraña. Cada vez que miraba en dirección a Arias, se encontraba con sus ojos fijos en ella. Rápidamente, apartaba la vista e intentaba no pensar en que tenía a su propio padre justo allí.

—Le tengo que agradecer el regalo, señor Arias.

Pese al ruido, Anna trató de oír la conversación que mantenía Carmen Soriano con Arias.

—De nada, no entiendo mucho de moda, pero intuía que le gustaría —dijo él.

—Es un sombrero magnífico. Siempre había querido tener uno de Consuelo Aguilar.

Arias carraspeó, nervioso, y lanzó una mirada penetrante a Anna. Sabía que ella conocía a Consuelo Aguilar y se había delatado. Sin embargo, no parecía preocuparle demasiado. Enseguida esbozó una sonrisa y continuó hablando con Carmen como si nada.

—Tengo buenos amigos en Madrid —comentó—. Es un buen regalo para unos buenos clientes.

—Desde luego. He leído algún artículo de Consuelo Aguilar en las revistas de moda españolas. ¿Sabe que era una simple sombrerera antes de hacerse famosa? Nadie sabe cómo consiguió montar su propia boutique tan rápido y con tanto éxito.

—El talento, señora Soriano. El talento lo logra todo.

Los camareros se llevaron los platos y trajeron bandejas con galletas de almendra, turrones y pastas de chocolate. En un mueble lateral dejaron un enorme cuenco de ponche lleno hasta arriba de vino caliente con especias. La gente se había levantado para dirigirse hacia la terraza, donde iba a cantar Manuel. El señor Arias, haciendo un gran esfuerzo por mover su silla de ruedas, se plantó ante una ventana para observar la actuación. Anna no pudo contenerse y se acercó a Arias, que al notarla cerca volvió bruscamente la cabeza hacia el otro lado. Mauro Aguilar transmitía desconfianza, miedo, hostilidad, pero sobre todo odio. No solo no la quería, sino que la despreciaba. Manuel comenzó a cantar: tenía los ojos brillantes y las mejillas y los labios encendidos. Todo el mundo lo contemplaba boquiabierto, mirando atentamente el movimiento de sus manos, imaginándose como suyos las penas, los quejidos y los desengaños que sus letras describían.

—Sé que eres mi padre —soltó ella de repente—. Y sé que ella me quería.

Arias se mantuvo en silencio, sin mirarla.

—Solo quiero saber la verdad —añadió-. Por qué me dejasteis...

Se le atragantaban las palabras. Estaba triste, pero también albergaba mucha rabia contenida. Sentía un instintivo rechazo hacía él, estaba herida, impotente. No habían compartido ideas, ni vivencias, ni esperanzas. Tampoco ilusiones o afectos. Pero ella era su hija y él su padre. ¿Cómo era posible que no mostrara ni una pizca de cariño hacia ella?

—Ella llegó contigo en 1911 –continuó–. Elena de Aguilar.

—Espero que no cuentes tus invenciones a los Soriano –dijo Arias de repente, sin dejar de sonreír–. Soy su mejor proveedor y de mí depende su producción. Te aseguro que me creerá a mí antes que a ti, y si tiene que elegir... saldrás perdiendo.

—No les he contado nada a los Soriano. –Apretó los dientes, tensa–. No quiero meterme en tus negocios ni complicarte la vida. Lo único que quiero es la verdad y saber dónde está mi madre.

—Olvídate de ella.

—No quiero olvidarme de ella –replicó, tratando de contenerse–. Mi madre me dejó a cargo de Enric Girona, pero acabé en un orfanato. Su intención era volver a por mí. ¿Qué fue lo que pasó?

Arias le lanzó una mirada amenazante: sus ojos estaban enrojecidos y llenos de ira. Se le estaba agotando la paciencia.

—¡Ella murió! –exclamó irritado–. Ni yo te quise nunca, ni ella se acordó de ti, así que déjame en paz de una vez y busca una madre en otra parte.

Agitado y nervioso, manipuló las ruedas y se alejó de ella lo más rápido que pudo. Anna comenzó a sentir un profundo mareo: le faltaba el aire para respirar y sentía un vacío que la ahogaba. El sudor le cubría la espalda y le quemaba el cuerpo. Temblaba y estaba asustada. El corazón le latía apresuradamente, golpeándole el pecho como si se fuera a resquebrajar. Necesitaba salir de aquel comedor y olvidar el rostro iracundo de su padre, sus palabras dañinas y malintencionadas...

55

Sin darse cuenta, se había metido en el interior de la biblioteca del Casino. Era una sala tranquila, panelada en madera, con varios sillones tapizados en rojo y algunos escritorios de madera oscura. Aparte de novelas y enciclopedias, también se encontraba la hemeroteca en cuyas estanterías se guardaban los periódicos escritos en lengua española de los últimos años. Las lámparas de araña resplandecían en el espejo que había colgado en una pared. Miró su reflejo y se sintió extraña. Cerró los ojos, apretándolos con fuerza, y volvió a mirarse. Le costaba reconocerse a sí misma: se sentía vacía, inmensamente insegura. Distaba mucho de ser la de siempre, llena de coraje y determinación. Las obras de arte que decoraban la estancia estaban iluminadas por focos individuales, realzando su protagonismo. En uno de ellos aparecía la Virgen María meciendo a un niño Jesús y rápidamente le vino a la memoria sor Julia. Aunque habían pasado unos cuantos meses desde su muerte, todavía no lo había superado del todo. La única mujer que la había cuidado y la había guiado a lo largo de su vida había desaparecido para siempre. Le faltaba su voz, esa voz suave y perfecta que retumbaba en el aire y que conseguía calmarla.

De repente, alguien entró en la biblioteca. Era Gloria, la criada del señor Arias. Gloria era una mujer grande, de constitución recia. Tenía unos brazos y unas piernas fuertes, resultado de años de cuidar al señor Arias. Morena, de ojos almendrados y piel chocolatada. Anna arrugó la frente, extrañada. Estaba claro que la estaba buscando y que quería hablar con ella. Parecía preocupada y sus manos temblaban tras su espalda. Trató de acercarse a ella lentamente y alargó su mano para acariciarle el rostro. Anna, sin ser consciente de ello, dio un paso atrás para evitarlo. Los ojos de la filipina se llenaron de lágrimas.

—Eres igual que tu madre —dijo con un hilo de voz.

No se podía creer lo que estaba diciendo. Sus palabras confirmaban lo que ya sabía, pero la sorprendió que vinieran precisamente de quien se lo había desmentido hacía ya meses.

—¿Por qué mentiste? —preguntó ella—. ¿Te lo pidió él?

Gloria asintió. Miraba hacia atrás con miedo a que el señor Arias pudiera sorprenderla allí.

—En cuanto te vio en aquella fiesta del señor Romero supo que eras su hija. Me dijo que, si alguna vez preguntabas, mintiera. —Miró hacia otro lado—. Tuve que hacerlo: es mi trabajo y dependo de él para vivir.

—Pero hoy has cambiado de opinión —añadió Anna—. Has decidido decir la verdad. ¿Por qué?

—Porque le tenía mucho cariño a tu madre. —Tragó saliva, afectada—. Siempre me trató muy bien y creo que se lo debo. Te quería.

Anna estaba emocionada y nerviosa a la vez. Las lágrimas comenzaron a rodar por sus mejillas; se sentía aliviada al oírlo una vez más, sobre todo viniendo de alguien que había compartido con ella los últimos años.

—Siempre me hablaba de ti, desde que llegó a Filipinas en 1911 —continuó, conteniendo la voz—. El señor Arias me puso a su servicio y nos hicimos buenas amigas. Aunque ahora me dedique a cuidarlo, antes, cuando todavía podía caminar, solo peinaba y vestía a la señora.

—No sufrió ningún accidente, ¿verdad?

—Luchó en la guerra de Marruecos y cuando llegó ya tenía problemas para andar. El viaje desde España no le sentó muy bien y empeoró su salud. Poco a poco, fue perdiendo movilidad hasta quedarse en la silla.

Anna tenía el corazón en un puño. Estaba impaciente por saber si su madre estaba muerta o seguía viva, pero Gloria quería contarle la historia desde el principio.

—Tu madre me lo contó todo: que tuvo que dejarte en Barcelona, pero que su intención era volver a por ti cuando las cosas en estas islas se establecieran. Cuando el negocio de la caña de azúcar comenzó a ir bien, la señora insistió en regresar a España. Siempre discutían por lo mismo.

–¿Mi padre no quería volver? –preguntó Anna angustiada.

–El señor Arias cambió muchísimo. –Su voz se había calmado, pero sus gestos continuaban delatando su nerviosismo–. Tu madre decía que no era el mismo hombre del que se había enamorado en Madrid. A medida que disminuía su capacidad de andar, también se le agriaba el carácter. Estaba obsesionado con el negocio y su objetivo era hacer cada vez más dinero. Es muy ambicioso.

Anna no alcanzó a discernir si Gloria sabía toda la verdad sobre los negocios de Arias. ¿Lo sabría su propia madre?

–Aunque tu madre insistía una y otra vez, el señor siempre ponía excusas y le decía que no era un buen momento para ir –siguió, apretando los labios–. La señora estaba cada vez más triste y apagada; quería ir ella sola, si hacía falta, para que él no desatendiera sus negocios, pero él se lo impedía. Una vez le oí decir que, si ella volvía a Barcelona, se quedaría allí para siempre y ya no volvería a su lado. Que se enamoraría otra vez de un tal Enrique, creo que dijo, y lo abandonaría. Tenía mucho miedo a que lo dejara. En el fondo, la amaba muchísimo.

–No amaba a mi madre, solo amaba el dinero –comentó Anna apenada–. Ni siquiera a la hija que abandonó.

Gloria se quedó en silencio durante unos segundos, pensativa y emocionada. Tenía dificultades para continuar con el relato.

–Y luego llegó la fatal noticia –logró decir al fin–. Una carta que llegó de Barcelona anunciando que la niña había muerto.

Anna abrió la boca, sorprendida. Ahora lo entendía todo: su madre creía que había muerto, por eso había dejado de buscarla. Respiró aliviada. Por fin encontraba un porqué que justificara su ausencia y su negativa al retorno. Gloria no mentía: su voz estaba cargada de sinceridad.

–¿Sabe quién escribió la carta?

–No lo supe entonces, pero después de saber de tu existencia creo que el mismo señor Arias la hizo mandar desde Barcelona. Era la única manera de que la señora abandonara la idea de viajar a España y se quedara a su lado para siempre.

–¡Dios mío! –exclamó Anna, apretando los puños–. ¡Eso es muy cruel! ¿Cómo pudo hacerle eso a la persona que amaba?

–Se ha llegado a matar en nombre del amor, señorita. –Suspiró–. Todo es posible.

—¿Mi madre está muerta? —se atrevió a preguntar—. ¿Es eso cierto?

Varias gotas de sudor comenzaron a resbalarle por la frente.

—No —balbuceó, inquieta—. Por eso quería hablar contigo, muchacha. Tu madre sigue viva.

Por fin tenía la confirmación de lo que llevaba tanto tiempo buscando. Su madre vivía. Era casi demasiado milagroso para ser cierto. Estaba eufórica, aliviada y feliz. Las náuseas se arremolinaban sin control en su estómago a causa de la emoción. Durante mucho tiempo se había preguntado si realmente valía la pena dejarlo todo por aquella quimera. Había sido una larga lucha, pero por fin tenía su recompensa. Saber que estaba viva la llenaba de esperanza.

—La noticia de tu muerte la trastornó y se recluyó en sí misma —continuó Gloria—. Apenas comía y lloraba a todas horas. No era feliz aquí. Además, al poco tiempo llegó otra carta anunciando la muerte de su madre. Había perdido a dos seres queridos en poco tiempo y no se había podido despedir de ellos. Estaba ausente, perdida. Lo único que hacía una y otra vez era pasearse por el jardín y cuidar de las flores. Le encantaban las flores. Era lo único que la aliviaba y que hacía que volviera a sonreír. Por eso el señor hizo construir para ella un invernadero en el bosque, a pocos metros de la hacienda, y le trajo flores de todas partes del mundo. Allí se pasaba el día.

Anna se imaginó a su madre bajo un horizonte inmenso, cuidando un campo de flores perfumadas y bañadas por el sol. Entornó los ojos y en sus labios apareció una sonrisa.

—Ella las plantaba, las cuidaba y las veía crecer como si fueran sus propias hijas —añadió la criada—. Creo que era una manera de curar su alma herida.

—¿Y qué fue de ella? —preguntó Anna con impaciencia.

—Un día volvieron a discutir. El señor Arias comenzó a hacer negocios con los grandes empresarios de Manila: le iban bien las cosas y lo invitaban a recepciones y fiestas. Quería enseñar a su mujer, presentarla en sociedad, pero ella no quería ni oír hablar de eso. No tenía fuerzas para salir de la hacienda, hablar con otras mujeres y aparentar lo que no era. Se negó.

—Y Arias se enfadó, me imagino.

—El señor perdió los nervios y le levantó la mano. Ella se fue a dormir desconsolada. Al día siguiente, la señora había desaparecido. Se había llevado, también, el dinero de la caja fuerte. Nada más: ni ropa, ni maleta, nada.

Tenía el corazón desbocado. Su madre había abandonado a Arias, por eso él prefirió decir que estaba muerta a aceptar que lo había dejado.

—Y ¿adónde se fue?

Anna quería saberlo todo. Estaba a punto de conocer su paradero y poner fin a todo su sufrimiento. Estaba expectante, pero a la vez aliviada. Había experimentado una sensación de paz que no había sentido en los últimos años. Quedaban pocos pasos para reencontrarse con ella. Del pasillo comenzó a llegar el sonido de las ruedas de la silla de Arias.

—¡Gloria! ¿Dónde te has metido?

La voz de Arias se oía cerca de la entrada de la biblioteca. Si las encontraba allí juntas, podía pasar cualquier cosa. No se fiaba de él; había demostrado que no guardaba ningún tipo de remordimiento por lo que había hecho, así que era capaz de todo. La criada comenzó a ponerse nerviosa y se acercó a su oído.

—El día de la Epifanía, por la noche, el señor Arias tiene una cena —comentó atropelladamente—. Estará fuera de la hacienda. Podrás verte con tu madre en el invernadero. Yo lo arreglaré todo. A las ocho en punto.

Gloria salió corriendo de la habitación para reencontrarse con Arias mientras Anna se quedaba agazapada tras uno de los sillones para evitar que la viera. Tenía que asimilar toda la información que le había proporcionado aquella mujer. ¿Iba a poder ver a su madre el día de la Epifanía? ¿Gloria sabía cómo contactar con ella?

Estaba temblando de pies a cabeza. En pocos días, si todo iba según lo esperado, podría reencontrarse con su madre. Abrazarla por primera vez en su vida.

Iba a coger el vapor hacia Iloílo. Agustín Soriano y Manuel la habían acompañado en el coche. Hacía un día precioso, radiante y despejado. Anna estaba contenta y no podía dejar de sonreír.

—No te me vayas muy lejos, Anna —le dijo Soriano, señalándola con el dedo—. La próxima campaña será la del helado. No hemos tenido tiempo de hablar sobre ello.

—A la gente le gusta el helado. El otro día vi a varios heladeros con sus coloridos carritos de madera sirviendo cucuruchos a los niños.

—Se los conoce como sorbeteros. ¿No te resulta gracioso? Fuimos nosotros, los españoles, quienes los introdujimos aquí, sin nata por cierto, y los llamábamos sorbetes. Los americanos lo llaman *dirty ice cream*, helado sucio, porque es una mezcla de fruta, hielo y agua. Magnolia es la primera marca en Filipinas que usa buena leche y nata de carabao.

—En Estados Unidos suele haber heladerías donde además se venden sándwiches, batidos y pasteles. La gente acude en familia, o con amigos, y es un buen lugar para divertirse y refrescarse.

—Oh, ya existió un lugar así en la Escolta, hace unos años. Se llamaba Clarke's y lo regentaba un americano de Chicago. Fue el primero en dejar de usar la antigua garapiñera, un rudimentario utensilio manual para hacer helado, y pasarse a una máquina de verdad. Cerró en 1911, si no recuerdo mal, porque decidió marcharse a California.

Anna se echó a reír.

—¿De qué te ríes? —preguntó él.

—Me lo pone en bandeja, señor Soriano... ¿Sabe lo que le voy a decir?

El empresario se llevó la mano a la cabeza y sonrió.

—Que abra una heladería para vender helado Magnolia, ¿no? —Se restregó la frente—. ¡A este paso me vas a arruinar!

—Quiero que el Ice Cream Magnolia sea el helado favorito de todos los filipinos.

—Yo también. Hablaremos de ello dentro de poco.

—Magnolia no tardará en conquistar la Escolta como ya lo ha hecho Coca-Cola y como lo hará pronto Royal. —Le guiñó un ojo.

—¡Qué feliz me hace que hayas venido a Filipinas! —exclamó él con orgullo—. No hace mucho llamé a Emilio para agradecerle lo bien que te enseñó en Media. Espero que puedas estar con San Miguel durante mucho tiempo.

—Siempre creeré en sus productos. —Sintió un pellizco en el corazón—. Algún día San Miguel llegará a España.

—¿Tú crees? —Se rascó la barbilla—. Si es así, espero seguir contando con tu ayuda.

—No lo dude, señor Soriano.

Se estrecharon la mano con formalidad. Sentía una admiración enorme por aquel hombre que, siendo tan joven, había conseguido llevar a San Miguel a lo más alto y a Coca-Cola a todos los hogares filipinos. Sin duda, era un ejemplo a seguir.

Agustín subió al coche mientras esperaba a que Manuel se despidiera de ella. Jamás había visto al andaluz tan feliz como ese día. Tan encantado de la vida, con el rostro tan radiante.

—Creía que volverías conmigo a Iloílo —comentó Anna—. Menuda sorpresa.

—Sorpresa la mía cuando me propusieron ser profesor de cante en el Casino Español. Eso, y que la mayoría de los que acudieron a la cena quieren que vaya a cantar a sus fiestas...

—¡Cómo me alegro! Te lo mereces, Manuel.

—Jamás pensé que este país me fuera a dar tanto... —Se le quebró la voz—. Vine para ayudarte a ti y ya ves...

—Y me ayudaste. —Tragó saliva, emocionada—. Me acompañaste en una larga travesía y calmaste mis dudas y mis miedos. Juntos nos adaptamos a esta tierra. Me transmitiste toda tu fuerza, amigo. Jamás podré olvidar todo lo que hiciste por mí.

—Niña, no me hables así que me pongo a llorar. —Sus ojos brillaban—. Aún recuerdo nuestro beso... Me adelanté a Pablo Moreno.

Los dos rieron mientras se abrazaban.

—Espero que puedas reencontrarte con tu madre —añadió él—. Voy a rezar a todas las vírgenes para que así sea, chiquilla.

—Estoy segura de ello.

Se miraron con los ojos húmedos. A partir de ahora, sus caminos se separaban: ella seguiría en Iloílo, junto a Marvin, y él se quedaría en Manila para seguir llenando los corazones de la gente con su voz y su arte. Los dos iban a cumplir un sueño.

—Seguro que nos veremos pronto —dijo él, con un nudo en la garganta—. ¡Suerte!

Anna se dirigió hacia la pasarela que conducía al vapor mientras se despedía de su amigo con la mano. Inevitablemente, le vino a la cabeza la primera vez que lo había visto en el piso del Raval, tan humilde, simpático y siempre dispuesto a ayudar. Recordó el sabor del primer potaje que habían compartido juntos y cómo se alegraba cuando aparecía por el Villa Rosa para verlo cantar. Sin saber por qué, sintió una pena enorme al dejarlo allí, como si no lo fuera a ver más. Pasara lo que pasara, estaba convencida de que su voz la acompañaría siempre. Y que algún día, tarde o temprano, Rosa, Pili, Manuel y ella volverían a reunirse bajo la brisa marina de Barcelona.

El vapor levó anclas y zarpó, alejándose de la bonita bahía de Manila. Desde mar adentro, se veía el hormigueo de hombres y mujeres atareados cargando fardos de un lado a otro. El muelle se extendía hasta perderse de vista, caótico y acogedor. Su corazón estaba lleno de esperanza y no cabía en sí de gozo: su madre estaba a un paso. Un paso que le había costado más de dos años de su vida.

56

Qué alegría volver a ver a Marvin. Era la última persona que había llegado a su vida, pero Anna tenía la sensación de que era quien mejor la conocía, la única que sabía perfectamente lo que ella sentía, lo que temía y lo que esperaba. Era reconfortante abrazarlo por la noche bajo la misma sábana, sentir sus dedos enredándose en su cabello, el tibio calor de su cuerpo desnudo... Despertarse en medio de la noche y encontrarlo a su lado la llenaba de paz y tranquilidad. No sabía qué futuro le esperaba allí, en Filipinas, si sería capaz de vivir alejada de su tierra, de sus amigas... pero Marvin había sido una bendición: era un hombre que no tenía ambiciones, ni soñaba con grandes lujos. Lo único que quería era tener una vida sencilla y compartirla con la mujer que amaba. ¿No era eso perfecto?, se decía a sí misma una y otra vez.

La noche anterior al día de la Epifanía, Anna apenas pudo dormir. Estaba demasiado ansiosa para conciliar el sueño. Había recreado el reencuentro de mil formas distintas y en todos había un final feliz. Su corazón se aferraba al anhelo de que así sería, de que entre ambas surgiría el amor incondicional de una madre y una hija. Sin embargo, tan solo eran elucubraciones. ¿Y si estaba equivocada? ¿Y si su madre no era la mujer que siempre había imaginado que sería?

Ambos se habían levantado muy pronto para coger el vapor a Cebú. Se sentía fatigada y débil, pero feliz porque por fin podría salir de dudas. El cielo estaba plúmbeo y amenazaba lluvia, así que se puso una capa impermeable por si los pillaba de nuevo el monzón. El viaje iba a transcurrir con lentitud y tendría que armarse de paciencia.

Una vez en Cebú, alquilaron una canoa en el río Guadalupe para llegar lo más rápido posible a la hacienda de Arias.

—Espero que esta vez la lluvia no nos sorprenda en el río —comentó Marvin.

—Bueno, ya tenemos experiencia —sonrió ella—. Me salvarás la vida otra vez.

Él sacó una carta de su bolsillo y se la entregó.

—Se me había olvidado dártela —dijo—. Es de un tal Alarcón. El de Media, ¿no?

Anna esbozó una ancha sonrisa de alegría. Intuyó que el señor Soriano le había dado la dirección de la pensión de Iloílo y por eso le había escrito.

—La leeré después. —Besó el sobre, ilusionada, y lo guardó en el bolsillo de la capa—. Ahora no puedo pensar en nada que no sea mi madre.

—Debes de estar hecha un manojo de nervios.

—¡No lo sabes tú bien! —Se frotó las manos—. Una vida entera separada de ella... No sé cómo vamos a reaccionar. Puede ser un encuentro muy frío o todo lo contrario. Bueno, eso contando con que Gloria haya podido avisarla y haya accedido a venir.

—Si lo que te dijo era cierto, tu madre siempre luchó por estar contigo. ¿Por qué no iba a querer?

—Eso espero, mi querido Marvin.

Dejaron la canoa varada en la ribera del río. Justo entonces comenzó a llover a cántaros. El tiempo les había dado una tregua y, ahora que ya habían abandonado el río, el agua caía con furia sobre ellos, calando su ropa y llenando sus zapatos de barro.

Por fin llegaron a la hacienda. El invernadero estaba a tan solo unos metros, así que no les iba a ser difícil encontrarlo. Y así fue: tras bordear la casona de Arias, alejado del jardín principal se erigía un espectacular invernadero de cristal. Anna estaba tan nerviosa que no pudo contener las lágrimas. Había tratado de aplacar su emoción durante el viaje, pero ya no podía más.

—Tranquila, yo estaré a tu lado. —Marvin le dio un tierno beso en la frente—. Todo irá bien.

Entraron en el invernadero. Con la tormenta, el interior estaba en penumbra, pero pudieron comprobar que allí no había nadie. Olía a cerrado, a moho, como si nadie hubiera entrado allí en mucho tiempo. El agua golpeaba en el techo de cristal y se veían las ramas de los árboles más cercanos del jardín. En el pasado debía de haber sido un lugar mágico: había una acogedora mesita de madera vestida con una mantelería de fino hilo; sobre ella, todavía quedaba alguna taza desgastada y una tetera de porcelana blanca. Imaginó a su madre tomando el té mientras disfrutaba de las flores más raras, de los arbustos más exóticos y las plantas más maravillosas, ya desaparecidas. Era deprimente, desalentador. Miró tristemente lo que quedaba de vegetación: en las esquinas del invernadero salían ramas largas y espigadas de los árboles desnudos, también hiedras trepadoras y algún clavel que, sorprendentemente, había sobrevivido. El suelo estaba lleno de ramas y hojas secas, algunas podridas por la humedad, que se arremolinaban en torno a ellos como una tormenta. El viento soplaba con fuerza en el exterior y se colaba por las juntas de metal del recinto. Anna siguió contemplando aquel lugar que en su momento había sido de lo más romántico e íntimo: había un sillón de mimbre con grandes cojines de lino y un escritorio de madera rústica en el que intuyó que su madre solía pasar las horas. A pesar de la desolación y el abandono, Anna sentía cierta familiaridad, como si aquel invernadero hubiera sido suyo y hubiera compartido algunos momentos en él junto a ella.

Se acercó al escritorio. Vio un lápiz y un carboncillo sobre la mesa, junto a una especie de caja de madera decorada con mosaicos, muy bonita. No tenía cerrojo ni tirador, así que Anna dedujo que se trataba de un mero objeto decorativo.

–Es una *himitsu bako* –comentó Marvin al verla–. Una caja secreta japonesa.

–¿Secreta? –Frunció el ceño–. No se puede abrir.

–Sí se puede abrir. Mi padre le regaló una a mi madre para que guardara sus joyas. Los comerciantes japoneses las venden en algunos mercados filipinos. Son muy caras.

–¿Y dices que se puede abrir? –preguntó con curiosidad–. ¿Cómo?

–Los mosaicos que ves esconden un mecanismo de apertura. Esta, precisamente, no es muy difícil de abrir.

Marvin sostuvo la caja entre sus manos y comenzó a presionar y desplazar los mosaicos en una serie de movimientos hasta que consiguió que se abriera automáticamente. En su interior había un cuaderno forrado en piel. El mestizo hojeó sus páginas con incertidumbre.

—Parece una especie de diario –afirmó–. Sí, sí. Es el diario de tu madre, Anna.

Ella no se lo podía creer. Ese diario había permanecido intacto en aquel lugar desde que su madre desapareciera. Sin embargo, ahora que se iba a encontrar con ella, ya no lo necesitaba para nada. Iba a conocer su historia de su propia voz.

De repente, la puerta del invernadero se abrió. Anna estaba expectante y cogió fuertemente a Marvin de la mano. El corazón se le disparó. Sin embargo, quien entró no era su madre, sino dos hombres de mediana edad. Ya había anochecido del todo y la luna se colaba a través de los cristales del techo, iluminando los rostros de aquellos tipos. Anna estaba atónita: jamás hubiera pensado que volvería a verlo, a él, al hombre que había acabado con la vida de su mejor amigo. Joan Puig les apuntaba con una pistola, flanqueado por el hombre que la había amenazado en Madrid el día que la habían encontrado espiando a Consuelo Aguilar. ¿Qué demonios hacían allí? ¿Y su madre? ¿Gloria le había mentido y todo había sido una trampa de Mauro Aguilar?

—Volvemos a encontrarnos –dijo Puig.

Iba empapado de pies a cabeza. Su rostro parecía cansado, como prematuramente envejecido, y delataba una mezcla de angustia, desdén y maldad.

—¿Qué haces tú aquí? –atinó a decir Anna–. ¿Dónde está mi madre?

Joan Puig negó con la cabeza, incrédulo. Su otro compañero no le quitaba ojo a Marvin.

—Mauro me escribió hace unos meses avisándome de tu presencia en las islas –explicó su tío–. Cogí el primer barco que partía hacia aquí para solventar el problema. Si se cambiaron los nombres al llegar a Manila fue, precisamente, para evitar sorpresas como esta. Quiere que te saque de aquí y te devuelva a España. Por las buenas o por las malas. No quiere hacerte daño porque al fin y al cabo eres sangre de su sangre, pero le molesta que hayas venido a reabrir heridas que ya estaban cerradas. Ahora ya sabes la verdad de lo ocurrido, ya puedes olvidarte de esta tierra y de un padre que no tiene ningún interés por empezar una relación paternal.

Anna estaba temblando. Se sentía engañada y humillada por gente sin escrúpulos. Estaba furiosa consigo misma por haber sido tan confiada y no haber sospechado de Gloria. Mauro Aguilar era mezquino y vil.

—¿Sigo siendo un problema? —preguntó—. La única intención de mi viaje aquí era ver a mi madre. Eso es todo.

—Claro, pero has acabado trabajando para Agustín Soriano —replicó con ironía—. Es nuestro mejor cliente y gracias a él somos reconocidos en Filipinas. Si supiera que...

—Si supiera que en realidad cultiváis la amapola para introducir heroína en España... —soltó Anna con rabia—. Entonces se acabaría vuestro negocio.

—Exacto. Hemos trabajado muy duro para que ahora venga una alcahueta como tú a acabar con nosotros.

Ella negó con la cabeza.

—Yo no quiero acabar con vosotros —insistió, agotada—. En eso os equivocáis.

—No te conocemos de nada —soltó él—. Apareciste en mi vida y la trastocaste por completo. Lo tenía todo controlado. Luego llegas aquí y acabas siendo la publicista de Soriano, poniéndolo todo en peligro.

—¿Sabías de mi existencia? —Apretó los labios, ansiosa por la respuesta.

—Siempre supe que mi hermana se había quedado embarazada —reconoció al fin—. De hecho, vino a contármelo para pedirme ayuda. He de decir que no me agradaba la idea de que estuviera con ese hombre, un soldado tullido que no iba a poder darle una vida digna.

—¿Y qué dignidad le diste tú haciéndola cómplice de algo tan horrible como la droga?

—Ella nunca lo supo, o eso creo. —Chasqueó la lengua—. Mi hermana no lo hubiera consentido, jamás hubiera participado en esto. Era tan inocente que ni siquiera fue capaz de atar cabos. Creía que toda la fortuna que engrosaba su caja fuerte era producto de la hacienda del azúcar.

Corría un aire gélido y la lluvia se había convertido en una fuerte tormenta que arremetía con violencia contra el cristal del invernadero. Marvin seguía a su lado, impertérrito.

—En un principio pensé en no ayudarles —continuó Joan Puig—. Estaba furioso con mi hermana: ¿qué clase de mujer se queda embarazada sin estar casada? Era repugnante. Pero luego reconsideré su ruego: era preferible que se marchara de Madrid y no pusiera en peligro la reputación de mi apellido ni la salud de mis pobres padres, que ya estaba mermada por lo que había supuesto su ruina. Debía alejarla de nosotros.

—Así que decidiste enviarla a Filipinas aun sabiendo que estaba embarazada.

—Hacía tiempo que quería dar un paso adelante con el negocio de la venta de recetas. El opio se vendía en cualquier esquina, así que debía hacer algo. Y entonces oí hablar de la heroína. Filipinas era la solución. ¿Y quién mejor que la familia, alguien de confianza, para llevar un asunto tan, digamos... peliagudo?

—Y entonces se vio obligada a dejarme. —Lo miró con rabia e impotencia—. Porque ni siquiera permitiste que se recuperara de su embarazo y que yo tuviera la edad suficiente para poder hacer un viaje así.

—Oye, yo no regalo mi dinero —resopló—. Y no fue culpa mía que ella se dejara preñar. La condición era clara y ellos aceptaron: debían viajar lo antes posible y empezar a trabajar si querían que yo los mantuviera. Así de simple. Además, fue Mauro quien le insistió en dejarte. Y creo, si no me equivoco, que lo hizo en manos de quien en su día fue mi amigo, Enric Girona.

—Pues acabé en un orfanato y estoy contenta de que así fuera. —Se le formó un nudo en la garganta—. Pero hubiera preferido que mi madre regresara a por mí, pero no lo hizo porque le hicisteis creer que yo había muerto.

Joan Puig se rascó la frente con la mano libre. La otra seguía empuñando su pistola con firmeza, apuntándoles al pecho.

—Eso fue idea de Mauro. —Frunció el ceño—. Él no quería que ella volviera a Barcelona... Juraría que ella, en el fondo, nunca dejó de amar a Enric, sobre todo después de darse cuenta de que Mauro no era el hombre que ella creía. ¿Un tullido? ¡Por el amor de Dios!

—Hablas de él como si no fuera tu socio, ni parte de tu familia. Desprecias a todo el mundo.

—¿Vas a darme lecciones de moral? —Rio—. Mauro es fiel y no se cuestiona nada. Hace bien su trabajo y punto. Es lo que espero de él. Pero es un calzonazos como la copa de un pino. No supo controlar a mi hermana, ni meterla en vereda.

Anna lo miró con desprecio. Sentía repugnancia y asco por aquel hombre.

—De todas formas —continuó—, ya sabes cómo fue la historia. Hemos sido sinceros contigo, ya no hay nada más que explicar. Por eso es mejor que regreses a España y te olvides de esto.

—¿Y mi madre? ¿Dónde está? ¿Es cierto lo que me contó Gloria?

—Gloria te contó toda la verdad, aunque desconocemos su paradero —respondió quitándole importancia—. Tu madre desapareció de la hacienda y no hemos vuelto a saber de ella, así que ya no tienes nada que hacer aquí. Mauro la ha buscado por todas partes y parece que se la haya tragado la tierra. Debes aceptarlo.

Ella sonrió para sus adentros, orgullosa, por la valentía de su madre. Pese a las adversidades y la soledad, en su día había reunido la fuerza necesaria para deshacerse de un energúmeno como Mauro Aguilar.

—Pero creo que fue lo mejor para todos —continuó Puig—. De lo contrario, Mauro habría enloquecido todavía más y desatendido nuestro negocio. Ahora solo le queda eso.

—¿Cómo es posible que no sientas nada por tu propia hermana? —preguntó ella, suspicaz—. ¿No tienes corazón?

—Fui la oveja negra de mi familia —su voz sonó más débil al recordarlo—. Me tomaban por tonto, por el que iba a arruinar a la familia. Mi hermana era todo lo contrario: ella se casaría con Enric Girona y nos llevaría a todos a lo más alto. Y ya ves lo que pasó después: conseguí recuperar nuestra casa y hoy en día soy un hombre respetable en Madrid. ¿Y ella? —Resopló—. Una pobre desdichada que se metió en la cama del primero que le regaló los oídos y dejó nuestra reputación por los suelos. Mi padre enfermó por su culpa y mi madre dejó esta vida por el disgusto.

—No finjas sentir lástima por tus padres cuando sé bien que no vas a ver a tu propio padre desde hace muchísimos años —comentó con intención de hacerle daño—. El único responsable de la situación que vivió tu familia eres tú. Pudiste ayudar a tu hermana de diferente manera, dándole un hogar digno y apoyándola, pero preferiste alejarla de ti en tu propio provecho.

—Has salido a ella, sin duda. —Dejó escapar un suspiro de impaciencia—. Pero no vas a causarnos más problemas aquí.

Sus palabras eran una amenaza en toda regla.

–¿Y cómo lo vas a conseguir? –preguntó ella. El miedo le apretaba las entrañas y tuvo que contener una arcada–. ¡No puedes obligarme a marcharme!

–Oh, sí que puedo, sí. –Rio–. Además, nos has facilitado el trabajo trayendo a tu novio aquí. Se llama Marvin, ¿no? Seguro que no quieres que le hagamos daño.

Abrió los ojos, sorprendida. La habían estado espiando y conocían bien su punto débil.

–En un par de días sale un barco hacia España. Vendrás conmigo y te olvidarás de todo lo que se cuece por aquí. Si no aceptas el trato, Marvin lo pagará. Es más –sonrió–, no lo soltaremos hasta que subas al buque.

Un miedo atroz la inmovilizó y le cortó el aliento. ¿Quién le aseguraba que, en cuanto embarcara, no acabarían con la vida de Marvin? Él también sabía lo de la droga y era una amenaza para sus negocios. ¿Cumplirían su palabra? Un sudor frío le bañaba el cuerpo.

Joan Puig entregó su pistola a su compañero, aquel hombre que la había aterrorizado en la casa de Recoletos y la había amenazado con acabar con sus amigos.

–Mañana escribirás una carta a Soriano renunciando a tu trabajo –dijo su tío, dirigiéndose hacia la puerta–. Le comunicarás que vuelves a Barcelona por cuestiones personales. Allí podrás seguir con tu vida, sin más. A tu novio no le pasará nada siempre y cuando no vuelvas a meter tus narices aquí, ¿de acuerdo?

–No me fío de vosotros –espetó ella, desesperada.

–No te queda más remedio. Mi compañero os vigilará.

Joan Puig abandonó el invernadero y cerró la puerta tras de sí como si nada. Anna miró a su captor rogándole clemencia: era un hombre violento y temía que le hiciera daño pese a la orden de su jefe de no actuar todavía.

–Portaos bien –dijo él, con tono amenazante–. Mi pistola es de gatillo fácil.

Y rio cruelmente. Tenía la cara hinchada y los dientes más torcidos que ella había visto nunca. Por mucho que rogara por la libertad de Marvin, sabía que no lo iba a conseguir. Estaba aterrorizada por lo que pudiera pasarle: por su culpa, lo había condenado a una muerte segura. Quizá no fuera pronto, pero acabarían con él por miedo a que pudiera contar lo que sabía. Anna rompió a llorar al mirar a Marvin, que seguía con la mirada fija hacia su captor, frío como el hielo, como si no fuera consciente de lo que iba a ocurrir.

57

16 de febrero de 1916

Hoy es un día de aquellos en los que no saldría de la cama. Pero he de fingir que estoy bien, al menos para que Mauro no se atreva a echarme en cara mi debilidad y mi poca disposición a ser feliz. Y me lo dice él, que vive cada segundo de su existencia con amargura y rencor, que maldice su estado, el tener que estar sentado en una silla de ruedas de por vida. Fue un héroe en su juventud, un hombre del que todo el mundo se sentía orgulloso, pero ahora se ha convertido en un ser mezquino y despreciable. Entiendo su miedo, su inseguridad y su dolor, pero no que pague conmigo toda su rabia, como si yo hubiera sido la culpable de su desdicha. Él decidió venir a Filipinas y desprecia estas islas: su cultura, su clima, la belleza de su paisaje... No valora ni siquiera eso. Sus ojos son ciegos al mundo. Lo único que llena su alma podrida es el dinero, la ambición y el éxito. Y si quiere mantenerme a su lado es tan solo por aumentar su ego y engañarse una y otra vez a sí mismo: sabe que ya no le quiero, que las decisiones que tomó por mí en el pasado me han alejado de él convirtiéndole en un absoluto desconocido para mí. En el fondo lo sabe, aunque no lo quiera reconocer. Sabe que jamás podría perdonarle que me impidiera reencontrarme con mi hija, esa dulce niña que murió tan pronto. Su no rotundo, su falta de amor por lo que creamos juntos, su egoísmo a la hora de escoger entre el dinero y la familia... Todo me ha convertido en una mujer de hielo. No siento su pena, ni la quiero hacer mía. Ambos luchamos por cosas distintas y nunca más volveremos a ponernos de acuerdo. Si me quiere sometida a su ley, lo haré porque no me queda otro remedio. Estoy sola y sin fuerzas. Pero tengo esperanza de que algún día lograré reponerme y escapar de esta prisión sin rejas. Me iré para construir una vida nueva, llevándome conmigo el olor y el escaso recuerdo que guardo de mi pequeña para siempre.

Teresa

58

Había un silencio sepulcral roto solo por el lamento sofocado de Anna. La lluvia seguía cayendo con fuerza y, de repente, se oyó el rugido de un trueno. El rayo que lo acompañó cayó cerca del invernado y, por un instante, los cegó. Todo pasó en apenas unos segundos. Marvin, aprovechando que el hombre desvió la vista hacia el techo, sacó el machete que siempre llevaba consigo para abrirse paso por la selva y se lo lanzó al matón de Puig, clavándoselo en un brazo. El hombre profirió un grito de dolor y sorpresa. Marvin se abalanzó sobre él para arrebatarle el arma. Los dos cayeron al suelo y empezaron a forcejear mientras el matón disparaba indiscriminadamente.

—¡Agáchate! –le gritó a Anna.

Una bala pasó silbando a su lado, luego otra. Anna gritó histérica al notar el disparo a escasos milímetros de su cabeza y que acabó perforando una pared de cristal del invernadero.

Ellos seguían peleando frenéticamente. Anna logró esconderse tras el escritorio de su madre y resguardarse de las balas. Por suerte, pese a su estatura, Marvin era mucho más rápido y ágil que su pesado contrincante, así que logró golpearlo en el pecho y dejarlo sin respiración durante unos segundos. El hombre se quedó sin fuerzas, y el mestizo aprovechó para retorcerle la mano, buscando quitarle el arma. La pistola salió despedida y quedó escondida bajo el sillón de mimbre.

—¡Corre, Anna! –gritó el joven.

El matón todavía seguía en el suelo, tratando de recuperar la pistola. Marvin se puso de pie y cogió de la mano a Anna, empujándola con rapidez hacia la salida.

—¡Corre, corre hasta el río! –ordenó–. No mires atrás.

El corazón le iba tan rápido que apenas le quedaba aliento para correr. El suelo estaba empapado y resbaladizo, y sus pies se hundían en el barro. El fragor de los truenos y el resplandor de los rayos seguían sin tregua. La cortina de lluvia apenas les dejaba ver por dónde iban, pero Marvin, pese a la oscuridad de la noche, conocía muy bien el camino. Sin embargo, oyeron la voz de su captor a varios metros de distancia. Había logrado sobreponerse. No iba a poder alcanzarlos porque su físico y la herida del brazo se lo impedirían, pero llevaba consigo algo que podría conseguir frenarlos: la pistola. La pesadilla volvía de nuevo.

—¡Estamos a punto de alcanzar el río! —jadeó Marvin—. ¡Un último esfuerzo!

Se oyeron cuatro tiros más hasta que la pistola emitió un chasquido metálico hueco. Se había quedado sin balas. Anna respiró aliviada, pensando que habían logrado escapar de la muerte. Ya se divisaba el río y la canoa. Apenas quedaban unos metros, pero Marvin se había rezagado. Anna paró en seco y lo vio en el suelo, sangrando.

—Me han dado —dijo él con un hilo de voz.

Anna trató de ver dónde se encontraba la herida. No se veía prácticamente nada, pero Marvin se estaba agarrando la pierna, que no paraba de sangrar. Oyeron los pasos más cerca. Si seguían allí, acabaría alcanzándolos y, en el estado en que se encontraba Marvin, no podrían plantarle cara.

—Vamos, te ayudaré.

Anna rompió un trozo de su vestido y se lo ató lo más fuerte que pudo en el muslo para cortar la hemorragia.

—No sé si voy a poder... —gimió él—. Deberías dejarme y salvarte tú.

—¡Ni hablar! —Sus ojos se llenaron de lágrimas—. No digas tonterías.

Ni siquiera se le había pasado por la cabeza hacer algo así. Amaba a Marvin y él había arriesgado su vida por ella. Había sido un fiel compañero durante toda su búsqueda y no iba a dejar que lo mataran como a un perro.

—Ahora soy yo quien te pide un último esfuerzo —le dijo Anna cariñosamente—. Saldremos de esta, te lo juro.

Sacó fuerzas de donde no las había y se armó de valor: cogió a Marvin por las axilas y lo levantó como pudo. Él esbozó una mueca de dolor al apoyarse en la pierna herida. Anna cogió su brazo y lo puso alrededor de su cuello para que se apoyara en ella. Por suerte, era un muchacho menudo y delgado, así que no pesaba demasiado.

Estaba muy asustada. Su perseguidor estaba a punto de alcanzarlos. Llegaron por fin a la canoa, que permanecía varada en la orilla. Sin la fuerza de Marvin, le iba a ser difícil devolverla al río ella sola. Pero una vez más sacó fuerza de su desesperación y lo logró. Metió al joven en la canoa antes de subir, se cercioró de que estaba a salvo y miró hacia atrás: el tipo estaba jadeando, fatigado, empuñando un arma descargada que no había tenido tiempo de recargar. Anna subió a la canoa con cara de triunfo y la impulsó río adentro para escapar de allí. Observó cómo su captor se echaba las manos a la cabeza al ver que se alejaban, se dejaba caer sobre la tierra, agotado y empapado, tratando de coger aire. Pese a sentir un profundo alivio, todavía seguían en peligro por culpa de la tormenta. El agua del río era imposible de dominar, así que, por mucho que Anna tratara de sostener los remos, se encontraban a merced de la corriente. El muslo de Marvin seguía manchado de sangre y él había dejado de hablar por el dolor y el tremendo esfuerzo que había hecho para llegar a la canoa. No podía hacer otra cosa que rezar y esperar que, tal y como pasó la primera vez que les había pillado el monzón, volvieran a tener la misma suerte y salieran indemnes de la tormenta. Sin embargo, Dios no parecía estar de su lado esta vez, pues la lluvia no remitía y el río salvaje los zarandeaba como si fueran marionetas. Hasta que cayeron al agua y la oscuridad los envolvió.

Anna despertó en una habitación desconocida. Estaba sobre una especie de colchón de ratán envuelta en un *sarong* filipino y protegida por una mosquitera. Había una vela prendida en el suelo y toda su ropa colgada del techo a medio secar. ¿Dónde estaba? Trató de recordar lo que había pasado, pero no lo consiguió. Notó un intenso dolor en la cabeza y se llevó la mano a la sien. Tenía una venda y un potingue de hierbas untado en la herida. Haciendo un esfuerzo, por fin recordó las últimas horas: habían escapado del matón de Joan Puig y habían caído al agua al vencerse la canoa por la tormenta. ¿Quién le había salvado la vida? ¿Y Marvin?

–¿Ya estás despierta?

Era la voz de Marvin. Miró hacia la derecha y lo vio en otro colchón, tumbado y con la pierna en alto. Estaba sonriente, alegre, y su herida se encontraba en buenas condiciones: aparentemente había dejado de sangrar y se estaba curando. Sintió una inmensa felicidad al verlo vivo, a su lado.

–¿Qué ha ocurrido? –preguntó Anna.

Intentó levantarse para acercarse a él y sintió un súbito mareo.

–No tan rápido... –le dijo él–. Estamos débiles. Podríamos haber muerto en el río si no hubiéramos tenido la inmensa suerte de que una familia de campesinos nos viera caer al agua. Me extrajeron la bala y me han curado la herida con remedios caseros. Podemos estar agradecidos.

–Dios mío, no sé cómo hemos podido salir de esta –dijo Anna–. Has sido muy valiente, Marvin. Te enfrentaste a un hombre armado.

–A ti no te habrían tocado, pero ambos sabemos que iban a acabar conmigo. Debía intentarlo.

Anna sollozó, tapándose la cara con las manos. No había sido consciente de lo cerca que había estado de la muerte hasta ese momento, cuando ya estaba a salvo. Su padre y su tío preferían sacarla de en medio, pese a que ella no se consideraba una amenaza para sus negocios. No entendían su causa, que lo único que quería era conocer el paradero de su madre. A ellos tan solo les importaba el sucio dinero.

En ese momento, una mujer entró en la habitación cargando con dos cuencos de madera llenos de *tinola*, una especie de sopa. Olía deliciosamente bien, a pollo y verduras. Anna sonrió a la mujer y le cogió las manos para agradecerle lo que habían hecho por ellos. Jamás olvidaría la solidaridad de los filipinos. La mujer echó un vistazo a las heridas para cerciorarse de que estaban bien. Con un firme asentimiento de la cabeza, se marchó de nuevo.

–Tengo algo que enseñarte –dijo Marvin, ilusionado.

Le entregó algo. Anna no se lo podía creer: era el diario de su madre.

–¿Lo cogiste? –preguntó sorprendida– ¿Cuándo?

–Cuando entraron los dos hombres en el invernadero, escondí el diario en la parte de atrás de mis pantalones. Se mojó y hay varias páginas ilegibles.

Anna tocó la cubierta de piel como si estuviera acariciando a su propia madre. Había pertenecido a ella y ahora lo tenía en su poder. Le brillaron los ojos de la emoción. Podría conocer su verdadera historia, saber lo que había sentido por ella todo este tiempo.

–Mira esto, Anna. –Sujetaba una flor seca en su mano–. Estaba pegada a una página.

–¿Una flor? Bueno, sabemos que le gustaban las flores.

–No es una flor cualquiera –explicó él–. Es una *waling waling*. Un tipo de orquídea.

–¿Y qué pasa con eso?

Marvin la instó a que abriera una página concreta del diario.

–Lee –le ordenó.

A veces sueño con esas tierras. Recuerdo la primera vez que las vi, hace años, en un viaje que hice con Mauro. Él ni siquiera prestaba atención al paisaje; hablaba de negocios, como siempre, sin importarle la magnificencia de aquel monte tan alto que parecía rozar el mismo sol y que una tribu indígena protegía desde su falda. Yo apenas lo escuchaba a él, embelesada con el precioso campo de orquídeas que apareció de repente ante mis ojos. Hermosas flores que parecían haber salido de una pintura impresionista: un lienzo con trazos de color violeta, un verdadero canto a la belleza de la naturaleza. Fue en ese preciso instante cuando sentí que volvía a la vida, a recuperar la alegría y el amor por el mundo que me rodeaba.

Le dije a Mauro que parara un momento para que pudiera coger una flor y llevármela conmigo. Me miró como si estuviera loca, como si mi petición tan solo fuera un estúpido capricho y una pérdida de tiempo. Insistí, importándome poco lo que pudiera pensar, y paró a regañadientes. Con la ilusión de una niña pequeña, arranqué una de esas orquídeas y me la llevé conmigo. Nunca me había dado cuenta de lo que podían llegar a curar el alma las flores.

A veces pienso en dejarlo todo y marcharme allí. Establecer mi propia granja y despertarme cada día con el trino de los pájaros.

Observar, cada mañana, cómo se desperezan ante mí las flores púrpuras.

Anna tenía los ojos anegados en lágrimas. Pese a que no la conocía, podía distinguir la delicadeza de sus formas más allá del sufrimiento. La expresión de su tristeza le desgarraba el corazón: sus palabras eran las de una mujer desesperada por cambiar de vida y frustrada por la incomprensión de un marido que detestaba.

—Pasa la página —dijo Marvin—. Eso no es todo.

Había un dibujo. Un dibujo que describía a la perfección el lugar del que hablaba en su diario. Un precioso campo de orquídeas lilas, unas cabañas de madera que parecían de una tribu y un enorme monte de tres picos en el horizonte.

—Jamás sabremos dónde diablos está este lugar —lamentó Anna—. Filipinas está llena de islas y montañas como esta.

Marvin sonrió como si guardara un as en la manga. No dejaba de sostener la flor entre sus dedos, mirándola fijamente.

—Tienes la ventaja de estar con un nativo —se jactó—. Las *waling waling* son especiales.

Anna abrió los ojos, esperanzada. Marvin conocía muy bien su tierra y podía confiar en él.

—Las *waling waling* solo crecen en un lugar concreto de Filipinas —continuó con entusiasmo—. En Davao, en la isla de Mindanao, la parte más oriental del país.

—¿Davao? —El corazón le latía con fuerza—. ¿Y en qué lugar de Davao?

—En la falda del monte Apo. —Señaló el dibujo—. Es el pico más alto de Filipinas.

—¿Estás seguro de que es allí?

—No tienes nada que perder. —Se encogió de hombros—. Las pistas nos llevan a ese lugar.

Anna se quedó callada, reflexiva; luego sonrió ilusionada.

—Iremos —expresó, decidida—. Tengo que salir de dudas.

Marvin se señaló la pierna y esbozó una mueca de dolor.

—Creo que vas a tener que ir sola. Tengo que reposar y no puedes perder más tiempo.

–¿Yo sola? –Negó con la cabeza–. No sabría llegar hasta allí... Además, siempre me has acompañado.

–Puedes hacerlo sola, Anna. –La miró con ternura–. Eres valiente y puedes con todo.

–Pero no quiero alejarme de ti y menos después de lo que te han hecho –suspiró–. Estás así por mi culpa.

–No sé si eres consciente de lo que va a suceder a partir de ahora... –Hizo una pausa–. Esos energúmenos que casi nos matan no van a parar de buscarte. Van a ir a por ti y a por mí. No vas a poder seguir trabajando para Soriano... Lo entiendes, ¿no?

No había tenido tiempo de pensar en eso. Evidentemente, Marvin tenía razón. Mauro Aguilar y Joan Puig no iban a resignarse y no cejarían en su empeño de encontrarla y acabar con su novio. ¿Cómo iba a seguir haciendo vida normal en Filipinas y trabajar para San Miguel? Aquello era una auténtica locura.

–Vas a tener que dejar Filipinas, Anna –soltó Marvin, de repente–. A no ser que prefieras vivir toda tu vida en el monte Apo, alejada de la civilización. Y, conociéndote... diría que eres incapaz de eso.

–¿Y qué será de ti? ¿Y si vuelven a por ti?

–Puedo apañarme solo. Sé dónde esconderme, dónde empezar una nueva vida...

–Dios mío, Marvin, te he condenado... –Rompió a llorar–. No voy a perdonarme nunca lo que te he hecho.

–No ha sido culpa tuya. –Le acarició la cara–. No quiero que sufras por mí: soy más listo que ellos y esta es mi tierra. No me encontrarán. Lo realmente importante es qué harás tú.

Anna se llevó las manos a la cabeza, agobiada, sin fuerzas. Dejar Filipinas significaba abandonar a Marvin y a su madre, si es que la encontraba. Y quedarse suponía vivir bajo la amenaza de Puig y Mauro. ¿Qué iba a hacer?

Despedirse de Marvin fue uno de los instantes más amargos vividos desde que estaba en Filipinas. Fue duro. Emprendía el último viaje de su búsqueda, sola, sin la presencia del hombre que había sido su compañero en los peores días.

Lo besó varias veces antes de marcharse, disculpándose por dejarlo solo sin saber a ciencia cierta cuándo volvería a verlo. Reprimiendo un sollozo, completamente abatida y llena de incertidumbre por lo que le deparaba el futuro, acarició por última vez su mejilla. Le debía tanto que iba a ser difícil compensar de alguna manera su entrega. Sin embargo, él parecía comprenderla perfectamente.

–No te olvidaré nunca, Anna –dijo, emocionado–. Sigue tu camino.

Se despidieron y se desearon suerte. Anna comenzó a llorar desconsolada mientras le decía adiós desde la distancia. Lo iba a echar terriblemente de menos.

El vapor llegó al puerto de Davao, rozando las paradisíacas playas de arena blanca de la isla de Samal. Hacía un fantástico día: el cielo estaba despejado y en el muelle reinaba la ajetreada vida de los puertos filipinos y que ya eran tan familiares para Anna. Los mozos cargaban y descargaban la mercancía, pesados sacos y enormes barriles de vino que hacían rodar de un lado a otro. Las olas centelleantes, el sol, el sonido de un silbato y la bandera que lucía ondeante en el mástil. Ese día, cualquier detalle le parecía precioso. En la línea del horizonte se divisaba la ciudad: una hilera de casas sencillas, campanarios y pequeñas callejuelas llenas de tráfico. Ya en el muelle, mujeres musulmanas con blancos pañuelos en la cabeza vendían verdaderas maravillas artesanales: esteras, utensilios de bronce y hermosos tejidos indígenas que almacenaban en sus particulares embarcaciones de velas coloridas llamadas *vintas*. También había japoneses con puestos de frutas de todo tipo: pomelos amargos, bananas, marangs y durians, una de las frutas que más había llamado la atención de Anna por su olor desagradable.

Anna cogió un coche hacia el monte Apo. A los pocos minutos, el conductor, de origen chino, se adentró en un camino arenoso y poco transitado. Enseguida dejaron la ciudad a sus espaldas y empezaron a encontrarse con infinitos campos de arroz encharcados, algún cultivo de maíz y centenares de hectáreas de abacá y coco. Iba a ser un viaje largo y tedioso. La angustia y el calor no iban a ser unas buenas aliadas, pero Anna estaba tan agotada que logró dormirse durante gran parte del trayecto.

–Ya hemos llegado –dijo el conductor.

Había perdido la noción del tiempo. Estaba atardeciendo, pero todavía había una luz naranja que hacía resplandecer el monte Apo.

Nunca había visto una montaña tan alta: la cima constaba de tres picos y en el más alto se hallaba el cráter de un volcán todavía activo. El bosque que rodeaba el monte presentaba una magnífica variedad de plantas tropicales que los españoles habían importado de Ceilán, India, Hawái y Malasia durante la etapa colonial. Era un lugar precioso, lleno de árboles y flores que jamás había visto. Un águila morena surcaba el cielo en busca de comida.

Caminó en dirección al monte Apo, guiándose por el dibujo del diario de su madre. Rápidamente se topó con las cabañas de la tribu Bagobo: pequeñas casitas construidas sobre pilotes para evitar las inundaciones y cuyo suelo estaba hecho de tiras de caña y madera de coco. El monte Apo era para ellos una especie de deidad: solían celebrar danzas, saltando fuertemente sobre la tierra, y rituales para que creciera el cultivo en esas tierras. Anna se acercó a un hombre que estaba arando una parcela de tierra: llevaba una especie de falda de colores hecha de abacá, varias pulseras y ornamentos de bronce y metal en el cuello y los brazos. El tintineo que producía su cuerpo al moverse parecía un bonito villancico de Navidad. Le enseñó el dibujo y le preguntó por el campo de orquídeas. El hombre, haciéndose entender con gestos, señaló hacia detrás del pico. Debía rodear la montaña.

Parecía que no iba a llegar nunca. Sin embargo, la ilusión de reencontrarse con su madre le inyectaba una fuerza inimaginable. Sabía que estaba cerca, muy cerca, y que todos aquellos meses de lucha iban a valer la pena.

Por fin se encontró con el gigantesco campo de orquídeas púrpuras. Las *waling waling*, bamboleándose coquetamente bajo el sol, podían cautivar a cualquiera que pusiera los ojos en ellas. Podía llegar a entender por qué su madre había decidido vivir allí: la belleza del paisaje era tal que se sintió como si estuviese en un lugar prohibido. Le cortaba la respiración. El ambiente era cálido, húmedo, y en el aire flotaba la suave y deliciosa fragancia de las flores. Al final de aquel campo había una granja.

—Debe de ser esa —dijo en voz alta.

Podía oír el canto de las cigarras de fondo, y el sol se estaba hundiendo en el horizonte tras el monte Apo. Tenía los nervios agarrados en el estómago de la tensión del viaje. El corazón le latía con fuerza y las piernas le temblaban. Por un instante, pensó en dar marcha atrás. Más de dos años preparándose para una situación como aquella, y estaba pensando en huir por miedo a que su madre pudiera rechazarla. Estaba sobrepasada. Pero debía hacerlo. Debía llegar hasta esa granja y llamar a su puerta y descubrir por fin si vivía allí su madre.

La granja era pequeña y tenía una casita de madera en mitad de la ladera, al abrigo de la falda de la montaña. Junto a ella había un establo con cerdos y un gallinero. Olía a una mezcla de estiércol y orquídeas, y el sonido del canto de los pájaros y el murmullo de un río lejano se mezclaba con el de los duros ladridos de un perro tras la zanja del jardín. El animal era robusto, de orejas triangulares, ojos pequeños y el hocico tan ancho como el de un oso. Anna había visto varios de esa raza por Filipinas: Marvin le había explicado que los llamaban *chow chow* y que venían del norte de China. Era blanco como la nieve y tenía un pelaje denso y áspero. No era agresivo, sino que movía su cola con alegría. Anna rodeó la casa en busca de su madre, pero no había nadie allí. La puerta estaba entornada, así que decidió entrar con sigilo. La casita apenas era lo suficientemente grande para que cupiera una pequeña familia; sin embargo, no había señales de que viviera alguien más que ella: había escasas pertenencias en una de las estanterías sujetas en la pared y, sobre el respaldo de la silla, descansaba una fina capa para protegerse de la lluvia, y un sombrero. Allí vivía una mujer, de eso estaba segura. Aunque era un espacio pequeño, cuidaba algunos detalles: en las repisas de las ventanas había coloridas macetas y, en el interior, un precioso jarrón decoraba la mesa principal, la única que aparentemente había en toda la vivienda.

Al cabo de una hora de eterna espera, escuchó de nuevo los ladridos del perro e intuyó que alguien se acercaba a la casa. Salió al exterior y vio, a lo lejos, la figura de una mujer cargando con una cesta de mimbre. Llevaba los pantalones metidos dentro de unas botas de agua y su pelo ondeaba con suavidad bajo la brisa. Aunque Anna solo había visto a su madre en una fotografía antigua, sabía perfectamente que era ella. Habían pasado muchos años, pero conocía bien ese rostro y esos ojos que, al fin y al cabo, eran prácticamente iguales a los suyos.

Teresa se quedó parada al ver a una desconocida en la entrada de su casa y dejó la cesta en el suelo por si debía echar a correr. Frunció el ceño, extrañada. ¿Quién podía esperarla en su casa si nadie sabía de su paradero? ¿Por qué la chica parecía conocerla de algo? Por unos instantes, temió que fuera una trampa. ¿Y si Mauro la había descubierto? Se había marchado sin sus pertenencias y sin el querido diario que escondía en la caja japonesa que había comprado a un comerciante. No, Mauro no lo habría imaginado nunca. Y aunque lo hubiera encontrado, no habría recordado su viaje por el monte Apo y el hermoso campo de *waling waling* del que se había enamorado. Su marido sería incapaz de seguirle la pista.

Teresa estaba confusa y extrañada por la reacción de la joven, que tenía la cara empapada de lágrimas y no dejaba de temblar. Se acercó, observándola con detenimiento. Se parecía a ella cuando era joven y se preguntó si aquella sensación de familiaridad que le producía era real o ilusoria.

–¡Madre! –oyó decir–. ¡Madre!

Se quedó parada, tratando de descubrir la verdadera identidad de aquella muchacha.

–¿Quién eres? –le preguntó, paralizada–. ¿De qué me conoces?

La chica tenía los ojos rojos de tanto llorar y la abrazó como si hubiera estado esperando toda la vida para verla.

–Soy tu hija –acertó a decir–. Estoy viva. Te engañaron.

Teresa dejó que ella la abrazara hasta que intentó comprender lo que le estaba contando aquella chica. ¿Su hija no había muerto? ¿Estaba viva?

–Enric Girona me dejó en un orfanato –prosiguió Anna–. Hablé con él y me explicó que te habías ido a Filipinas. No he parado hasta encontrarte. Me llamo Anna.

La mano de Anna se entrelazó con la suya. Sus lágrimas mojaron su cuello y sus hombros. Teresa la agarró de la barbilla para tratar de reconocer su cara; debía acariciar sus mejillas y mirarla a los ojos para cerciorarse de que era verdaderamente ella. Esa cara que había besado una y mil veces antes de abandonarla en los brazos de Enric Girona.

–Eres tú, hija –afirmó por fin.

Las lágrimas comenzaron a brotar de sus ojos. No se podía creer que su hija, aquella criatura que había dejado con apenas unos días de vida y que creía muerta, estuviera ahora frente a ella. ¿Es que estaba soñando?

–Soy yo –confirmó Anna, cogiendo aire–. ¡No sabes la de veces que me he imaginado este momento!

Teresa volvió a abrazarla para sentir su calor, lo más fuerte que pudo, como el que nunca ha sentido el abrazo y el beso del que más quiere en la vida.

–¡Te he echado tanto de menos! –exclamó, emocionada–. ¡Te he llorado tanto!

Volvió a estrecharla entre sus brazos, deseando no separarse nunca de ella; debía recuperar todo el tiempo perdido. La olió, para captar todo su aroma; había salido de sus entrañas y había estado engañada todo ese tiempo. Se sentía furiosa.

–Veinte años –añadió, con un tono de voz envejecido y cansado–. Me he perdido toda tu vida.

La miró bajo la luz del sol y le pareció una persona que irradiaba luz y alegría. Tenía una mirada profunda, de haber sufrido pese a su corta edad. Daba la sensación de que ella misma tenía cosas que contarle sobre su propio pasado y que quería compartir con ella.

–Tengo que contarte muchas cosas –dijo Anna, impaciente.

–Tenemos todo el tiempo del mundo, hija –sonrió Teresa, tranquila.

Anna sintió una paz y una tranquilidad infinitas. Suspiró despacio y se agarró tiernamente a su madre, enmarcándole el rostro entre sus manos. Nunca había sido tan feliz.

Epílogo

Anna había salido a recoger orquídeas mientras su madre preparaba el desayuno. Caía una lluvia suave y fresca que hacía que las flores liberaran su aroma y avivaba el color de sus pétalos. Cerró los ojos y aspiró hondo para captar su perfume, una fragancia incapaz de describir con palabras. Aquel sentimiento era, si no de felicidad, de absoluta paz y calma. El agua resbalaba por su capa hasta mojar el suelo de tierra prácticamente negra. Las nubes se posaban sobre el pico del monte Apo como si fueran bolitas de algodón, mientras una bandada de pájaros jugaba en una isla de árboles frente a la casa. Subían y bajaban en una bonita coreografía, ofreciendo un armónico concierto que se mezclaba con el susurro de las hojas y el murmullo de las aguas. Ese lugar era delicioso.

Le dio frío y entró en la casa. Su madre estaba cocinando unos huevos con tocino mientras silbaba una melodía sencilla. Anna sonrió al verla en aquella escena tan cotidiana, familiar, sin misterios. Algo que había deseado desde que era niña y que había tardado veinte años en poder disfrutarlo. Todo el camino había valido la pena, pensó ella, esbozando una ancha sonrisa y metiendo sus manos heladas en los bolsillos de la capa. Inesperadamente, notó un papel en uno de ellos. Al sacarlo, arrugado y húmedo, recordó que Marvin le había dado una carta del señor Alarcón. Lo había olvidado por completo. Afortunadamente, no se había mojado en exceso y se podía leer.

Querida Anna:

¿Cómo te encuentras por allí? Estuve hablando con Soriano y parece que está de lo más satisfecho contigo. Te enseñé demasiado bien, Anna Expósito, y ahora temo que me hagas la competencia y me quites el trabajo de las grandes compañías. Ya tienes a San Miguel, Coca-Cola... ¡Por el amor de Dios! ¿Sabes lo que significa eso?

Por eso he pensado en algo... Media va viento en popa, la verdad. Mentiría si te dijera que no nos sale el dinero por las orejas... Vamos muy bien, sí señor. Así que he pensado en algo... desde Madrid no se puede controlar todo y Barcelona tiene cada vez más productos catalanes de gran renombre, empresas y extranjeros que invierten en la ciudad. Total, que creo que podríamos abrir una sucursal de Media en Barcelona y he pensado que tú podrías dirigirla. ¿Te apetece?

Espero que me des una respuesta pronto. Te deseo lo mejor,
Emilio Alarcón.

Anna se levantó de la silla, decidida, y se acercó por la espalda a su madre. La abrazó con fuerza, rodeándole la cintura con sus manos. Teresa le dio un beso en la mejilla mientras continuaba con su tarea. Un beso que Anna se llevaría consigo para siempre.

Algunas reflexiones de Pedro Prat Gaballí (1885-1962), primer profesor de Publicidad de España, sobre el papel de las mujeres en los nuevos hábitos de consumo durante las primeras décadas del siglo XX.

«Es muchas veces la hermana, la esposa o la novia quien elige nuestras corbatas, nuestros calcetines, nuestro bastón; es casi siempre la mujer la que se preocupa del confort y aprovisionamiento del hogar, siendo ella frecuentemente la que ejerce influencia sobre nuestras inversiones de dinero. El hombre, ocupado en los trabajos propios de su profesión, lee poco los anuncios; no tiene la curiosidad de la mujer ni le queda tiempo para tenerla. Ésta posee, en cambio, el instinto de enterarse de todo en forma tal, que esta curiosidad de algún modo influye sobre la sensibilidad de su carácter. Es lectora de anuncios y se constituye en preciosa intermediaria entre la publicidad y el hombre; por eso su acción es tanto más eficaz, a este respecto, cuanto más los anuncios contienen formas o expresiones que se adapten rápida e insensiblemente a las modalidades de su espíritu. En el transcurso de nuestra práctica profesional hemos tenido ocasión de comprobar que algunas campañas fracasaban por no contar con la contribución de dicho elemento femenino.»

Pedro Prat, *Publicidad racional*, Barcelona: Editorial Labor, S.A., 1934.

Lee las primeras páginas de

AGUJAS
de
PAPEL

1

Todavía recuerdo como si fuera ayer el día de Navidad de 1892. Vivíamos uno de los inviernos más fríos de los últimos años y, si bien aún no había caído ni un solo copo de nieve, los resfriados no habían tardado mucho en llegar. Tía Elvira, que a principios de otoño mandaba vestir la casa de arriba abajo con las pesadas cortinas estampadas de invierno y las gruesas alfombras persas, había sido la primera en caer. Así que escuchábamos constantemente su voz a nuestras espaldas, recordándonos una y otra vez que debíamos cerrar las puertas a nuestro paso para evitar las peligrosas corrientes de aire que la habían dejado una semana entera postrada en la cama.

Dos criadas no paraban de subir y bajar escaleras: una llevaba para planchar la mantelería blanca, que luciría limpia y perfecta a la hora de comer, y la otra, que apenas tenía mi edad, procuraba que toda la casa estuviera en orden y que los cristales de las ventanas que daban a la calle brillaran más que nunca. ¡Cómo adoraba ese trajín matutino! Oír los pasos apresurados del ama de llaves por los largos y oscuros pasillos del palacete, el cuchicheo risueño de las muchachas restregando los cepillos mojados por el suelo... Aquellos sonidos rutinarios, pero tan deliciosos para mí, me hacían sentir viva y llena de felicidad.

—¡Amelia! —gritó tía Elvira—. ¡Amelia!

La voz provenía de su habitación, así que me apresuré a averiguar qué era lo que quería mi madrina con tanta insistencia. Al entrar en aquel santuario repleto de estampitas, vírgenes y cruces, enseguida recordé la noche anterior. A las once, como todos los años, tuvimos que abandonar la ratafía y los juegos de cartas para enfundarnos los abrigos, los sombreros y los guantes y escuchar el pesado sermón del padre Elíseo en la misa del gallo. Y es que tía Elvira era una devota y practicante empedernida, y muy pocas veces perdonaba la visita del padre Elíseo, confesor de la familia desde hacía más de veinte años y, por supuesto, invitado de honor en la comida de Navidad. Soltera, exigente y mandona, mi madrina adoraba hacer de celestina y encontrar marido a cualquiera a quien comenzara a pasársele el arroz. A mí me costaba entender que una mujer que jamás se había casado pudiera aconsejar sobre los defectos y virtudes de la vida matrimonial. Pero he de reconocer que no se le daba nada mal: la última que había cedido a sus propósitos había sido mi hermana Carolina, que en pocos meses iba a casarse con un arquitecto recién licenciado y de buena familia. Tía Elvira había hecho de carabina durante las largas tardes del verano pasado, convenciendo a uno y a otro de que juntos podrían tener la vida que siempre habían querido, sin renunciar a los lujos que sus respectivas familias les habían procurado hasta entonces.

–¿Qué quiere, tía? –La observé mientras ella intentaba ponerse el corsé, y no pude evitar reírme para mis adentros al ver aquellas exuberantes lorzas luchando por liberarse del rígido artilugio.

–Parece que el corsé se ha encogido.

Asentí con poco convencimiento. Mi tía era culpable de uno de los siete pecados capitales: la gula. Siempre he creído que si no hubiera sido por la desmesurada pasión que sentía hacia la comida, probablemente se habría encerrado en un convento de por vida. Pero la austeridad no era una de sus virtudes, y era incapaz de poner límites a sus deseos más mundanos.

–Ayúdame, anda, que Juana está con tu madre poniéndole paños en la frente –continuó–. ¡Si es que una camarera para cuatro mujeres!... ¿Dónde se ha visto eso? Somos una familia de categoría, de las mejores de Barcelona, pero tu padre es de puño cerrado, nena. Ya lo era de pequeño; nunca fue capaz de regalarme nada... ¡Pobre de mí, que me he dedicado a él en cuerpo y alma!

–¿Madre está enferma otra vez? –Agarré el corsé con fuerza e intenté apretarlo cuanto pude.

–Voy a necesitar más vestidos, nena, así que tendremos que ir a la modista. –Se miró al espejo e hizo una mueca de disgusto al verse la papada–. Y sí, tu madre está de nuevo alterada, supongo que será por las preocupaciones de la fiesta, ya sabes que nunca se le ha dado bien hacer de anfitriona y llevar las riendas de la casa. Menos mal que está tu tía para organizarlo todo.

Me dolía en lo más hondo el tono que utilizaba al hablar de mi madre, como si se tratara de una niña sin la capacidad de actuar y vivir como una persona adulta y madura.

—No lo entiendo, tía. Madre me preocupa... ¿Qué le pasa? Siempre la veo así, desanimada y sin ganas de vivir.

—No es nada, te lo aseguro. —Abrió el cajón de su tocador y sacó un postizo de pelo rizado—. Ayúdame a ponerme esto, anda, quiero que se me vea una frente bien rizada. ¡Que no se diga que la familia Rovira no tiene clase!

Tía Elvira solía cometer otro pecado más: el de la vanidad. Compraba los vestidos más caros, las joyas con más pedrería, los sombreros con las plumas más exóticas... No escatimaba en gastos, y en más de una ocasión había tenido que pedir a mi padre que le aumentara la asignación que le correspondía para pagar las deudas que se acumulaban en la modista. Aunque yo desaprobaba tal derroche, no podía hacer lo mismo con su afición por la moda, pues yo misma me consideraba admiradora de las casas más populares de París y de los modistos más en boga del momento. En mi mesita de noche acumulaba revistas de moda llegadas de la capital francesa e incluso bocetos que yo misma me atrevía a dibujar sobre los diseños que causaban furor en todo el mundo. Desde que había abandonado la niñez y me habían permitido vestirme como una mujer hecha y derecha, mi entusiasmo por el modelaje me había llevado a imaginarme a mí misma retratada en las portadas de las revistas que tan cuidadosamente guardaba, vestida con las prendas y los accesorios más lujosos y exclusivos.

—¡Desde luego, has salido a mí! —me dijo, estudiándome la cara—. ¡Fíjate, qué perfecta eres! Esa boquita y esa nariz tan pequeñas, los ojos grandes y verdes... ¡Y tu altura y tu tez tan pálida! Si es que nadie diría que eres hija de tu madre, que tiene esa piel tan cetrina y tan poco burguesa. Todavía no sé qué vio tu padre en ella; ni siquiera tenía una gran fortuna...

—Porque se querían, tía —expresé en tono de reproche, arrugando el ceño—. Y todavía se quieren.

—Tú eres más como los Rovira, nena, solo hay que verte.

¿Cómo podía ser tan cruel? ¿Cómo se atrevía a hablarme así de mi propia madre? Sin duda alguna, mi tía no era una mujer compasiva: no dejaba títere con cabeza y criticaba a cualquiera que pudiera hacerle sombra. Y mi madre, aunque jamás había tenido el carácter y la actitud que se esperaba de la señora de la casa, seguía siendo la mujer de Agustín Rovira y su círculo social la respetaba por ello.

–Los ojos verdes son de mi madre, y el pelo negro también –me atreví a decir con orgullo–. Si no necesita que le ayude en nada más, me gustaría poder ir a verla.

–Vete, vete. –Hizo un gesto con la mano para que me marchara y se puso unas gotas de perfume–. Le vendrá bien verte.

Sentí un gran alivio al abandonar su habitación. Aunque tenía la obligación de obedecerla y de respetarla, en más de una ocasión había tenido que morderme la lengua para no reprocharle su actitud despiadada. Sin embargo, en casa nadie se atrevía a contradecir sus normas y deseos, quizá porque desde siempre habíamos sido conscientes de la debilidad de mi madre y de la sumisión que había mostrado hacia mi tía. Sabíamos que mi padre respaldaba a tía Elvira y que le había confiado el título de señora de la casa por encima de su propia esposa.

Me dirigí pues hacia el dormitorio de mi madre. Por el pasillo me encontré con mi hermano pequeño, Andreu, que pasó corriendo a mi lado sin apenas inmutarse. Tenía catorce años y estudiaba en uno de los mejores colegios de Sarriá. Aunque estaba a punto de abandonar los cuidados de la *dida* Valentina, la mujer que nos había criado y cuidado durante la infancia, todavía se comportaba como un niño consentido y travieso que siempre terminaba por salirse con la suya.

Abrí por fin la puerta de la habitación de mi madre, que estaba medio entornada, y el olor a vinagre me golpeó con fuerza en la nariz. Dentro estaba Juana, nuestra camarera, pasándole por la frente los paños mojados que tan poco la aliviaban; solo la soledad y la oscuridad de la habitación lograban que se repusiera un poco.

–Madre, ¿cómo se encuentra?

Me acerqué a ella y le pedí a Juana que fuera a ayudar a tía Elvira. Le retiré de la cara su precioso pelo azabache y le di un beso en la mejilla fría. Ella sonrió levemente y me miró como pidiéndome que me fuera cuanto antes para que no la viera en ese estado tan triste y deprimente.

–Tiene que ponerse buena, madre, hoy es Navidad.

–No me encuentro bien, hija, no sé si bajaré a comer. –Me acarició las manos y pareció emocionada–. Ojalá pudiera tener tus dieciocho años, Amelia. Tienes que disfrutar de la vida, que solo hay una. No dejes que nadie te diga lo que tienes que hacer: cumple siempre tus sueños.

Mis ojos se humedecieron y cogí aire. Sus palabras estaban llenas de fuerza, pero su rostro transmitía lo contrario: mi madre había abandonado cualquier esperanza, se había dejado llevar por las carencias que dominaban su existencia.

–Quiero que usted haga lo mismo, madre. Haga un esfuerzo y baje con nosotros a comer. Vienen Víctor, el prometido de Carolina, y el padre Elíseo. Nos lo pasaremos bien, ya lo verá.

–Disfrútalo tú, cielo. –Dejó escapar un suspiro y cerró los ojos–. Vete, necesito dormir.

–Pero ¿qué le pasa? –Mi voz sonó más desesperada de lo que pretendía–. ¿Cómo puedo ayudarle?

–Es difícil de explicar, cariño.

De repente, escuché la gruesa voz de mi padre detrás de mí.

–Deja a tu madre tranquila –me ordenó, agarrándome del brazo y acompañándome a la puerta–. Si no quiere bajar, allá ella. Intentaremos pasar el día de Navidad lo mejor posible.

Mi madre abrió los ojos de golpe y pude percibir en ellos una mirada de tristeza devastadora, de esas que todavía guardo en mi memoria con todo mi pesar. Mi padre ni siquiera la miró; cerró la puerta tras de sí y me hizo bajar las escaleras hacia la planta principal. Esbocé una mueca intencionada de reproche, pero ni siquiera reparó en ella. Mi padre era un hombre autoritario, frío. Su americana con cuello de alas almidonadas y su bastón de bambú acentuaban todavía más ese carácter despótico y dominante que no solo demostraba en casa, sino también en su fábrica textil, donde los trabajadores se dirigían a él con el apelativo de cacique. Era un hombre distante y poco cariñoso, o al menos yo no había sido capaz de ver más allá. No recuerdo haber compartido con él ni un solo momento de mi vida hasta bien entrada la adolescencia, cuando por fin decidió que ya era lo suficientemente mayor como para sentarme en el salón con los adultos. Siempre he pensado que todo el amor que no había demostrado a sus tres hijos pequeños lo había dedicado en exclusiva a mi hermano mayor, Eduardo, heredero de su fortuna y de la fábrica de *filatures* de la familia Rovira. Por ahora, Eduardo le ayudaba a gobernar aquel imperio de más de doscientos trabajadores.

–¿Has aprendido algo nuevo para tocar al piano? –Se atusó los bigotes y se retocó las patillas ya canosas–. Quiero que esta tarde nos toques alguna pieza, ya sabes que al padre Elíseo le encanta.

–Por supuesto, padre, no dude que lo haré.

No me gustaba tocar el piano, pero nadie me lo había preguntado jamás. Mis deseos o preferencias poco o nada importaban si tenían que ver con mi educación. Yo, como todas las demás muchachas de mi clase, debía convertirme en el ideal femenino por excelencia: una mujer recatada, débil y espiritualmente sensible que dedicara su tiempo a complacer a los demás.

–Escuche, padre –me atreví a decir–. ¿Por qué está así madre?

–Tu madre es frágil, eso es todo. A muchas mujeres les pasa. No podemos hacer nada por ella.

–Pero quizá no tiene la atención adecuada. Puede que se sienta..., no sé..., sola.

–No vayas por ahí, hija. –Su tono se volvió agresivo–. Ella sabe bien que tanto tu tía como yo hacemos lo que está en nuestras manos para ayudarle.

No fui capaz de continuar la conversación por miedo a ofenderle, así que llegamos en silencio al salón, donde ya estaba tía Elvira; mi padre se sentó en el capitoné mientras yo ordenaba las partituras que había sobre el piano, donde también reposaba un bonito mantón de Manila que había traído un amigo de la familia desde Filipinas. Sobre él también había varias cajitas de cerámica que mi madre había comprado durante su viaje de luna de miel por Europa, cuando era una mujer feliz y llena de vitalidad, así como varios retratos de la familia entre los que destacaba, por encima de todos, el de tía Elvira, con su manto y su vestido negro que tantas veces había tenido que ensanchar a medida que engordaba.

Continúa en tu librería

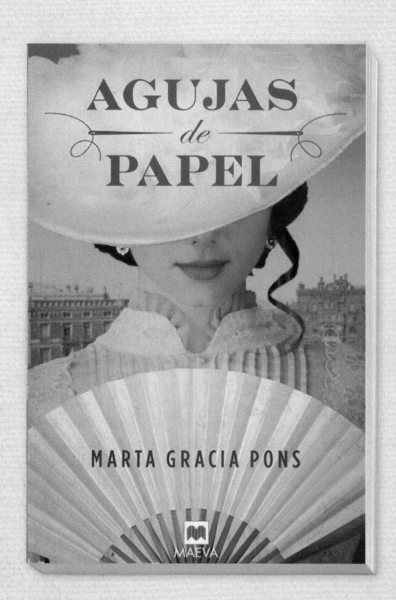

Una novela que nos traslada a Barcelona y París en pleno siglo XIX,
y en la que cobran vida personajes reales y ficticios.
—**El Correo Gallego**

En la estela de *El tiempo entre costuras,* llega esta novela sobre
una mujer que en el siglo XIX pretende convertirse en maniquí
de alta costura. Hay viajes, aventuras y hasta
acontecimientos políticos.
—**InStyle**

Con un estilo narrativo muy ágil, la autora sabe dotar a su novela
de ritmo y de tramas que envuelven a sus personajes mientras
mantiene el corazón del lector en un puño.
—**Anika entre libros**

Barcelona, París, Florida... *Agujas de papel* no solo es un viaje
por los ideales de una mujer liberal en pleno siglo XIX, sino a lo largo
y ancho de estos impresionantes lugares.
—**In Magazine**

Con una protagonista auténtica y con personalidad propia,
Agujas de papel es de esas novelas que generan emociones
y hacen feliz al lector.
—**Galakia**

Una novela cautivadora, con una maravillosa ambientación y narrada
de tal forma que te hace vivir la historia desde dentro.
—**Adivina quién lee**